Nature humaine

SERGE JONCOUR

Nature humaine

———

ROMAN

Jeudi 23 décembre 1999

Pour la première fois il se retrouvait seul dans la ferme, sans le moindre bruit de bêtes ni de qui que ce soit, pas le moindre signe de vie. Pourtant, dans ces murs, la vie avait toujours dominé, les Fabrier y avaient vécu durant quatre générations, et c'est dans cette ferme que lui-même avait grandi avec ses trois sœurs, trois lumineuses flammèches dissemblables et franches qui égayaient tout.

L'enfance était éteinte depuis longtemps, elle avait été faite de rires et de jeux, entre assemblées et grands rendez-vous de l'été pour les récoltes de tabac et de safran. Puis les sœurs étaient parties vers d'autres horizons, toutes en ville, il n'y avait rien de triste ni de maléfique là-dedans. Après leur départ, ils n'avaient plus été que quatre sur tout le coteau, Alexandre et ses parents, et l'autre vieux fou auprès de son bois, ce Crayssac qu'on tenait à distance. Mais aujourd'hui Alexandre était le seul à vivre au sommet des prairies, Crayssac était mort et les parents avaient quitté la ferme.

Ce soir-là, Alexandre traîna les sacs d'engrais de la vieille grange jusqu'au nouveau bâtiment de mise en quarantaine. Ensuite, suivant toujours les plans d'Anton, il révisa les mortiers, le fuel. À présent, tout était prêt. Avant de rentrer à la ferme, il alla jeter un œil dans la vallée, à l'affût du moindre signe, du moindre bruit. Le vent était fort, alors il s'avança plus encore. Avec ces rafales venues de l'ouest lui revenaient des éclats d'explosions et le fracas des foreuses, par moments il croyait même les entendre de nouveau, surgis de l'enfer, à près de cinq kilomètres de là. C'était atroce, ce bruit, à chaque fois qu'il reprenait ça faisait comme une immense perceuse vrillant depuis le fond de l'espace, un astéroïde assourdissant qui aurait fondu sur la Terre pour venir s'écraser là.

En repartant vers la ferme, il se demanda si les gendarmes n'étaient pas en planque de l'autre côté du vallon, au-delà des pans de terre rasés. Peut-être que depuis hier ils l'observaient, en attendant d'intervenir. Il regarda bien, ne décela pas la moindre lueur, pas le moindre mouvement, rien. Il était sûr, cependant, d'avoir été repéré hier soir, pas par la caméra en haut du poteau blanc, mais la petite au-dessus de la barrière du chantier, même s'il avait fait gaffe en prenant le détonateur, après avoir mis de la toile de juste sous ses semelles comme Xabi le lui avait dit. La centrale à béton était paumée en plein territoire calcaire, à des kilomètres de toute habitation, néanmoins il faudrait qu'il y retourne, d'autant qu'à cause de ces vents forts, prévus pour durer selon Météo-France, le chantier serait fermé toute une semaine, ça lui laisserait largement le temps de retirer la bande de la caméra, ou d'en vérifier l'angle pour s'ôter toute angoisse, et de faire ça calmement. Alexandre s'assit à la grande table, posa ses coudes comme si on venait de lui servir un verre, sinon que devant lui il n'y avait rien d'autre que ce panier à fruits toujours désolant en hiver. Il prit deux noix, les cala l'une contre l'autre dans sa paume et n'eut même pas besoin de serrer fort pour qu'elles se disloquent dans un bruit retentissant.

Chaque vie se tient à l'écart de ce qu'elle aurait pu être. À peu de chose près, tout aurait pu se jouer autrement. Alexandre repensait souvent à Constanze, à ce qu'aurait été sa vie s'ils ne s'étaient jamais rencontrés, ou s'il l'avait suivie dans sa manie de voyager, de courir le monde et de toujours bouger. À coup sûr il n'en aurait pas été là. Mais il ne regrettait rien. De toute façon il n'aimait pas les voyages.

1976-1981

Samedi 3 juillet 1976

C'était bien la première fois que la nature tapait du poing sur la table. Depuis Noël il ne pleuvait plus, la sécheresse raidissait la terre et agenouillait le pays, à cela s'étaient ajoutées de fortes chaleurs en juin, l'émail du vieux thermomètre sur le mur en était craquelé. Au fil des coteaux, les prairies s'asphyxiaient, les vaches broutaient les ombres en lançant des regards qui disaient la peur.

Depuis que la canicule essorait les corps, aux Bertranges le journal télévisé de 20 heures était devenu plus important que jamais. Pour Alexandre, tous ces reportages sur la vague de chaleur c'était l'opportunité de voir des tas de jeunes femmes en jupe ou en bikini, des images le plus souvent filmées à Paris, des filles court-vêtues marchant dans la ville, d'autres se prélassant dans des squares ou à des terrasses, et certaines, même, seins nus autour d'un plan d'eau. Du haut de ses quinze ans c'était assez irréel.

Quant à ses sœurs, elles contemplaient ce monde tant désiré, ces rues grouillantes et ces trottoirs pleins de cafés, de terrasses aux allures de Saint-Tropez, pensant que c'était là l'exact opposé de l'ennui. Au moins cette chaleur était-elle l'occasion d'une gigantesque communion vestimentaire de la nation, car en ville comme aux Bertranges on ne craignait pas de déboutonner la chemise ou d'aller torse nu.

Pour beaucoup, cette fournaise extravagante provenait des essais atomiques et de toutes les centrales nucléaires qui poussaient en Angleterre, en France et en Russie, des bouilloires démentes qui ébouillantaient le ciel et cuisaient les fleuves. Pour le père, cette vague de feu venait plutôt des stations spatiales que Russes et Américains balançaient dans l'espace, des usines flottant là-haut dans le ciel et qui devaient agacer le soleil. Le monde devenait fou. La mère ne jurait que par le commandant Cousteau, en vieux père Noël grincheux celui-ci accusait le progrès et les pollutions industrielles, alors que, franchement, on ne voyait pas bien le rapport entre la fumée des usines et les nuits de feu aux Bertranges. À la télé comme partout, chacun y allait de ses superstitions, et la seule réponse concrète qui s'offrait face à cette canicule, c'étaient les montagnes de ventilateurs Calor à l'entrée du Mammouth, avec en prime le Tang et les glaces Kim Pouss, signe que ce monde était tout de même porteur d'espoir.

Sans vouloir jouer les ancêtres, les grands-parents rappelaient que lors de la sécheresse de 1921 les paysans de la vallée avaient fait dire une messe. À l'époque, tous avaient cuit au fil d'un office de deux heures célébré sous le soleil en plein champ. N'empêche que, trois jours après, la pluie était de retour. Dieu avait redonné vie aux terres craque-lées. Seulement en 1976 Dieu n'était plus joignable, parce qu'il n'y avait plus de curé à l'église de Saint-Clair et que, sans inter-cesseur, les cierges brûlés à la Saint-Médard n'avaient pas eu le moindre effet, aucune goutte n'était tombée. Le soir, à la météo, ils affichaient un soleil géant sur la carte de France, et puis des éclairs jaunes comme dans les bandes dessinées, des orages qu'on ne voyait jamais en vrai, preuve du prodi-gieux décalage qui existait entre la télévision de Paris et le monde d'ici.

Dimanche 4 juillet 1976

Le père avait descendu les bêtes sur les terres d'en bas, chez Lucienne et Louis. Pourtant ce n'est jamais bon de laisser les vaches boire au fil de la rivière, les bêtes se froissent les pattes sur les rives, ou bien elles chopent la douve ou se refilent la tuberculose en en côtoyant d'autres, mais depuis leur pavillon tout neuf les grands-parents gardaient un œil sur le cheptel. Lucienne et Louis venaient de laisser l'ancienne ferme d'en haut aux enfants. Bien qu'ayant atteint l'âge de la retraite, ils ne décrochaient pas totalement pour autant. À soixante-cinq ans, ils s'estimaient encore capables de travailler les terres limoneuses de la vallée et de faire du maraîchage, d'autant que l'ouverture du Mammouth offrait de beaux débouchés pour les légumes en vrac.

Ce dimanche 4 juillet était une journée cruciale aux Bertranges. Pour la dernière fois on plantait du safran. Avec cette chaleur on était sûr que les bulbes ne pourriraient pas, une fois en terre les crocus ne s'abîme-raient pas à cause de l'humidité, au contraire ils continueraient de dormir bien au chaud, pour se réveiller aux premières pluies à l'autre bout de l'été. Chez les Fabrier, cette dernière récolte était vécue comme un chan-gement d'époque. Depuis que l'or rouge s'im-portait d'Iran, d'Inde et du Maroc pour dix fois moins cher, ces cultures n'étaient plus rentables. En France, la main-d'œuvre pour travailler un demi-hectare de ces fleurs-là était devenue trop chère, même en famille ça ne valait plus le coup de passer des jour-nées entières à les cueillir puis les émonder, assis autour d'une table. Le père et la mère à la ferme avaient bien conscience de ce qui se jouait là, les bulbes vivant cinq ans, ils les plantaient avec la certitude que durant cinq ans encore les enfants seraient là, que durant cinq ans le temps ne passerait pas. Car ce dernier safran c'était surtout pour ne pas trop brusquer Lucienne et Louis, de même qu'on maintenait aussi l'huile de noix et les cassis, ces activités qui meublaient les veillées, à l'époque où il n'y avait pas de télé.

Pour la dernière fois aux Bertranges, trois générations s'affairaient dans le même mou-vement. À seize ans révolus, Caroline était l'aînée. À sa manie de s'épousseter sans cesse on sentait qu'elle avait déjà pris ses distances avec ce monde-là. Vanessa n'avait que onze ans mais elle gardait tout le temps son Instamatic en bandoulière et regardait dedans toutes les deux minutes pour voir la photo que ça ferait si elle appuyait. Si bien qu'elle n'aidait pas vraiment. De temps en temps elle larguait un bulbe du bout des doigts, avant de se reculer et d'envisager le cliché. Sa lubie coûtait cher en développements, de sorte qu'elle réfléchissait à deux fois avant d'appuyer sur le déclencheur. À six ans, la petite Agathe n'était encore qu'une gamine, et les parents la reprenaient sans arrêt parce qu'elle mettait le bulbe à l'envers ou le décortiquait avant de le planter. Alexandre par contre s'activait à tous les postes. La veille il avait préparé le sol, et maintenant, en plus de planter, il allait chercher de nouvelles cagettes au fur et à mesure que les uns et les autres avaient fini de vider les leurs. Pour l'occasion Lucienne et Louis avaient quitté le pavillon qu'ils venaient de faire construire dans la vallée, un F4 avec salle de bains, perron et odeur de peinture. En paysans dépositaires de gestes millénaires, ils savaient que ces gestes-là, demain, ne se feraient plus.

Les terres des Bertranges étaient dans la famille de Lucienne depuis quatre générations, mais maintenant tout semblait incertain. Caroline parlait de faire des études à Toulouse pour devenir prof, Vanessa ne rêvait que de photo et de Paris, quant à Agathe pas de doute qu'elle suivrait ses sœurs. Par chance Alexandre n'avait pas ces idées-là. En plus d'être au lycée agricole il aimait la terre, sans quoi ç'aurait été une damnation pour la famille, ça aurait signé la mise à mort de ces terres, de ces vaches, de ces bois, et l'abandon de tout un domaine de cinquante hectares plus dix de bois. Alexandre n'en parlait pas mais une pression folle pesait sur ses épaules, et si les filles se sentaient libres d'envisager leur vie ailleurs, elles le devaient à leur frère, il se préparait à être le fils sacrificiel, celui qui endosserait le fardeau de la pérennisation.

En rapportant un nouveau lot de cagettes, Alexandre entendit une sirène au loin. Pourtant les gendarmes ne se montraient jamais par ici, et certainement pas en déclenchant le deux-tons. Le bout du champ offrait une vue sur toute la vallée mais, comme les grands arbres étaient pleins de feuilles, ils la masquaient en cette saison. Dans une trouée il aperçut le pavillon des grands-parents tout en bas, et la petite route épousant le cours de la rivière. Il se passa la main sur son visage qui dégoulinait de sueur, et c'est pile à ce moment-là qu'il vit les deux camionnettes de gendarmerie sortir d'un tunnel d'arbres, laissant leurs sirènes hurler même en dehors des virages, signe qu'elles devaient filer en direction de Labastide, à moins qu'elles n'aient pris la route pour monter jusqu'ici.

— Eh oh, bon Dieu, Alexandre, qu'est-ce que tu fous ? dit le père.

— C'est bizarre, en bas il y a deux...

— Deux quoi ?

— Non, rien.

— Ramène d'autres cagettes, tu vois bien qu'on va en manquer...

Alexandre garda pour lui ce qu'il avait vu. Deux fourgons, ça voulait bien dire que quelque chose de grave se produisait. Il se demanda s'ils n'allaient pas chez le père Crayssac. La semaine dernière, le Rouge était monté sur le Larzac se replonger dans la lutte contre le camp militaire, soi-disant qu'ils étaient des milliers à cette manif et qu'il y avait eu du grabuge. Des militants avaient envahi les bâtiments militaires pour y détruire les actes d'expropriation, et le soir même tous ces rebelles avaient été jetés en prison par les gendarmes. Seulement, Chirac avait ordonné qu'on les relâche dès le lendemain parce que les brebis crevaient de soif à cause de la sécheresse, alors les gendarmes l'avaient mauvaise... Chez les Fabrier on ne parlait jamais de ces histoires, mais Alexandre savait que Crayssac était dans le coup. Sans se l'avouer, cette lutte le fascinait, un genre de Woodstock en moins lointain, avec des filles et des hippies venus d'un peu partout, qui fumaient sec, paraît-il, ça devait bien délirer là-bas...

— Oh, tu t'actives, bon Dieu !

Alexandre fit des va-et-vient pour aller chercher des cagettes pleines et les déposer à côté de chacun. Ils étaient tous à quatre pattes et plantaient les bulbes un par un. Alexandre s'approcha de nouveau du dévers, et là, il distingua un troisième fourgon qui fonçait. C'était impensable que Crayssac mobilise à lui seul une compagnie entière de gendarmerie.

— Au lieu de rêver, apporte-nous donc encore des bulbes...

Cette fois il fallait qu'il y aille, il fallait qu'il sache.

— Je reviens !

— Mais, qu'est-ce que tu fous ?

— J'ai soif, je vais chercher de l'eau.

— Mais y a de l'Antésite...

— Non, je veux de l'eau fraîche, et puis faut que j'aille aux toilettes, je reviens...

— Aux toilettes ? Non mais il est pas net ton fils, dit le père à la mère qui haussa les épaules.

Dimanche 4 juillet 1976

Alexandre remonta jusqu'à la ferme mais, au lieu de prendre de l'eau, il enfourcha sa Motobécane et traversa le vallon pour foncer jusque chez Crayssac. Une fois sur place, les gendarmes n'y étaient pas. Peut-être que le chemin était bloqué ou que les roues toutes minces de leurs fourgons s'étaient coincées dans les crevasses cavées par la sécheresse. Alexandre trouva le vieux assis à l'intérieur, en nage, son fusil posé sur les genoux.

— Bon sang, Joseph, mais qu'est-ce qui se passe ?

Le vieux semblait muré dans une colère froide, il lâcha avec rage :

— Tout ça c'est de votre faute !

— De quoi vous parlez ?

— De votre connerie de téléphone.

— C'est les gars des PTT qu'ont appelé les gendarmes ? Vous ne leur avez tout de même pas tiré dessus ?

— Pas encore.

Alexandre était d'autant plus désarçonné que le vieux chevrier lui parlait tout le temps de non-violence, ces derniers temps.

— Joseph, le fusil, c'est pas vraiment l'esprit de Gandhi.

— Je t'en foutrais de la non-violence, ça paie plus, la non-violence, regarde en Corse et en Irlande, faut tout péter pour se faire entendre...

— Mais vous n'avez pas tiré sur des gars qui installent le téléphone ?

— Le téléphone ça fait deux millénaires qu'on vit sans, j'veux pas d'ça ici...

Le père Crayssac se replongea dans sa colère, balançant à Alexandre qu'il n'était qu'un fils de propriétaires et que c'était à cause d'eux qu'on tirait ces fils de caoutchouc au bord des chemins, ses parents n'étaient rien que des matérialistes qui voulaient tout posséder, deux bagnoles, des clôtures neuves, des mangeoires en aluminium, la télé, deux tracteurs et des caddies pleins au Mammouth... Et maintenant le téléphone, ça s'arrêterait où ?

— Alors, vous leur avez tiré dessus ou pas ?

— Va pas raconter de conneries dans tout le canton, toi, j'ai juste scié leurs putains de poteaux, des saloperies de troncs traités à l'arsenic, vous n'allez pas me fourrer de l'arsenic le long de mes terres ! C'est avec ce bois que les Américains nous ont ramené le chancre en 40, toutes leurs caisses de munitions en étaient infestées. Ces troncs-là, c'est la mort...

— Mais le fusil ?

— Le fusil, c'est celui de mon père, c'est une terre de résistants ici, et si ton grand-père s'est retrouvé prisonnier, moi mon père était dans le maquis, c'est pas pareil.

— Tout ça, c'est de vieilles histoires...

— Ah c'est sûr qu'il faut pas compter sur toi pour résister, je t'ai vu avec ton tracteur vert et ta Motobécane, ce monde-là te bouffera, tu verras, tu te feras bouffer comme les autres.

— Quel rapport avec le téléphone ?

— Le téléphone, c'est comme le Larzac, Golfech et Creys-Malville, c'est comme toutes ces mines et ces aciéries qu'ils ferment, tu vois pas que le peuple se lève, de partout les gens se dressent contre ce monde-là. Faut pas se laisser faire, et des Larzac y en aura d'autres, crois-moi, si on dit oui à tout ça, on est mort, faut le refuser ce monde-là, faut pas s'y vautrer comme vous le faites, vous, sans quoi un jour ils vous planteront une autoroute ou une centrale atomique au beau milieu de vos prés...

Alexandre s'était assis en face du bonhomme, se demandant si soixante-dix ans, au fond, c'était si vieux que ça... Il le regardait sans savoir s'il fallait voir en lui ce que son père appelait un vieux con, ou s'il s'agissait d'un genre de prophète de malheur, un communiste chrétien qu'on réduisait à un « fadorle », un chevrier malmené par un monde en plein bouleversement.

Pour Alexandre, il était évident qu'on en avait besoin de ce téléphone, de même que de la GS, du John Deere et de la télé. Ne serait-ce que pour communiquer avec le Mammouth sur la route de Toulouse et le fournir en légumes, et demain en viande, pourquoi pas. Mais le vieux Crayssac ne voulait pas de ces fils noirs qui pendaient au bord des routes, des câbles qui s'ajoutaient à ceux déjà bien visibles d'EDF.

— L'État vous tiendra tous au bout d'une laisse, et dans dix ans y aura tellement de fils le long des routes qu'on sera obligé de couper les arbres.

— Mais vous vous êtes bien fait installer l'électricité et l'eau ici...

— Tu parles, les puits sont secs, le robinet ne pisse qu'un filet marronnasse, regarde si tu me crois pas.

Alexandre saisit un verre et ouvrit l'eau, c'est vrai qu'elle était sale, sa flotte, elle sortait toute terreuse.

— Y a du vin en dessous de l'évier, mets la demi-dose pour toi.

À cause de la chaleur qui régnait partout, la bouteille semblait fraîche. Alexandre fit couler ce vin de soif. Il était d'un beau rouge rubis.

— Dans le temps les sources étaient potables, mais maintenant ils tarissent les nappes pour que des crétins comme vous aillent en acheter en bouteille chez Mammouth, ils vous vendent l'eau au prix du pinard, et vous, comme des cons, vous l'achetez...

Depuis qu'Alexandre était arrivé, l'épagneul restait vautré sous la table, la truffe sur le carrelage, à chercher le frais. Mais, soudain, il se redressa et se mit à aboyer, vint se poster face à son maître et le regarda droit dans les yeux, puis fusa dehors en gueulant comme à la chasse, se ruant au-devant des fourgons de la gendarmerie que lui seul avait entendus jusque-là.

— Je sais qu'ils vont me faire des histoires, ils m'ont dans le collimateur à Saint-Géry, et même en haut lieu, eh oui, les gens comme moi, on leur fait peur, tu comprends, même à Paris, là-haut, ils ont peur qu'on fasse dérailler ce monde...

— Joseph, planquez le fusil, parce que là, pour le coup, ça risque vraiment de remonter jusqu'à Paris...

Les trois fourgons se profilèrent bientôt au bout du chemin. Par la fenêtre, Alexandre et Crayssac les virent s'avancer doucement, trois Renault bizarrement étroits et salement ballottés par le chemin crevassé, ce qui leur donnait un air pathétique. Là-dessus, un peu

sonné par la giclée de vin frais, Alexandre
lança avec philosophie au vieux :

— Vous feriez mieux de vous excuser,
après tout, les gendarmes c'est des militaires, ça se respecte.

— Tu parles comme Debré.

— Ben quoi, faut bien se protéger.

— Se protéger de qui, des Soviets, c'est
ça ? T'es comme les autres, t'as peur des
Russes ?

Dehors des portières coulissaient.
Alexandre eut le réflexe de saisir le fusil sur
la table et de le glisser en haut de l'armoire.
Seulement voilà, quand les gendarmes appa-
rurent à la porte, Alexandre sentit que les
militaires étaient plutôt surpris de le voir
là, pour autant il n'osa pas se défausser,
dire qu'il n'avait rien à voir avec tout ça.
Tout de même lui revint ce que Crayssac
lui avait soufflé au retour de ses premières
manifs avec les gars du Larzac, « Si un jour
les gendarmes commencent à s'intéresser
à toi, alors t'es foutu, ça n'en finit jamais
avec eux... »

Dimanche 4 juillet 1976

À table, Alexandre était le spectateur de ses trois sœurs. Autant, dehors, c'était lui le plus à l'aise, autant, à la maison, les filles reprenaient l'ascendant, elles emplissaient l'espace de leurs rires et de leur gaîté, liées par une complicité joueuse de laquelle il se savait en marge. En plus d'être plus proches des parents, les sœurs étaient loquaces et aimaient donner leur avis, elles échangeaient à propos de tout. Leurs conversations s'alimentaient de sujets de toutes sortes, plus ou moins graves ou distrayants, tandis qu'avec Alexandre le père et la mère ne parlaient que de la ferme, des bêtes, de ses études. Ils voulaient qu'il pousse au-delà du BEP, alors que lui disait déjà tout connaître du métier, les études ne lui apporteraient absolument rien. Avec les parents, il n'avait qu'une relation professionnelle.

Ils passaient toujours à table à vingt heures précises, pile au moment où démarrait le journal. Sans que ce soit fait exprès c'était comme ça, Roger Gicquel, Jean Lanzi ou Hélène Vila trônaient en bout de table. Le plus souvent les reportages étaient recouverts par les bruits de la conversation. Cette grand-messe du 20 heures, personne ne l'écoutait vraiment, sauf quand le père ou la mère lançait un « chut » retentissant, signe que quelque chose de grave avait lieu dans le monde ou ailleurs, dans l'espace par exemple, puisque maintenant on s'intéressait aussi à ça, les Russes ayant le moteur pour aller sur Mars.

En général, Vanessa parlait d'Untel ou d'Unetelle qu'elle avait vus, aussi bien d'une copine que d'un lointain voisin, tandis que Caroline racontait ce qu'elle avait fait la veille ou ce qu'elle ferait le lendemain, quand elle ne dissertait pas à propos d'une lecture ou d'un cours qu'elle venait de réviser, s'exprimant comme si elle était déjà prof. Lorsqu'elle s'enflammait à propos d'un film, ça voulait dire qu'il faudrait la conduire à Villefranche ou à Cahors, ou bien la déposer chez Justine, Alice, Sandrine ou Valérie afin que d'autres parents prennent le relais et les descendent jusqu'à la salle de ciné. Chaque fois qu'elle s'exprimait, Caroline ouvrait l'espace, elle débordait largement le périmètre de la ferme, pourtant ici il y avait tout ce qu'il faut pour faire une vie. Quant à Agathe, elle s'amusait de ses deux aînées, pressée de les rattraper. En attendant elle leur empruntait leurs chaussures, leurs pulls et leurs robes, impatiente d'être grande, elle aussi, et auréolée de cette immanquable préférence du dernier-né.

À la télé il y avait encore des images de la manifestation dans l'Isère, des illuminés venus de France, d'Allemagne et de Suisse camper sur le chantier du réacteur Superphénix à Creys-Malville, des babas cools qui créaient un genre de second Larzac. Les CRS les avaient salement virés. Et là, pour une fois, Alexandre décida de briller. Ce soir, ce serait de lui qu'émanerait le sensationnel, et il commença de leur raconter l'épisode des trois fourgons de gendarmerie chez le père Crayssac. Pour une fois, les autres l'écoutèrent sans y croire, stupéfaits qu'il puisse parler autant et qu'il ait frôlé de si près le fait divers. Pour une fois, l'actualité du coteau rivalisa avec les reportages du JT.

Alexandre leur rapporta la scène comme s'il la revivait, mobilisant toute l'attention. Caroline l'écoutait en y associant sans doute la substance d'un chapitre de livre ou d'une séquence de film ; Vanessa imaginait à regret les photos qu'elle aurait pu prendre de ces poteaux sabotés, du vieux avec son fusil et de la légion de gendarmes prêts à lui sauter dessus ; Agathe, elle, suivait ça, aussi sceptique et méfiante que les parents, et pour tout dire inquiète.

30

Alexandre fut bien obligé d'avouer que le vieux ne s'était pas retenu de le traiter de fils de cons, de fils de trous du cul de propriétaires, martelant que ces histoires c'était de la faute des parents, après tout c'étaient bien eux qui avaient obéi à Giscard en commandant le téléphone !

— Alors, il leur a tiré dessus ou pas ?

Pour une fois qu'Alexandre tenait l'assistance en haleine, il aurait aimé en rajouter, donner dans le spectaculaire avec des coups de feu, l'épagneul qui saute à la gorge des gendarmes, mais il s'en tint à la vérité.

Depuis que Crayssac luttait sur le Larzac, il était devenu une figure. Dès que la télé parlait de manifs là-haut, sur le causse, on regardait de près l'écran pour voir si des fois on ne le reconnaîtrait pas. Plus proche du parti communiste que des hippies, Crayssac était sur le Larzac comme chez lui, il faisait corps avec les enflammés des syndicats et de la Lutte occitane, aussi bien qu'avec ceux de la Jeunesse agricole catholique et de ces artistes venus de Paris. Il avait jeûné avec les évêques de Rodez et de Montpellier, même François Mitterrand les avait rejoints, faisant lui aussi une grève de la faim, une grève de la faim de trois quarts d'heure seulement, mais qui avait quand même marqué les esprits. Le socialiste avait juré que s'il accédait un jour au pouvoir son premier acte serait de rendre le causse aux paysans…

Le Larzac, donc, ce n'était pas rien, et dans un monde hypnotisé par la modernité, c'était bien la preuve que la nature était au centre de tout.

— Bon alors, ils l'ont embarqué ou pas ?

Sans faire le bravache, Alexandre précisa malgré tout qu'au dernier moment il avait eu le réflexe de planquer le fusil du vieux en haut de l'armoire, en revanche il n'évoqua pas le regard que lui avaient lancé les gendarmes quand ils s'étaient postés devant la porte, de ces regards qui ne vous lâchent pas.

Il n'en rajouta peut-être pas, mais il passa le message à la tablée, leur disant tout ce que Crayssac désapprouvait dans leur manière de mener la ferme, d'augmenter le cheptel et les parcelles, à cause d'eux les chemins seraient jalonnés de poteaux de pin contaminés qui nous empoisonneraient tous...

Il y avait de la réprobation dans les yeux des parents, et dans ceux des sœurs tout autant. Dans la famille on ne voulait pas faire d'histoires, pas plus avec les gendarmes qu'avec qui que ce soit. Pomper l'eau de la rivière suscitait déjà assez d'hostilités comme ça, sans parler du commerce avec l'hyper-marché, même dans les campagnes les plus isolées il y avait toujours mille raisons de se faire détester. Chez les Fabrier on n'avait rien contre les gendarmes, et encore moins contre les militaires, au contraire, depuis cette foutue sécheresse on savait bien que sans les Berliet de l'infanterie d'Angoulême et de Brive les paysans auraient manqué de fourrage en ce moment même. C'étaient bien des militaires en effet qui depuis deux mois descendaient du fourrage depuis la Creuse, l'Indre et la Loire, c'étaient bien des camions-citernes du 7e RIMa qui montaient de l'eau dans les campagnes à sec pour approvisionner les abreuvoirs et les puits. Sans les Berliet de l'infanterie, les vaches auraient été aussi desséchées que le fond des mares. Larzac ou pas, force était de reconnaître que depuis le mois de juin l'armée se démenait. Alors il n'y avait vraiment pas lieu de chercher des noises aux gendarmes, ni de faire toute une histoire de ce camp militaire, l'armée, on en avait besoin.

Lundi 5 juillet 1976

Entre cette sécheresse qui n'en finissait pas et ces coups de chaud sur le causse, on vivait un juillet de feu. Les animaux sauvages eux-mêmes montraient des comportements bizarres. La nuit, les chevreuils venaient boire près des maisons, ils lapaient le fond d'eau qu'on leur avait laissé dans des baquets, mais bien souvent les sangliers les renversaient pour se vautrer dans la boue mince que ça produisait. Dans les champs, les vaches se tenaient en grappe à côté de l'abreuvoir. Les vaches détestent la chaleur, alors elles attendaient le soir pour se traîner jusqu'aux mangeoires, foutant des coups de cornes dans les tubes galvanisés pour expier leur colère. Dans les collines, les sources étaient à sec, les réserves pluviales n'étaient plus que des plaques de terre craquelée.

La nuit, toutes les fenêtres restaient ouvertes à la ferme. Vers deux heures du matin les autres dormaient sans doute, mais

Alexandre ressentit le besoin de sortir faire un tour, dehors la chaleur était brassée. Le long des chemins, par endroits, ça sentait la mort, l'odeur prenante du cadavre de bestiole égarée. Il pensa au père Crayssac qui passait sa première nuit au poste, il pensa à ses chèvres qu'il faudrait nourrir demain, en plus de les traire. Il n'aimait pas s'occuper des chèvres, quand on est habitué à vivre avec des vaches les chèvres ça paraît petit comme des poules. Parfois il avait peur de finir comme ce vieux rougeaud, de se mettre peu à peu à lui ressembler, si ça se trouve dans cinquante ans il en serait là, à se méfier de tout, à vivre dans son petit monde, comme tous avaient toujours vécu ici.

Dans cette nuit de demi-lune la nature semblait souffrir, les arbres reprenaient leur souffle, habités par la hantise de voir le soleil se lever une fois de plus, d'endurer l'étreinte d'un air de nouveau étouffant. Avec sa manie de prédire le pire, le père Crayssac avait peut-être raison, peut-être que le progrès ne valait rien de bon, comme le disait ce politique à col roulé, avec son verre de flotte pour bien montrer qu'on manquerait d'eau avant la fin du siècle et que la solution serait de se remettre tous au vélo, comme en Chine. Peut-être que ces illuminés voyaient clair et que le soleil, un jour, ne se coucherait plus.

Samedi 10 juillet 1976

Aller au Mammouth, c'était encore plus fort que d'aller en ville. Plutôt que de passer de boutique en boutique, au Mammouth, dans ce ventre fabuleux et sans cesse renouvelé, on rentrait au cœur même des choses. Le samedi, le petit déjeuner s'avalait vite, et à la ferme ça ne chômait pas de toute la matinée. En cette grande occasion, Alexandre se chargeait de tout, le temps que les autres se fassent beaux, il sortait la GS de la grange pour la faire tourner, il poussait les régimes pour produire ce bruit velouté et profond des 68 chevaux. Chaque fois il roulait en cachette sur le chemin, il plaçait quelques accélérations qui affolaient les vaches. Il n'en revenait pas de cette suspension hydraulique.

À l'autre bout du vallon, on entendait les chèvres de Crayssac qui gueulaient à n'en plus finir, même si Alexandre les avait traites la veille elles avaient de nouveau les mamelles pleines, saturées de lait à leur en brûler les pis. C'était le signe que les gendarmes n'avaient toujours pas relâché Crayssac.

Au moment de se mettre en route, tous râlèrent en découvrant qu'Alexandre avait laissé la voiture en plein soleil, les sièges étaient brûlants, mais cela ne suffirait pas à gâcher l'excursion à l'hyper et le goûter à la cafétéria Miami. Les courses relevaient du rituel, de la croisière à part entière, c'était la seule circonstance où toute la famille se rassemblait bien serrée dans la GS pour faire les vingt-cinq kilomètres jusqu'à Cahors. Cette fois, l'expédition était d'autant plus cruciale qu'Angèle se méfiait de l'eau du robinet, devenue aussi terreuse que quand ils avaient installé le raccordement. En bonne cheffe de famille, elle avait décidé qu'on achèterait une demi-douzaine de packs de Vittel, cette eau qui dans les pubs à la télé vous traversait le corps, comme sur la roue d'un moulin, pour éliminer les toxines. L'autre avantage de la Vittel, c'était que les bouteilles étaient en plastique, une fois vides elles dépannaient bien à la ferme, en les découpant on pouvait en faire des protège-piquets pour les clôtures, ou des godets à peinture, des boîtes à clous, les bouteilles en plastique ça dépassait en tout les vieilles boîtes de conserve qui rouillaient au bout de six mois.

Alexandre garderait le volant depuis la ferme jusqu'à la départementale. Cinq bons kilomètres tout de même. Après quoi il laisserait sa place au père. Autant les sœurs se foutaient du permis, autant lui n'avait qu'une date en tête, le 18 juillet 1979, un cap fatidique parce que ce jour-là il aurait dix-huit ans et qu'il pourrait enfin le passer, ce fameux permis. En attendant c'était bien lui qui pilotait la GS le long du chemin des Bertranges, puis il continua sur la route communale. Sans le dire, il redoutait de tomber nez à nez avec les gendarmes. Avant les faits d'armes de Crayssac, ils ne rôdaient jamais par ici, mais ces derniers temps la prudence était de mise.

Personne ne trouvait rien à redire à ce qu'il conduise, au contraire, Jean et Angèle n'espéraient que ça, que leur fils ait enfin le permis afin qu'il les soulage aussi bien pour les courses que pour les livraisons, il pourrait mener les bêtes à l'abattoir ou aller chercher du matériel, tout ce qui supposait de se rendre à Villefranche, Brive ou Cahors. Sans compter les filles qu'il fallait sans cesse conduire chez telle ou telle copine, puis récupérer une fois la fête finie. Les sœurs se disaient que grâce à Alexandre elles pourraient rater le car le matin, ça leur éviterait de poireauter au bout du chemin les jours de pluie, et surtout elles pourraient aller aux kermesses ou au Sherlock sans demander aux parents, sans même qu'ils le sachent.

Au sommet du coteau ils prirent à droite et longèrent les prés du père Crayssac. Une vingtaine de poteaux téléphoniques avaient bien été plantés en bordure, mais ça s'était arrêté là. Deux grandes remorques vides étaient curieusement encore garées sur le bas-côté. Ce qu'on voyait surtout, c'est que les murets étaient dans un sale état, des pans entiers étaient carrément tombés, signe que les vibrations de l'excavateur les avaient sacrément secoués. Par endroits, les bêtes de Crayssac pourraient facilement se sauver par les brèches que ça avait créées.

Le chemin était sillonné de crevasses mais, une fois sur la route, la conduite devint tout autre, la suspension hydraulique donnait la sensation de flotter dans le paysage. Alexandre pilota comme ça pendant cinq kilomètres, tenant le volant dans une réelle extase. Le père mit la radio pour accompagner cette fluidité moderne et, tombant sur une chanson de Michel Sardou, il haussa le volume. Il y avait souvent des chansons de Sardou, surtout ce 45-tours-là qui passait sans cesse, au point de résonner comme un hymne, *Ne m'appelez plus jamais France...* Dès que le père l'entendait, il montait le son et entonnait cette rengaine compromettante. Pour lui c'était d'autant plus savoureux que pour une fois, on ne risquait pas d'être pris pour un gars de droite en chantant du Sardou, la CGT elle-même avait validé l'œuvre, la hissant au rang d'hymne ouvrier. Caroline et Vanessa, à l'arrière, se plaquèrent les mains sur les oreilles en le suppliant de mettre moins fort, tentant en se penchant de tourner le bouton sur le tableau de bord, à l'époque de Clapton, de Pink Floyd et de Supertramp, il était hors de question d'endurer ne serait-ce qu'un couplet de Sardou... Alexandre, tout à sa conduite, arbitra le débat en posant sa main sur la molette de l'autoradio, le père remarqua alors qu'il n'avait pas attaché sa ceinture et lui en fit le reproche. Les deux sœurs profitèrent de cette diversion pour se projeter par-delà le siège avant, mais le père les repoussa aussitôt et se remit à chanter, la suspension hydraulique, en plus de colmater les modulations de la route, régulant en douceur le chahut né de tous ces soubresauts.

Pendant ce temps-là la mère regardait dehors, le voyage harmonieux virait à l'empoignade, et pourtant, dans un accès de nostalgie anticipée, elle pensa à ce qu'il resterait de sa turbulente famille d'ici quelques années, quand les filles ne seraient plus là. D'avance elle savait que ça se terminerait comme chez les Jouansac et les Berthelot, ces fermes dont tous les enfants étaient partis en ville, résultat ils ne se voyaient plus qu'à Noël ou à Pâques, le 14 Juillet et à la Toussaint, la vie de famille finissait un jour ou l'autre par se caler sur le calendrier catholique et républicain.

L'avantage du Mammouth c'est qu'il évacuait l'angoisse de trouver une place. En revanche il faisait une chaleur infernale sur ce parking, un hectare de goudron en plein soleil, personne n'avait eu l'idée d'y planter des arbres. Les gens marchaient là-dessus comme sur la plaque d'un poêle, le bitume fondait par endroits, mais une fois franchies les portes vitrées, d'un coup la fraîcheur vous enrobait comme l'eau d'un lac, et là c'était l'extase, le bonheur parfait. Dans cette cathédrale de tôle et de béton, il faisait aussi frais que dans la chapelle Saint-Étienne ou la grotte du Pech Merle. En raison d'une bienveillance hautement suspecte, à l'entrée trônaient les ventilateurs Calor en promotion, emballés dans leurs cartons. La semaine dernière la pile était au plus bas. Ils l'avaient réapprovisionnée. Vanessa et Agathe s'arrêtèrent devant, comme tous les samedis depuis trois semaines, et cette fois la mère céda.

À partir de là, ils se lancèrent dans les travées comme dans une exploration. Alexandre marchait en retrait en poussant le caddie. Devant lui il avait le tableau de la famille idéale. Il les suivit au fil des rayons, ne perdant même pas patience dans la zone des textiles ou de l'électroménager, épousant simplement le mouvement, dégagé de toute envie, de toute lubie, léger, d'autant plus que cette climatisation généralisée le plongeait dans un bien-être sans équivalent. Au long des allées finement sonorisées, tout était motif d'intérêt, la magie semblait ininterrompue, alors qu'en ville, au moindre passage clouté, le réel vous retombait dessus. Et tandis que dehors l'air flambait sur les collines arides, les êtres comme les marchandises ici étaient apaisés, ça paraissait irréel.

Vivant dans une ferme paumée au milieu des coteaux, pour les parents c'était rassurant de montrer à leurs enfants qu'ils participaient quand même de ce monde contemporain, celui des pubs à la télé, celui de la cafetière électronique et du fer à vapeur, celui du couteau électrique, de la foire aux tee-shirts et de la yaourtière.

À seize heures pile, le père les quitta et se dirigea vers les bureaux, il avait rendez-vous avec le responsable de secteur afin de négocier les commandes de légumes de Lucienne et Louis, mais surtout pour parler de viande. Puisque ici ils avaient un atelier de découpe, il y aurait sûrement moyen de s'arranger, le directeur de l'alimentaire voulait miser sur le frais, le local, et même si ce n'était pas l'éleveur qui fixait les prix, travailler avec un géant comme Mammouth pour le père ce serait l'assurance de commandes régulières.

Dans l'hypermarché on marchait sur du plat. Après une semaine aux Bertranges à parcourir les chemins caillouteux des coteaux, c'était reposant de poser les pieds sur du lisse. Au rayon boucherie la mère regarda tout, sans rien acheter. Deux types déguisés en bouchers mettaient des portions prédécoupées sous plastique. Au rayon d'à côté, deux charcutières s'activaient à la découpe. Vingt mètres plus loin, le poissonnier était habillé en pêcheur breton mais avec l'accent du Gers. Alexandre observait tout ça, il enviait la belle excitation de ses sœurs, en se coalisant elles avaient plus de poids que lui pour décrocher les Mamie Nova ou les Finger. Dans les bureaux, le père devait négocier des délais et des volumes, au risque de prendre des engagements et de se fixer des contraintes, il fallait qu'il tienne bon et ne lâche rien à moins de cinquante francs le kilo. La mère continua de guider sa troupe, elle survola ces offres de nourriture d'un œil inquiet, se doutant que ces rumstecks sans gras et ces bavettes flasques provenaient de vaches laitières en fin de carrière. De même qu'elle recula devant la daurade que lui tendit le faux Breton, l'idée était séduisante mais le pauvre poisson avait l'air marqué par tous les kilomètres qu'il avait faits. De toute façon, une intuition lui souffla que la vraie bonne affaire n'était pas là, mais sur le podium à la croisée des allées, des lots de cafés Grand-mère attachés par un gros ruban rouge, cinq paquets pour le prix de deux.

À cinq heures, tout le monde se retrouva à la cafétéria, comme prévu, pour l'immanquable pêche melba ou banana split, Agathe fit ses dix tours d'hélicoptère à 5 francs, l'après-midi était parfait. Dans cette atmosphère prometteuse, la canicule n'existait plus, et quiconque aurait eu l'idée de critiquer ce monde climatisé aurait été un rabat-joie. Comme Crayssac.

De retour à la ferme ils se hâtèrent de décharger toutes leurs nouvelles acquisitions. Alexandre joua des muscles en portant les cinq packs d'eau en même temps, enivré par l'adolescente illusion de toute-puissance. Aussitôt déballé on brancha le beau ventilateur. À titre expérimental les trois sœurs placèrent leurs chaises juste devant l'hélice et s'assirent face au fabuleux souffle comme devant un écran de cinéma. Pour la mère ce n'était pas probant, ce ventilateur faisait certes du vent, mais il faisait surtout du bruit. Les sœurs quant à elles le trouvaient parfait, elles parlaient déjà de le laisser allumé toute la nuit dans leur chambre, seulement des chambres il y en avait trois, pour un seul ventilateur...

Quand tout fut rangé, le père et Alexandre sortirent dans la cour, instantanément rattrapés par la lourdeur intenable. La fin d'après-midi était la phase la plus pénible, l'heure où la terre n'en pouvait plus de ce soleil qui cognait depuis le matin, où la nature accablée n'offrait plus qu'un parfait silence. Les vaches étaient massées en bas, les deux chiens s'étaient planqués dans la grange, les oiseaux ne volaient plus. En plus de l'abattement, Alexandre sentit chez son père une tension inhabituelle, il se passait sans cesse la main sur le front.

— Alors, ça a été comment avec le gars des achats ?

— Je sais pas, y a un choix à faire.

— Ah bon, lequel ?

— Tu sais, Alexandre, à compter de maintenant je vais te parler un peu comme à un associé. Si vraiment t'es sûr de continuer la ferme, ça vaudrait peut-être le coup d'agrandir la stabule ou d'en faire une neuve.

— Pourquoi l'agrandir ?

— Chez Mammouth tu comprends bien qu'on peut pas leur vendre une vache tous les trois mois, pour que ce soit valable faudrait faire de l'engraissement, quitte à prendre des laitières taries, des vaches de réforme, ici on a de la place, suffirait juste qu'on double les céréales, qu'on fasse du maïs à la place du tabac, avec la rivière on ne manquera jamais d'eau, en leur filant trois vaches par mois ça vaudrait le coup.

Alexandre avait noté chez son père un regain d'ambition depuis quelque temps, une envie de voir les choses en grand, de sortir les Bertranges de l'ancien modèle de polyculture de Lucienne et Louis. Seulement, si le père avait ce genre d'idées en tête, d'avance Alexandre savait qu'il en serait l'otage autant que le bénéficiaire. Ça supposerait qu'il s'engage à bosser avec ses parents et les anciens en bas, ça voudrait dire qu'il prendrait la suite d'ici vingt ou trente ans et ferait toute sa vie dans ce décor, ce n'était pas mince comme décision... Tout ça pour vendre des bêtes à Mammouth. D'autant que des hypermarchés, on jurait qu'il en pousserait d'autres, on parlait déjà d'un Radar ou d'un Euromarché, car à l'avenir les gens n'achèteraient plus que dans des grandes cathédrales comme ça, avec le parking et la voiture à portée de caddie. Le silence autour d'eux n'en fut que plus plombé. C'est alors qu'Alexandre releva quelque chose :

— Tu ne remarques rien ?

— Non. Quoi ?

— Les chèvres, elles ne gueulent plus.

— Elles ont peut-être grillé, comme les buis.

Le père jeta un regard au soleil encore haut et intense, répandant sa chaleur comme de la lave.

— De toute façon, dis-toi bien que si ça dure encore huit jours comme ça, il nous grillera tous.

Lundi 19 juillet 1976

Les pluies revinrent, portées par le vent d'ouest. À partir de là, l'été put se poursuivre. Le ventilateur retourna dans son emballage d'origine, pour finir dans la grange, dès le soir même on l'oublia, une eau fraîche remplit de nouveau les auges et jaillit des sources, les vaches lâchèrent l'ombre et retrouvèrent de l'herbe sous leurs sabots, la vie reprit son cours.

Pendant des semaines, la nation tout entière avait été soudée par la même angoisse, pour une fois les villes comme les campagnes avaient enduré le même drame, les villes en voyant la température monter jusqu'à 59 ° dans les bus, et les campagnes en voyant se dessécher les récoltes et les forêts. Pendant des semaines, villes et campagnes avaient communié dans la même soif, dès lors on aurait pu en déduire que cette fraternité serait scellée pour toujours, d'ailleurs les citadins semblaient avoir pris fait et cause pour le Larzac, comprenant que ces militants ne s'opposaient pas seulement à l'extension d'un camp militaire, mais aussi à un modernisme qui défigurait la planète. Le gouvernement lui-même joua l'apaisement, au point que le tribunal de Millau relâcha les derniers activistes sous le coup d'une condamnation. Cette compassion pour le Larzac, c'était bien le signe que tous les citadins n'avaient pas renié leurs origines, qu'ils gardaient la nature chevillée au cœur, il y avait sans nul doute chez les Français un profond respect pour le monde paysan, ou peut-être une nostalgie enfouie de la campagne.

Pourtant, quelques semaines plus tard, en plein mois d'août, le gouvernement voterait un surplus d'impôt que le ministre du Budget appellerait maladroitement « l'impôt sécheresse », 2,2 milliards de francs qu'on retirerait à la collectivité pour les donner aux agriculteurs et à eux seuls, comme s'il n'y avait eu qu'eux qui avaient souffert de la chaleur. En pleine trêve estivale, Giscard déciderait de ponctionner les ouvriers, les employés et les cadres pour abonder ce nouvel impôt, la CGT enragerait que ce gouvernement de droite ponctionne les salariés pour éponger les pertes des paysans, qu'en prime il fasse ça en plein mois d'août, pendant que les travailleurs étaient en congé... Cette levée d'impôt exceptionnelle enflamma les esprits, provoqua la démission du Premier ministre Chirac et réveilla la colère, y compris celle des agriculteurs eux-mêmes qui jugèrent la somme bien dérisoire par rapport aux dommages subis... Cet été de feu avait déréglé tout le monde, plus personne n'y retrouvait ses petits, Crayssac lui-même, communiste jusque dans le sang, ressentit comme une nausée de se découvrir plus proche du baron Giscard d'Estaing que de Georges Séguy... Mine de rien cet été de feu avait tout chamboulé.

Samedi 10 mai 1980

Ce téléphone, voilà quatre ans qu'il était là. Les filles l'auraient voulu orange, mais sous prétexte qu'un truc orange qui se mettrait à sonner ça ferait peur, les parents l'avaient pris gris. De toute façon les téléphones de couleur étaient réservés à Paris. En province il fallait des semaines d'attente dès qu'on demandait un autre coloris que le modèle de base, le bakélite gris béton. Finalement on s'y était fait au gris béton. Pourtant avec sa coque creuse et son cadran à crécelle il était moche, on aurait dit un parpaing en plastique injecté.

Et puis, l'embêtant avec ce modèle gris, c'est que tout le monde avait le même, aussi bien M. Troquier, le directeur de l'agence du Crédit agricole, que le vétérinaire ou la station Antar, et avec la même sonnerie. À le voir trôner sur son petit guéridon dans le couloir, il avait plus l'air d'un ustensile administratif que d'un lien familial. N'empêche que grâce à lui l'absence de Caroline se faisait moins abrupte, au moins on savait qu'à tout moment on pouvait la joindre. Les sœurs l'appelaient au moins deux fois la semaine, le mardi et le jeudi, chaque fois ça batail-lait ferme pour tenir l'écouteur, alors que ça revenait à coller l'oreille à une porte, ou à voyager dans le coffre d'une voiture.

Depuis que Caroline habitait à Toulouse, elle ne rentrait qu'un week-end sur deux. En règle générale elle arrivait le vendredi en fin de journée, soit à la gare de Cahors, soit déposée par les parents de la fille Chastaing qui était elle aussi étudiante là-bas. Tout le reste du temps ça faisait drôle de voir cette place vide en bout de table, la chaise muette de la grande sœur, une place que Caroline s'était attribuée à titre d'aînée mais aussi parce qu'elle se levait à tout moment pour aider. Dans cette fratrie, sa manière de s'inté-resser à tout, d'amener les conversations sur un peu tous les sujets, avait fait d'elle l'ani-matrice de la famille, la sœur en chef. Cette place, elle ne la retrouvait qu'un vendredi soir sur deux, et plus que jamais elle avait des choses à raconter. À propos de ses études bien sûr, de sa vie à Toulouse, de tous les nouveaux amis qu'elle s'y était faits, des étrangers et non plus des jeunes du coin. Elle racontait mille choses sur la grande ville, le grand appartement dans le quartier Saint-Cyprien qu'ils partageaient à cinq, un cinq-pièces dans un vieil immeuble avec la Garonne pas loin, et comme le plus souvent ils y étaient bien plus que cinq, ça occasionnait une animation folle. Caroline s'ouvrait sur tout, comme si elle n'avait rien à cacher, que tout pouvait se dire. Par chance elle avait trouvé cette combine de vie plus ou moins communautaire. Elle parlait tout le temps de la bande d'étudiants qui passaient régulièrement à l'appartement, Diego, Trevis, Richard, Kathleen, de deux ou trois autres aussi, mais surtout de cette fille qui venait d'Allemagne, Constanze. Si Caroline parlait souvent de Constanze, c'était un peu par provocation, chaque fois qu'elle prononçait le prénom de la grande blonde, elle lançait un coup d'œil à son frère, parce qu'elle avait bien vu que les dimanches soir où Alexandre la raccompagnait, il restait boire un verre avant de reprendre la route, parfois il s'incrustait une bonne partie de la soirée, mais uniquement lorsque Constanze était là. Si la blonde Allemande était absente, ou qu'il soit prévu qu'elle ne vienne pas, alors Alexandre repartait beaucoup plus tôt.

— Pas vrai ?

— Arrête ! Tu racontes n'importe quoi. Si quelquefois je pars plus tôt, c'est juste qu'il y a des soirs où je suis plus fatigué, c'est tout…

— Non, non, ne l'écoutez pas ce grand cachotier, je vous jure que les soirs où

Constanze est là, il est pas pressé de s'en aller !

— C'est vrai qu'elle est grande comme ça ? demanda Agathe en projetant sa main loin au-dessus de sa tête...

— Par contre je te préviens, frérot, c'est une bosseuse, elle fait de la biologie et du droit, c'est pas une fille pour toi.

— En plus les Allemandes, c'est des sportives, glissa la mère. À Moscou elles ont tout gagné, en natation elles vont plus vite que les hommes...

— Oui, mais ça c'est les Allemandes de l'Est, trancha le père. Des armoires à glace avec un cou de taureau...

— Pas toutes, nuança Caroline. La preuve, Constanze vient de Leipzig.

— Et alors ?

— Et alors, Leipzig c'est à l'Est !

— Mon pauvre Alexandre, lâcha la mère, t'as intérêt à prendre des forces.

Chaque fois que le sujet était lancé, les trois sœurs ne se privaient pas d'en rajouter, un peu par jalousie. Non seulement Alexandre avait le permis de conduire, mais en plus il allait à Toulouse deux fois par mois, aux yeux des deux dernières c'était magique. Pour le reste tous avaient bien compris que cette fille lui avait tapé dans l'œil, et le charrier à propos de la déesse allemande était devenu un jeu. Tout en suivant le mouvement, les parents se rendaient compte qu'ils étaient peu à peu exclus des conversations de leurs enfants, lesquels, sans même s'en apercevoir, prenaient leurs distances avec les vrais sujets de préoccupation, les vraies questions qui se posaient à la ferme, à savoir le temps qu'il ferait, le niveau d'eau de la rivière, les vêlages, la croissance des herbages et l'entretien des bâtiments, toutes ces questions qui depuis toujours rythmaient la vie ici. Ce constat, Angèle et Jean le faisaient avec un total fatalisme. Et même si Alexandre et les deux dernières habitaient encore là, ils semblaient malgré tout s'éloigner, de par leurs centres d'intérêt et leurs projets, et les musiques qu'ils écoutaient, petit à petit les parents se sentaient mis à l'écart.

Mais le plus déstabilisant pour Jean et Angèle, c'était quand leurs enfants parlaient de gens qu'eux-mêmes n'avaient jamais rencontrés et ne rencontreraient sans doute jamais, de parfaits étrangers, comme cette Constanze, une inconnue qui de toute évidence avait l'air de compter pour Caroline et Alexandre. Avant, à la campagne, les parents connaissaient tout des fréquentations de leurs enfants, en plus de les voir ils n'ignoraient rien de leur lignée, d'ailleurs on savait tout des autres, et sur plusieurs générations, tandis que là, Caroline parlait sans cesse de ses colocataires, mais aussi d'étudiants originaires d'Espagne, d'Angleterre ou d'Allemagne, des personnes lointaines qu'ils ne verraient jamais, et dont pourtant ils entendaient constamment parler.

Tout de même vint le soir où la mère voulut en savoir plus au sujet de cette Constanze. Mais, là encore, ce qu'elle apprit n'était pas rassurant. Ce probable béguin de leur fils venait de l'autre côté du Mur, sa famille vivait toujours à Leipzig ou à Berlin-Est, ce qui en faisait une étrangère encore plus inimaginable. À force de questions, Caroline leur raconta que la mère de Constanze travaillait pour les chemins de fer est-allemands, elle naviguait des deux côtés du Mur, mais c'était bien à l'Est qu'elle habitait, s'occupant de ses parents qui étaient malades. Quant au père, il travaillait dans l'aéronautique à Blagnac, un ingénieur de premier plan. Pour chambrer Alexandre, Caroline prétendit que c'était peut-être un espion qui travaillait pour les Russes, ça ne fit rire que ses sœurs, pas Alexandre ni les parents.

Sans le dire, Angèle et le père ne cessaient de penser à cette question, est-ce qu'un jour Alexandre trouverait une fille, une fille qui accepterait de vivre ici, à la ferme, ou du moins dans les environs ? Est-ce qu'un jour il trouverait à se marier, sachant que tous les jeunes du coin foutaient le camp les uns après les autres ? Alexandre allait sur ses dix-neuf ans, on lui avait connu deux petites copines au lycée, sans parler des aventures qu'il avait sans doute cachées, rien de sérieux jusque-là.

À propos de cette Allemande, la mère savait déjà qu'elle se ferait rattraper par le mal du pays, le besoin de revoir les siens, surtout s'ils étaient de l'autre côté du Mur. De toute façon, une fille qui n'avait connu que Berlin, Toulouse et Paris ne pourrait jamais vivre à la campagne.

Il ne s'était rien passé entre Alexandre et elle mais déjà cette histoire les occupait tous, et celui-ci le vivait mal. Deux fois ils s'étaient retrouvés seuls dans la même pièce, mais sa stratégie pour lui plaire, c'était précisément de ne pas lui parler, de faire le détaché. Cette approche subtile, c'est monsieur Roger, l'entraîneur du rugby, qui la leur avait apprise, pour séduire une fille il ne faut pas l'aborder, et mieux encore, faire semblant de ne pas la voir. Car fatalement ça l'intriguera, à tous les coups elle se dira, Mais bon sang qui est ce type qui ne me voit pas alors que tous les autres me collent depuis le début de la soirée ? Le problème, c'est que monsieur Roger était fort pour donner des consignes avant la rencontre ou à la mi-temps, sauf que, durant les trois saisons qu'Alexandre avait joué à l'US Saint-Clair, ils n'avaient pas gagné beaucoup de matchs, alors les consignes de monsieur Roger, pas dit que c'étaient vraiment les bonnes.

Tout au long du week-end, Caroline était plus que jamais la grande sœur aux yeux des trois autres. En plus d'être l'aînée, elle jouissait du statut extravagant de ceux qui sont passés du bon côté des choses, qui ont enfin franchi le pas miraculeux vers l'indépendance, vers la ville, dans ses propos se mêlaient la place Wilson, le Mirail, les quais de la Daurade et le Capitole, parce que, en dehors de la fac, il y avait aussi les cafés, les terrasses qui ferment tard et les bords de la Garonne, des rues pleines de monde au fil des nuits éclairées, des tas de nouveaux espaces qui élargissaient sa vie... Vue des Bertranges, Toulouse c'était la plus belle usine à promesses, c'était là qu'est né le Concorde, ultime prouesse de l'humanité, et si un jour il ne faudrait plus qu'une heure pour aller à New York, c'est à Sud Aviation qu'on le devrait, c'est Toulouse qui propulserait la civilisation vers l'an 2000, et peut-être même qu'un jour l'aviation européenne boufferait Boeing et McDonnell Douglas, Toulouse mènerait le monde...

Cependant, ce qui froissait les parents, c'est que tout le temps des week-ends où Caroline était là elle n'allait pas jeter un œil aux vaches. Pas même aux veaux qui venaient de naître. Par chance le safran, c'était bel et bien terminé, les derniers bulbes avaient pourri en terre à cause des pluies, finies aussi les récoltes de tabac, la Chine avait tué les prix et l'Europe ne versait plus d'aides pour ces cultures-là. On avait abandonné tous ces travaux qui supposaient d'être en nombre, ces tâches qui avant rassemblaient les familles, de même, pour les patates, il n'y avait plus besoin de passer deux jours à quatre pattes, à présent la machine faisait la récolte cent fois plus vite, si bien que les grands-parents avaient triplé leur surface de Bintje et de Rosa dans les terres du bas. Pour remplir les rayons en vrac du Mammouth, il fallait coller à la demande, voir de plus en plus grand. Pour le bétail c'était pareil, et puisque l'herbe restait bien ce qu'il y avait de mieux pour nourrir les vaches, dans la famille on favorisait le pâturage, qu'on arrivait maintenant à programmer, à faire pousser tel qu'on le souhaitait, plutôt que d'attendre que l'herbe pousse d'elle-même, on savait semer ce qu'il fallait de graminées, de trèfles et de ray-grass pour que la prairie ait le bon rapport entre les feuilles et les tiges, de sorte que la pâture était plus digeste et mieux assimilée par les bêtes, les tourteaux de soja et le maïs ensilé complétaient les rations de protéines, tout devenait précis et sûr, les buses des semoirs étaient millimétrées, le progrès n'était pas réservé qu'à Hongkong, Taïwan ou Singapour, dans les fermes aussi il avait sa place.

Samedi 12 juillet 1980

Sur ce point Giscard avait gagné. Pour les siècles des siècles il resterait le Président qui aurait suspendu des fils de caoutchouc noir tout le long des routes, tendus entre des pins morts. Grâce à lui tout le monde avait le téléphone, en ville comme dans les vallées, et même en montagne. Les fils noirs de Giscard couraient partout dans les campagnes. À la limite ç'aurait été la honte d'avoir un chemin qui mène chez soi sans le moindre poteau ni fil de quoi que ce soit, ça aurait voulu dire qu'on était vraiment hors du coup. Encore un combat que le père Crayssac avait perdu. Un peu comme le Larzac, car si la lutte ne faiblissait pas, le combat n'était pas gagné. Pourtant le vieux paysan continuait de rallier ses comités là-haut dans l'Aveyron, et chaque fois qu'il y allait, sans rien en dire à personne Alexandre le dépannait, soit en sortant ses chèvres le matin, soit en les rentrant le soir, obligé même de les traire quand les mamelles étaient pleines. De toute façon le vieux ne traînait jamais trop là-bas, en général il revenait tard dans la nuit, avec l'ancien facteur et son break Citroën Ami 6.

Ses démêlés avec les gendarmes ne l'avaient pas calmé. Crayssac montait toutes les deux semaines au combat, que ce soit avec le postier en retraite ou la bande de hippies qui vivaient vers Lalbenque, par chance il n'avait encore jamais demandé à Alexandre de l'emmener. Cette lutte durait depuis dix ans, et pour qu'elle se perpétue ils devaient sans cesse trouver de nouvelles idées. Après les marches et les messes, il y avait eu les pique-niques et les concerts, les sit-in et les actions coup de poing, comme les lâchers de brebis en préfecture. Et depuis l'été dernier des légions de citadins venaient filer un coup de main pour travailler aux champs ou retaper les bâtiments, pour dégager les chemins ou remettre les poteaux du téléphone debout.

Cela faisait dix ans que les militants entretenaient le feu sacré de la lutte, pourtant l'ennemi auquel ils faisaient face ce n'était pas rien, ils défiaient rien de moins que l'armée de la cinquième puissance mondiale, autant dire des soldats équipés de fusils-mitrailleurs et de chars, qui parfois se lançaient dans des exercices en tirant des munitions de 105, même si heureusement, jusque-là, ils n'avaient tiré qu'à blanc.

Depuis qu'il était môme, Alexandre entendait Crayssac parler de révolte. Cette obstination forçait le respect. Le vieux bonhomme vivait comme on devait le faire depuis des siècles ici, et en dehors de l'électricité et du poste de radio à ondes courtes, c'était vraiment le Moyen Âge chez lui. Chaque fois qu'Alexandre allait le voir, il se postait devant lui, acceptait la cigarette que le vieux venait de rouler, comme si c'était une offrande mirifique.

— Tu sais l'avantage qu'ont les brebis sur les paysans ?

— Non !

— C'est qu'elles ont une bonne tronche.

— Je vois pas le rapport.

— Une brebis, ça a l'air sympathique, c'est tout gentil, c'est comme une touffe de laine toute douce.

— Et alors ?

— Et alors, t'as déjà vu quelqu'un qu'a peur d'un mouton, non, eh bien, sur le Larzac, c'est grâce aux brebis que les paysans ont gardé le soutien de tout le monde, aussi bien des hippies que des citadins, des cathos que des cocos, tous... Crois-moi que si là-haut ils avaient élevé des dindons, des cochons ou des taureaux, ça n'aurait jamais marché le Larzac, tu comprends ?

— C'est peut-être mignon les brebis, mais c'est quand même un peu con.

— Pour sûr, mais ça les flics à Debré ne le savent pas !

Crayssac avait combattu lors de la Seconde Guerre mondiale, soi-disant dans le maquis avec son père, mais le seul fait d'armes sur lequel il aimait revenir, l'Austerlitz qu'il caressait avec jubilation, c'était l'épisode de cette légion de brebis qu'ils avaient lâchée dans la préfecture. À l'en croire la scène avait été hautement comique, tous ces flics et ces CRS se faisant déborder par des colonnes de brebis bondissantes, tellement affolées qu'elles se débinaient dans tous les sens, et les flics qui perdaient leur képi en courant après les bêtes, ce qui les excitait davantage, des brebis devenues tellement nerveuses qu'elles en foutaient des CRS par terre…

Seulement, avec l'élection présidentielle dans moins d'un an, cette fois ça ne rigolait plus. Pour montrer ses muscles, le gouvernement s'apprêtait à ordonner des expulsions, si bien que la seule façon de redonner un grand coup d'éclairage sur la lutte, c'était de refaire le coup des brebis, non pas à Rodez ni à Millau, mais en plein Paris,

— Oui, des milliers de brebis lâchées sur les Champs-Élysées ou le Champ-de-Mars, et peut-être même à l'Élysée, pourquoi pas ?

Alexandre était fasciné par la pulsion révolutionnaire qui soulevait ce bonhomme, ça le captivait autant que ça lui faisait peur, car il n'avait aucune envie d'avoir des embrouilles avec les gendarmes, l'idée même qu'un jour ils débarquent à la ferme, ou qu'ils le convoquent, ne serait-ce que pour un stop brûlé, ça lui fichait la trouille.

D'avance Crayssac vivait la scène, le bazar que ça ferait ces cohortes de brebis larguées dans les ministères, et Giscard retenant son braque de Weimar et son labrador, ses deux toutous chics qu'il avait fait voir dans *30 millions d'amis*, histoire de bien affirmer qu'il avait un cœur.

— Crois-moi que ça sera un beau bordel ! Parce que les flics à Paris ils sont formés à interpeller des caïds armés comme des porte-avions, des gauchistes ou des terroristes de l'OLP, mais pas des brebis.

— C'est quand même pas les brebis qui tiendront les banderoles ?

— Non, mais elles seront là. Depuis le début elles sont là. Et dans la lutte, ce qui compte, c'est de ne rien lâcher, d'être sûr de pouvoir tenir dix ans, vingt ans s'il le faut, et ça les brebis elles le font.

Le temps de finir sa cigarette, Alexandre avait eu sa dose de spectacle. Il ne savait pas bien définir ce qu'il admirait chez Crayssac, peut-être la permanence d'un monde ancien, de l'époque où dans les fermes on faisait des fromages pour soi et on ne vendait que le surplus, où le projet de chaque ferme était l'autosuffisance, et c'est tout. Alexandre avait un peu peur de se reconnaître un jour dans ce bonhomme, de se mettre à lui ressembler dans trente ou cinquante ans, peut-être qu'il ne serait rien d'autre qu'un célibataire endurci, comme on disait par ici, ayant fait toute sa vie seul.

— Tu sais, Alexandre, c'est pas pour rien que je te raconte tout ça. Un jour, tu te sentiras peut-être concerné.

— Les manifs, moi, c'est pas mon truc.

— D'accord, mais si un jour c'est à toi qu'il arrive une tuile, eh bien tes vaches, personne n'aura envie de venir les caresser, tu comprends... Aux Bertranges vous vous croyez les plus forts parce que vous avez des hectares et du cheptel, vous avez peut-être beaucoup mais vous êtes seuls. Et si un jour l'État décidait de foutre un camp militaire sur vos terres ou un barrage sur la rivière, eh bien vous seriez tout seuls.

— Ils ne feront jamais de camp militaire par ici.

— Qu'est-ce que t'en sais... Ça fait dix ans qu'ils parlent de construire une autoroute pour aller de l'Espagne à Paris, en ce moment ils avancent au nord, à Châteauroux, Limoges, Orléans, mais bientôt, c'est sûr, ils attaqueront le tronçon sud.

— Et pourquoi ils passeraient justement par ici ?

— Parce que autour il y a que des terres vides, et les terres vides ça s'exproprie facilement. On est pile dans l'axe, ils ont déjà les plans pour enjamber la vallée de la Dordogne et du Lot, alors enjamber la vallée de la Rauze, tu penses bien que ça leur pose pas de problèmes...

Depuis qu'il était môme Alexandre entendait parler de cette histoire. À chaque chassé-croisé de vacanciers il y avait des bouchons de deux heures à Cahors, Brive, Caussade et Gourdon, des dizaines de milliers de voitures qui traversaient les centres-villes. Alexandre savait que le vieux lui disait ça pour l'amener lui aussi à la lutte, quelle qu'elle soit, d'ailleurs il avait le regard qui s'allumait chaque fois qu'il remettait l'autoroute sur le tapis. Mais pas une seconde Alexandre n'imaginait un viaduc bâti au-dessus de la vallée, ni une deux fois deux voies au milieu des prés, ça ne se pouvait pas.

— Tu vois, moi je m'étais bien juré que jamais le téléphone passerait par mes champs, et t'as vu le résultat. Le progrès, c'est comme une machine, ça nous broie.

Dimanche 21 septembre 1980

Ce dimanche Caroline voulait repartir tôt à Toulouse, parce que ce soir-là il y avait une fête dans le grand appartement, ses colocataires avaient invité des étudiants venus d'un peu partout, de Montpellier, de Barcelone et même d'Allemagne, et puis aussi des types qui fricotaient avec les maîtres à penser du Mirail, des gauchistes, ce qui ne lui plaisait pas beaucoup. Pour s'assurer que tout se déroulerait bien, elle tenait à être à l'appartement avant que les gens arrivent. Elle restait assez énigmatique sur les raisons de cette fête, y compris avec Alexandre, mais elle avait besoin de lui pour la ramener, d'autant qu'elle repartait avec quatre cageots de légumes et de conserves. De son côté Alexandre comptait bien profiter de cette soirée, pour lui ce serait l'occasion de voir plein de monde, de traîner dans une ambiance totalement exotique et si possible de se rapprocher de Constanze, sachant qu'ensuite il remonterait par la nationale 20, fenêtres ouvertes et en pleine nuit, peinard. Pour lui ce n'était pas un problème de rouler de nuit, pas plus que de se coucher à trois heures du matin, même si le lendemain il lui faudrait être debout deux heures après pour mener une vache à l'abattoir.

Caroline ne descendait plus qu'un week-end par mois à la ferme, elle venait sans trop l'envie d'être là, c'est qu'elle était définitivement devenue citadine. Elle attaquait sa deuxième année de lettres modernes à Toulouse, cette ville elle ne la quittait plus, d'ailleurs on ne l'avait quasiment pas vue de l'été. En juillet elle avait travaillé dans un centre aéré, puis au mois d'août dans un Hippopotamus, des journées à servir des tranches de viande suintantes que le restaurant recevait sous vide, confites dans leur propre sang.

Pour la raccompagner, Alexandre avait le droit d'emprunter la GS, c'était largement plus confortable que la 4L. Piloter l'ondulante Citroën relevait du pur plaisir, surtout sur ces longues lignes droites qu'ouvrait la nationale après Caussade, des routes droites il n'y en avait pas autour des Bertranges, dans tout le canton les routes étaient sinueuses et on ne dépassait jamais les cinquante kilomètres-heure.

Une fois qu'ils furent lancés sur la nationale, Caroline se mit à fumer. Devant les parents elle n'osait pas sortir ses Camel sans filtre, pas plus qu'elle ne le faisait sur le vieux chemin ou la petite route, de peur d'être jugée par on ne sait quelle âme du coin. Si elle ne fumait pas à la ferme, c'était surtout de peur que les parents n'y voient une marque de plus de son affranchissement. Pourtant le père fumait ses six Gitanes maïs par jour, il en allumait une à table à chaque fin de repas, une cigarette jaune dont la fumée épaisse sentait bon la paille et l'humus de forêt. Fumer n'était pas interdit aux Bertranges, mais déjà qu'elle avait quitté le nid, elle s'en serait voulu de révéler plus encore son émancipation en clopant devant eux.

Ils arrivèrent à dix-neuf heures devant le vieil immeuble du quartier Saint-Cyprien. À peine garés dans la petite rue, ils entendirent les bruits de la fête, des rythmes bien plus nerveux que d'habitude. Madness puis Police s'échappèrent par les fenêtres, ce n'était pas habituel d'entendre ça, en règle générale dans la journée ils mettaient plutôt des musiques planantes, et jamais ils ne poussaient aussi fort les enceintes. Alexandre referma le coffre, les bras chargés de cageots il rattrapa sa sœur qui avait pris de l'avance, un peu anxieuse. Déjà il se sentait plongé dans un tout autre univers, la ferme soudain semblait loin, plus que jamais elle était loin cette vie faite de terres patientes et de coteaux endormis. Caroline redoutait que son frère ne s'incruste, qu'il ne reste tard et ne roule de nuit en ayant bu ou fumé, les parents risquaient de s'inquiéter, et du coup elle s'inquiétait aussi. Alexandre la suivait sans un mot, il était légitime qu'il monte à l'appartement puisqu'il portait ces énormes cageots remplis de légumes et de bocaux préparés par la mère. Ils pénétrèrent dans la cour plantée de hauts arbres, un vrai parc, mais plutôt décati, aussi délabré que l'étaient les murs de façade, les grandes fenêtres. Alexandre était chaque fois impressionné par ce décor. Le vieil immeuble en pierre de taille et brique avait dû être beau, on aurait dit une demeure hors d'âge, un petit domaine planqué en ville. Le chant des oiseaux luttait avec le bruit de l'avenue de l'autre côté de la porte cochère mais, ce soir, ce qui dominait, c'étaient les échos de la fête déversés par les fenêtres ouvertes.

Au moment de rentrer dans l'appartement, Alexandre se sentit chahuté par des émotions contradictoires. D'un côté il avait une profonde envie de se mêler à cette assemblée disparate et nombreuse, à cette ivresse, d'un autre il était retenu par des tas d'a priori cruels et la timidité. De ne pas être à la fac le disqualifiait dans tout un tas de conversations, face à ces étudiants un peu plus âgés que lui il avait l'impression d'être terriblement jeune, mais surtout terriblement ringard, complètement à l'écart de leurs vies et de leurs préoccupations.

Il posa toutes les victuailles dans la cuisine, but un verre d'eau au robinet puis se dirigea vers la grande pièce d'où venait le brouhaha. Il y avait beaucoup de monde, une bonne quarantaine de personnes, des étudiants qu'il avait déjà vus, d'autres plus âgés qu'il découvrait, une bande en particulier, se tenant à l'écart, où ils frôlaient tous la trentaine. Pendant le trajet Caroline lui avait expliqué qu'elle n'approuvait pas cette soirée, c'est là qu'elle lui avait parlé de certaines gens qui devaient venir, des militants qui s'occupaient bien plus de politique que de leurs études. Alexandre se rapprocha d'Antoine et de Sophie, qu'il connaissait déjà, puis deux nouveaux venus les rejoignirent. Malgré le bruit il eut vite fait de comprendre que l'affluence de ce soir était liée à l'inauguration de la Rotonde et à un grand rassemblement, qui avait eu lieu la veille, contre le projet de la centrale nucléaire de Golfech. Alexandre les écoutait avec la sensation curieuse de retrouver le fantôme de Crayssac, sinon que ceux-là étaient plus jeunes. Mais comme Crayssac ils avaient l'air sacrément remontés et employaient les mêmes mots, ils parlaient de cette centrale nucléaire comme le vieux parlait du téléphone, un genre de maléfice qui menaçait l'humanité. À ce qu'il en saisit, la Rotonde était un bout de terrain que les antinucléaires venaient d'acheter en plein milieu du chantier, un lopin de terre acquis à titre d'exploitants agricoles, aidés en cela par des paysans du Larzac qui avaient une longue expérience de l'occupation de terrain. Le projet, c'était d'y édifier une maison de la résistance d'où toutes les actions partiraient. Apparemment l'ambiance là-bas avait été joyeuse et bon enfant, à part que des cocktails Molotov avaient été balancés dans les engins de chantier et que des équipements EDF avaient été incendiés, on ne savait pas par qui.

— C'est des flics qui font ça, ils font tout pour nous pourrir la lutte, ils foutent le feu en disant que c'est nous, c'est bien connu !

Antoine attendit qu'Alexandre acquiesce, mais tout ce qui intéressait celui-ci, c'était de savoir si Constance viendrait ce soir ou pas. Mine de rien il regarda tout autour de la pièce, sans l'apercevoir. Il brûlait d'envie d'aller jeter un œil dans cet intrigant couloir qui distribuait les chambres, ce même couloir dans lequel Caroline avait disparu sitôt rentrée dans l'appartement. Au lieu de cela, il décapsula un Schweppes et passa de groupe en groupe sans s'attarder. Toutes ces nouvelles présences le perturbaient, plus que jamais il se sentait transparent. Même à ceux qu'ils connaissaient déjà, il n'avait pas grand-chose à dire. Pour se donner une contenance il retourna dans la cuisine voir ce qu'il en était des victuailles qu'il avait apportées, et là il y avait de nouveaux arrivés, quatre types qui rechargeaient le frigo en bières. Ceux-là semblaient allemands, mais Constanze n'était pas avec eux. Les gars lui lancèrent un sale regard, ils cessèrent même carrément de parler, alors Alexandre ressortit. Dans le couloir il ne retrouva pas cette odeur de patchouli qui environnait toujours Constanze, une fragrance entêtante donnant la sensation qu'elle sortait tout juste d'une fumigation paradisiaque. Cette fille lui plaisait plus que tout, même si pour des tas de raisons il la savait intouchable, déjà parce qu'elle était étudiante, allemande, qu'en prime elle avait un an de plus que lui, et surtout parce que Caroline ne supporterait pas qu'il ait une aventure avec une de ses colocataires. Pour toutes ces raisons elle lui plaisait au-delà de tout.

Caroline n'était toujours pas réapparue. Alexandre savait d'avance que s'il allait la rejoindre elle lui demanderait de ne pas traîner, de partir. N'ayant pas le goût de se mêler à ceux qui dansaient, il se laissa tomber dans le grand canapé à moitié défoncé. Il éprouvait ce parfait malaise qu'il y a à être seul au milieu de tas de gens qui s'amusent et se parlent. Le pire c'est qu'il redoutait qu'on l'aborde, qu'on lui demande d'où il venait, quel genre d'études il faisait... S'il disait agriculteur, éleveur de bovins, on le prendrait de haut ou on ne le croirait pas. Finalement il avait bien fait de rester un moment, de zoner un peu dans cette soirée, au moins ça lui permettait de comprendre qu'il n'avait rien à y foutre. Mais un type vint alors s'asseoir sur le canapé, un petit brun imprégné de bière qui avait visiblement envie de discuter. Il était surpris qu'Alexandre ne soit pas allé à la manif d'hier, ni à la Rotonde cet après-midi. Ce nerveux avait un fort accent espagnol et des envolées martiales, avec la musique Alexandre devait se concentrer pour le comprendre. Le gars lui tendit une cigarette, et il l'accepta sans envie. Le type se disait issu d'une famille de républicains espagnols, il en était fier, on pouvait donc se vanter de ses ancêtres républicains, comme le font des leurs les aristocrates ou les grands bourgeois. Pour sa part Alexandre ne voulait pas dire qu'il venait d'une famille de paysans, tant qu'on ne lui posait pas la question il ne le disait pas. Le gars lui raconta la manifestation de la veille, la relatant comme une guerre, parlant de grenades, des militaires armés qui leur faisaient face, dans son regard Giscard devenait Franco, Alexandre songea au JT de TF1, hier soir, dans les brèves à la fin ils avaient effectivement évoqué des engins de chantier sabotés du côté d'Agen, mais de telles explosions en France il y en avait tous les jours. Le gars continua, comme s'il cherchait à le convaincre que cette centrale nucléaire ne se ferait jamais, ils avaient commencé de monter un campement avec des matériaux de récupération, la Rotonde serait un véritable camp retranché au milieu des travaux, un symbole international, et ils tiendraient le siège pendant des mois s'il le fallait. Plus le type parlait, plus il donnait l'impression de s'exprimer en espagnol, plus il s'enflammait et plus il roulait les r, des éclairs lui sortirent des yeux quand il décrivit comment les locaux d'EDF avaient pris feu la nuit dernière, comment les cocktails Molotov avaient enflammé les véhicules de chantier, soulevant de vraies torchères parce que les réservoirs étaient pleins... En écoutant ce gars, Alexandre revoyait le père Crayssac. Face à ces révoltés de tous âges, ces exaltés de toutes générations, il se demandait en quoi il n'était pas comme eux, pourquoi il n'était pas mobilisé par la marche du monde, ni sensible à ces défiances que les autres nourrissaient. Là-dessus, au moins, il se sentait proche de ses parents, pas de ceux qui protestaient ou revendiquaient, se sachant avant tout concentré sur le devenir de la ferme.

— Au référendum ils ont voté à 80 % contre la centrale, tu te rends compte, 80 % !

Alors quand on ne respecte pas la parole du peuple, ça s'appelle une dictature !

— Je sais bien.

Alexandre n'éprouvait pas la moindre envie de se battre contre le nucléaire, ce mec l'encombrait avec sa révolte, ses états d'âme dont il se fichait éperdument. Le brun dut le sentir, au point qu'il eut un mouvement de recul. Déjà il trouvait étrange qu'Alexandre lui dise n'avoir jamais mis les pieds sur le site, et qu'il semble en plus si peu concerné par Golfech.

— T'es dans la lutte ou pas ?

— Non. De toute façon j'ai pas le temps. Je travaille de six heures du matin à huit heures du soir, en plein milieu de la pampa, tous les jours faut que j'y sois...

— Mais tu fais quoi ?

— De l'élevage, de l'élevage de bovins.

— Ah je vois, le veau aux hormones, tout ça !

Alexandre n'apprécia pas la blague.

— On n'est pas en Italie ni en Espagne, les vaches chez moi elles mangent de l'herbe et les veaux boivent le lait de leur mère...

— Mais t'es dans une vraie ferme alors, t'es un vrai campesino, un cow-boy, c'est ça ?

— Si tu veux.

— Et cette ferme, elle est grande ?

— Plutôt, cinquante hectares, plus des bois, une rivière, quatre-vingts bêtes, y a de quoi faire.

Le brun fixa Alexandre comme s'il n'en revenait pas. Il se redressa et lui serra la main. Il lui dit s'appeler Xabi, précisa ne pas être espagnol mais basque, puis il regarda Alexandre sans plus prononcer un mot, à croire qu'il venait d'être traversé par une intuition qu'il taisait. Alexandre nota son trouble. Ensuite le gars se leva pour traverser le salon, slaloma entre tous les gens debout ou assis par terre et rejoignit les quatre types en retrait, les gars de la cuisine qui maintenant étaient assis à la grande table et ne parlaient qu'entre eux. Alexandre balaya la pièce du regard, ne voyant toujours pas Constanze. Elle devait être sortie. Caroline lui avait dit que parfois le soir elle se rendait dans le centre-ville pour téléphoner à sa famille, à Berlin. Il fallait souvent qu'elle attende avant d'avoir la ligne, et ça coupait sans cesse, mais si elle appelait d'une cabine ça lui coûtait une fortune en pièces, alors elle se débrouillait pour aller jusqu'à la fac et se servir en douce des téléphones de l'étage administratif. À ce qu'Alexandre avait compris, les autres colocataires ne voulaient pas qu'elle appelle du téléphone de l'appartement. Ils avaient peut-être raison d'être paranos, passer des coups de fil en RDA avec le téléphone commun leur vaudrait peut-être une fiche aux renseignements généraux, pourquoi pas une mise sur écoute, ils étaient dans ce genre de délire là.

À l'autre bout de la pièce, le petit brun se mit à lui faire des grands signes pour qu'il se joigne à eux. Alexandre s'en fichait pas mal de ces types, mais au moins ça lui donnait un bon prétexte pour rester. Alors il louvoya au milieu des danseurs, et en arrivant à leur hauteur trois des gars se levèrent pour le saluer. Au moment de se rasseoir ils convinrent qu'il y avait trop de bruit, trop de monde, alors ils dirent à Alexandre de les suivre dans la cuisine, là ils prièrent tous ceux qui s'y trouvaient de sortir avec leurs saladiers pleins de chips, puis ils ouvrirent le frigo pour prendre des bières. Alexandre se sentit obligé d'accepter une canette, et ils trinquèrent.

Dans la cuisine, c'était plus calme. Deux gars avaient l'accent allemand, mais ils maîtrisaient le français. Ils commencèrent à lui parler de la centrale de Golfech, lui demandant ce qu'il en pensait, comme ça, en tant que citoyen. Alexandre répondit qu'il n'avait rien contre le nucléaire. Son avis eut l'air de les étonner, alors ils voulurent savoir sur quels éléments il se fondait pour se faire un point de vue. Alexandre avoua ne pas suivre tout ça, l'énergie atomique, les centrales, il n'y connaissait rien, sinon que depuis la rentrée ils en parlaient au journal de 20 heures, aussi bien sur Antenne 2 que sur TF1, souvent Elkabbach et Zitrone expliquaient qu'à cause de cette nouvelle guerre entre l'Iran et l'Irak et la fermeture du détroit d'Ormuz, il y avait de vraies menaces sur l'approvisionnement en pétrole, la France avait donc besoin du nucléaire... À mesure qu'il parlait, ces gars découvraient qu'à la télé il y avait des tas de reportages qui présentaient ce qu'était un *générateur*, comme disait Léon Zitrone, et qu'afin que tout soit clair pour les téléspectateurs, des tas de petits schémas décrivaient comment ça marche, « comprendre pour ne plus avoir peur », comme ils disaient.

— Donc tu n'as pas peur ?

— Du nucléaire ? Non.

— Ça veut dire que t'as tout compris ?

— Pas tout, sinon que ça coûtera rien et que ça pollue pas...

— Et tu y crois ?

— Ça me paraît évident que l'atome pollue moins que le pétrole. Le pétrole je m'y connais, quand je pousse les gaz sur le John Deere je fume cinquante litres de gasoil à l'hectare, je peux vous jurer que ça crache de la fumée noire, au labour je flambe deux cents litres et croyez-moi que ça fume...

Les quatre gars semblaient perplexes. Alexandre sentit que sa réponse ne leur convenait pas.

Là-dessus la porte de la cuisine s'ouvrit et Constanze apparut. Elle fut surprise de les trouver là, s'excusa de les déranger et dit qu'elle voulait juste prendre des bouteilles de Coca dans le frigo. Visiblement elle avait de la considération pour ces types-là et était étonnée de voir Alexandre en petit comité avec eux. En fait elle n'en revenait pas. Elle n'en revenait pas qu'il se retrouve avec eux, à tenir un conciliabule dans la cuisine. Elle leur fit la bise à tous, sans chaleur ni vraie complicité, ils échangèrent quelques mots en allemand, des mots qui avaient l'air graves et dont Alexandre ne devina pas le sens. En ressortant elle lui jeta un regard, un regard où l'incrédulité le disputait à la discrétion. Il comprit qu'il avait marqué un point.

Depuis des semaines qu'il la croisait, il voyait bien que ce ne serait pas simple d'attirer son attention, surtout qu'elle se montrait chaque fois concernée par les conversations des plus militants de la bande, c'était sans doute une exaltée de la politique, il n'aurait aucune chance de l'intéresser en lui parlant de luzerne ensilée et de tourteaux de soja. À cet instant, le gars un peu leader du groupe, Anton, s'approcha tout près de lui.

— Mais dis-moi, Alexandre, Alexandre c'est bien ton vrai prénom ?

— Pourquoi, vous en avez des faux, vous ?

— Écoute, Alexandre, je crois que tu regardes un peu trop la télé. Le problème avec le nucléaire, c'est pas de savoir si ça pollue ou pas, non, le problème c'est que ça centralise l'énergie au seul profit de l'État, et l'énergie c'est le moteur du capitalisme industriel, ce capitalisme avec lequel *toi*, tu crois que tu n'as pas de problème, en tout cas pas encore...

À partir de là, ils lui tinrent un discours qu'il n'écouta pas vraiment, débitant des choses qu'il avait déjà entendues par bribes chaque fois qu'il se retrouvait spectateur des conversations des autres étudiants.

— Mais attendez, moi je suis dans ma ferme, je demande rien à personne et personne vient me chercher, moi je suis libre, je suis autonome.

— C'est ce que tu crois mais, justement, avec le nucléaire l'État contrôlera tout, parce que celui qui détient l'énergie détient tout, et celui qui demain détiendra l'électricité sera encore plus puissant que ceux qui détiennent le pétrole aujourd'hui, de toute façon dis-toi bien qu'en l'an 2000, du pétrole y en aura plus une goutte !

Alexandre n'avait jamais pensé à cela, qu'un jour il n'y aurait plus de gasoil ni de fuel, un monde sans essence, ce serait la fin de tout.

— À force de forer, un jour on pompera dans le vide, et ce jour-là il ne restera plus que l'électricité, même ton tracteur sera électrique, c'est pour ça que s'attaquer au nucléaire aujourd'hui, c'est s'en prendre au cœur même du système...

Le petit brun enchaîna, comme s'il s'agissait de prendre Alexandre en étau.

— Faut pas leur laisser ça, tu comprends, faut pas se laisser dominer, et à partir du moment où les travaux vont débuter, des actions il y en aura tous les jours... Boum, boum ! Tu vois ?

Le Basque avait dit ça tout en décapsulant une nouvelle Kronenbourg avec une pièce de cinq francs, mimant une explosion...

Dans son flot de perplexité, Alexandre était sûr d'une chose, se rapprocher d'eux le rehausserait aux yeux de Constanze, le simple fait qu'il soit avec eux en cet instant même, à intriguer dans la cuisine, le hissait au rang des meneurs. Ces antinucléaires lui faisaient prendre du galon mais, en prolongeant la conversation, il commença à comprendre pourquoi ils s'intéressaient à lui.

— Il faut de l'action, parce que c'est bien beau les sit-in, les squats, les bagarres avec les forces de l'ordre, mais dans la lutte faut être plus décisif, sinon c'est du folklore, les écolos se contentent de s'allonger sur la route pour empêcher les camions de passer, alors que le mieux serait de les faire sauter avant qu'ils démarrent... Faut toujours aller au plus radical, ça te parle ?

— Pas vraiment, à la limite l'écologie, la nature, oui ça me parle, mais faire péter des camions, non...

— Alexandre, les écologistes sont contre le nucléaire parce qu'ils sont écologistes, mais c'est des grands naïfs, ils croient que le vrai danger du nucléaire c'est le nucléaire, alors que non, le vrai danger c'est de filer toutes les clés à l'État...

Là-dessus, celui qui était adossé au mur et qui n'avait rien dit depuis le début leva les yeux vers Alexandre et résuma la situation avec un fort accent allemand.

— On va être clairs, Alexandre, pour répondre à toutes les questions, celles des écolos comme celles des autres, le plus sage c'est de faire péter les centrales avant qu'elles soient construites, tu piges ?

— OK, mais pourquoi vous me parlez de ça... ?

— L'engrais, Alex. L'engrais.

Dimanche 21 septembre 1980

« En l'an de grâce 2980 les terriens nagent dans l'opulence... Ils ont envoyé des robots dans l'espace qui exploitent les ressources d'autres planètes. Tout ce qui est récolté est distribué à la population gratuitement. Toutefois les seigneurs craignent qu'un sursaut d'orgueil ne pousse un jour l'humanité à relever la tête, alors par le truchement de l'abrutisseur mondio-visuel ils bloquent les pensées, l'homme d'aujourd'hui est asservi, et comme il ne réfléchit plus il se croit heureux... Moi Albator et mon équipage nous avons échappé à cette mise au fer moral, nous sommes les seuls à pouvoir prévenir nos semblables du danger qui les menace... Si bien que, pour tous, je suis devenu le renégat de l'espace, poursuivi par tous et menacé de la peine capitale... »

Le dimanche après le dîner, on n'allumait jamais la télé, si bien qu'Agathe lisait à haute voix les aventures du capitaine Albator en bande dessinée, elle faisait vivre le longiligne pirate de l'espace, le beau gosse à la sempiternelle mèche devant les yeux. Ce soir-là, au dîner, les parents s'étaient retrouvés seuls avec Vanessa et Agathe, ça les rajeunissait presque d'avoir les deux dernières face à eux, alors ils les avaient forcées à lire à voix haute, perfectionnant cette éducation qu'ils avaient étrennée sur les plus grands.

Sans Alexandre ni Caroline ce n'était pas les mêmes jeux, ni les mêmes conversations, ni les mêmes bruits, tout retombait du côté de l'enfance. Après le repas il y eut une langueur dans l'air, un parfum d'été qui durait, pourtant demain il y aurait école, mais au vu de cette fin de dimanche chatoyante, de ces hirondelles éparpillées qui volaient haut, on se serait cru en plein mois d'août. Avant que le soleil se couche le père alla jeter un œil du côté de la mare des Bras, les vaches qui buvaient à la rivière dégradaient les berges, d'ici peu on l'obligerait à installer des abreuvoirs au fil de l'eau, à clôturer les rives, avec les nouvelles normes les vaches ne pourraient plus boire comme elles voulaient. Vanessa et Agathe avaient décidé de le suivre, mais en courant, si bien qu'elles le précédaient toutes deux sur le chemin, elles cavalaient en tous sens avec un petit filet à papillons gagné dans une pochette surprise, aveuglées par l'éternel présent de l'enfance. En les voyant, Jean se consola en se disant que durant deux ou trois années encore Vanessa resterait à la ferme. Quant à Agathe, il se passerait bien encore six ou sept ans avant qu'elle s'envole. Sans amertume le père faisait ce constat, Alexandre, lui, c'était la valeur sûre, seulement il faudrait acheter un tracteur neuf pour l'amadouer, parce que le John Deere devenait aussi dur à manœuvrer qu'une porte d'écluse. Jean savait qu'acheter un tracteur neuf, ce serait faire un sacré geste en direction de son fils, en même temps ce serait le contraindre à vivre là. Peut-être qu'un jour, lui aussi se ferait rattraper par l'envie de partir, à force d'aller à Toulouse, à force d'y faire des rencontres et de découvrir des vies différentes de la sienne, bien plus modernes et bien plus gaies, peut-être qu'à lui aussi viendrait le goût de vivre autre chose. Alors, acheter un tracteur sur lequel on ne se casse pas le dos et qui ne menace pas de verser dans les terres en pente, ce serait mettre un peu de modernité dans ce travail-là.

Le chemin descendait au fil du coteau, l'horizon s'ouvrait grand dans le couchant. Entre les arbres on apercevait la vallée, les terres grasses. Les vaches étaient un peu plus bas, à flanc de coteau, tranquilles, largement espacées. Cette année les prairies avaient duré, l'herbe poussait encore grâce aux nuits fraîches et aux jours doux. La nature est un équilibre qui ne se décide pas, qui s'offre ou se refuse, en fonction des années. Le père, face à ce paysage, eut une sorte de pressentiment atroce, chaque fois qu'il savait Alexandre à Toulouse il redoutait qu'il ne rencontre une fille, qu'il ne s'amourache pour de bon de cette Allemande, au point de changer d'avis et de ne pas reprendre la ferme, là pour le coup il n'y aurait plus personne pour assurer la suite. Dans les campagnes, tous les fermiers le savaient, une fois que vos enfants avaient goûté à la ville, ils n'en revenaient plus.

Sans plus personne ici, toutes ces terres qu'il embrassait du regard, ces prairies et ces haies vives auraient vite fait de pousser en tous sens, de se répandre anarchiquement et de s'asphyxier. Personne ne viendrait exploiter une ferme par ici, au contraire elles fermaient toutes les unes après les autres, un jour il n'y aurait plus de vaches pour réguler les prés, plus de chèvres ni de brebis pour tailler les terres d'en haut, plus de paysans pour entretenir les chemins, ce monde-là redeviendrait sauvage, sauvage à s'en étouffer.

Vanessa et Agathe revinrent vers lui en courant, toutes fières d'avoir une prise dans leur petit filet à papillons.

— Regarde, papa, c'est un jaune, c'est qu'il va y avoir de la pluie !

Le père regarda le coucher du soleil avant de lancer un coup d'œil au papillon. Il ne pleuvrait pas, pas cette nuit en tout cas, et pas demain non plus, du moins c'est ce qu'il avait entendu à la météo.

— Relâchez-le donc, c'est fragile un papillon, très fragile.

— Non, je veux le ramener à la maison, et on le fera dormir dans un bocal.

— Dis-moi, Agathe, tu te verrais dans un bocal toi, hein ? T'aimerais ça qu'on te mette dans un grand pot en verre ?

Le visage d'Agathe se figea dans une perplexité touchante. En voyant ce papillon prisonnier dans le filet, Jean eut l'image de ces veaux élevés en cage, ce scandale du veau aux hormones qui venait d'éclater et à la suite duquel les autorités avaient demandé d'éliminer deux millions de veaux d'ici six mois, deux millions de veaux nés pour rien, abattus par précaution, il était dit qu'un jour tout ça finirait mal.

— Agathe, fais-moi plaisir, relâche-le.

Agathe retourna son filet comme on inverse une manche, mais le papillon restait pris, il ne décollait pas.

— Tu vois, papa, il veut pas partir !

— Laisse-le récupérer, tu l'as sonné, tu vois bien que tu lui as fait peur.

— Ah bon ?

L'insecte semblait pétrifié, ou mort. Ils se tinrent tous trois un petit moment sans plus bouger. Les vaches étaient encore loin, à trois parcelles de là, et à des kilomètres à la ronde il n'y avait personne, sinon le pavillon des grands-parents quelque part dans la vallée, tout cet espace était donc suspendu au sort de ce papillon, allait-il s'envoler ou pas, le pouvait-il seulement... Au bout de quelques minutes, finalement, il se mit à battre des ailes pour se déprendre du filet qui l'avait piégé, et là il fusa haut vers le ciel. À cette heure, normalement, les papillons volaient plutôt bas, au ras du sol, mais la petite tache jaune continua de monter comme ça en direction du ciel promis à la nuit, alerte comme une prière exaucée. Vanessa et Agathe repartirent en avant, reprenant déjà leurs jeux et leurs rires. Jean se dit que c'était une chance de les avoir, ces deux gamines qui pétillaient de vie et parlaient sans cesse.

Dimanche 21 septembre 1980

Alexandre ressortit de la cuisine totalement chamboulé, sonné comme s'il s'était
reçu une claque. Au moins les choses étaient
claires. Pendant que ces types parlaient, il
avait en tête l'image de sa mère, la semaine
dernière, épluchant des patates sur la double
page de *La Dépêche du Midi*, déposant les
pelures sur les photos de cette gare qui
venait d'exploser en Italie à cause d'une
chaudière ou plus sûrement d'une bombe,
une explosion si forte qu'elle avait retourné
les trains et fait quatre-vingts morts en plein
cœur de Bologne.

Mais, au-delà de ces visions atroces, ce
qu'Alexandre retenait de cette séance, c'était
la fascination que ces types exerçaient sur
Constanze quand elle était venue se joindre
au groupe, écoutant Anton avec une belle
gravité.

Dans la grande pièce, la musique était
de plus en plus forte, Pink Floyd puis Yes

recouvraient les flaques de mots et d'éclats de rire, une mer de conversations tenues par des esprits divagants. Le shilom tournait si avidement que maintenant la plupart des fumeurs étaient allongés par terre et pas sur les canapés, quant à ceux qui continuaient de danser, ils le faisaient presque de manière abstraite.

Au bout d'une heure, Constanze sortit à son tour de la cuisine et vint s'asseoir auprès d'Alexandre, il était seul dans ce long canapé déglingué. Elle lui demanda si tout allait bien avec une prévenance qu'il ne lui connaissait pas. Au milieu de ce bruit on entendait mal, mais Alexandre n'osait pas se rapprocher davantage de la belle Allemande. Elle parlait de musique, voulait savoir celle qu'il aimait, est-ce qu'il voulait écouter quelque chose en particulier. Alexandre nota son accent, il semblait accentué par le fait de hausser la voix afin de lutter contre la musique. Dans cet appartement commu- nautaire, on ne savait jamais qui mettait les disques sur la platine mais venait toujours, chez l'un ou chez l'autre, la lubie d'écou- ter des vieux trucs. Là quelqu'un posa le saphir sur Crosby, Stills, Nash and Young, du nerveux plaintif qui cassait les oreilles. Tout le long de la face A, Alexandre sentit que son genou frôlait celui de Constanze, elle s'était rapprochée pour parler, il était si près d'elle qu'il ressentait la masse chaude de ses cheveux, il inspirait leur odeur tout en se retenant de plonger la tête dedans.

À une heure du matin, il était toujours là. Caroline n'était réapparue qu'une fois pour demander qu'on baisse le son, jetant un regard de désapprobation à tout ça. Après le centre aéré et l'Hippopotamus, cet automne elle travaillait de huit heures du matin à midi dans un café de la place Wilson, ce qui lui laissait peu de temps pour les cours. En étudiante consciencieuse, elle ne traînait jamais dans ces soirées, les études étaient pour elle un enjeu bien plus vital que de fumer en écoutant de la musique pendant des heures. Alexandre avait horreur du haschich, à cause de cette affreuse sensation de perdre le contrôle, mais il n'osait pas refuser chaque fois qu'on lui tendait un joint, ça aurait paru suspect, si bien que, aspirant plus d'air que de fumée, il tira de nouveau sur celui qu'on lui passait, façon de se fondre dans le groupe, d'autant qu'il était maintenant dans la confidence des activistes, quasiment sur un pied d'égalité avec Anton, Xabi, Gerhard et Esteban, refuser les pétards ou les taffes de shilom l'aurait désigné comme un gars louche, alors que tout ce qu'il cherchait c'était au contraire de se faire coopter par cette petite société.

Lundi 22 septembre 1980

Alexandre partit de la fête à trois heures du matin. En se posant dans la GS il se délesta d'un coup du bruit, de la fumée, mesurant à quel point il était stone. Stone, ce mot lui plaisait, cette fois il éprouvait pour de bon cet état où l'on flotte un peu au-dessus de soi-même, ou un peu au-dessous. À cette heure il n'y avait plus personne dans les rues, pas plus que sur les axes de sortie ou la route nationale. Ne restait plus qu'à faire cent vingt kilomètres toutes fenêtres ouvertes, à s'oxygéner à coups d'air frais pour se déprendre de ces volutes psychotropes qu'il avait respirées pendant des heures.

En conduisant il songea à Constanze, il s'en voulait de ne pas lui avoir pris la main tout ce temps où ils s'étaient frôlés. Ses remords passèrent vite en repensant à ce qu'ils s'étaient dit avec les gars dans la cuisine. Rétrospectivement il réalisa qu'il avait fait une connerie, mais une énorme cette fois, avec le recul il reconsidéra cette séquence avec appréhension. En reprenant tout depuis le début, il se souvint qu'au départ les gars lui parlaient simplement de la centrale nucléaire, de l'État qui demain détiendrait toutes les clés, ils lui avaient servi le discours classique pour le rallier à la cause, mais après trois ou quatre bières il avait bien senti qu'ils tâtaient le terrain, le questionnant avec des arrière-pensées précises. À un moment ils s'étaient tous assis à table, Xabi et Anton avaient commencé à lui poser des questions au sujet de la ferme, et plus précisément sur sa façon de travailler, les quantités d'engrais dont il se servait ou qu'il stockait. Alexandre n'avait pas tout de suite compris où ils voulaient en venir. À présent, il s'étonnait que Caroline ne l'ait pas davantage alerté, qu'elle ne lui ait pas expressément dit de ne pas adresser la parole à ces types-là. Ou alors elle n'était pas au courant, elle ne soupçonnait pas que parmi cette bande qui participait à la fête, il y avait non seulement des étudiants et des militants antinucléaires, mais aussi des activistes très à jour sur les explosifs. Elle n'avait jamais fait le lien entre l'ammonitrate et la révolution. Pourtant, elle savait toutes les précautions dont on entourait les énormes sacs d'engrais à la ferme, qu'ils viennent de Bayer en Allemagne ou d'AZF à Toulouse, ces gros sacs étaient toujours ornés de mises en garde avec des étiquettes rouges et des têtes de mort, des symboles qui les affolaient quand ils étaient mômes, sans parler de ces fiches de sécurité que les parents rangeaient dans le tiroir de la vieille huche, des fiches qui expliquaient les précautions à prendre chaque fois qu'on manipulait ces produits-là, et surtout au sujet de leur stockage. Ce qu'Alexandre et ses sœurs avaient toujours entendu de la bouche de leur père, c'est que l'ammonitrate il fallait le protéger de l'humidité, le mettre à l'écart de tout fil électrique, de toute baladeuse, et surtout ne jamais jouer avec des pétards ou des fusées de feu d'artifice à côté. Les jours d'orage, il fallait veiller à ce que les portes de la grange soient bien fermées, si par malheur la foudre tombait sur un de ces sacs ça déclencherait une explosion gigantesque, une déflagration qui ferait non seulement voler en éclats la grange et tous les autres bâtiments, mais aussi les arbres tout autour... Manier l'ammonitrate c'était encore pire que le DDT, interdit depuis longtemps, mais dont on écoulait toujours les vieux stocks pour ne pas les jeter. À la ferme, mine de rien il y avait tout un arsenal.

En s'éloignant des grands axes, Alexandre finit par se détendre, reprendre confiance. Parfois il se demandait s'il pourrait vivre ailleurs qu'à la campagne. Plus il s'enfonçait dans la nature plongée dans la nuit, et plus il ressentait le soulagement de quitter le monde citadin, affolé et bruyant. Pourtant ce Toulouse égaré dans mille luttes, ces soirées pleines de visages nouveaux, c'était sacrément distrayant et tentant.

Sur la départementale qui montait jusqu'aux Bertranges, il se sentit repris par une force qui le désertait dès qu'il s'éloignait de la pleine nature, il retrouva un air pur, respiré par lui seul. Avec Constanze ils avaient beaucoup discuté. Elle lui avait dit que sa façon à elle d'aimer la nature consistait à la défendre, elle disait le mot « nature » en le faisant durer dans sa bouche, ce mot-là la faisait rêver, elle en parlait comme d'une sphère lointaine, qu'elle fréquentait peu, mais une sphère à sauver. Alexandre s'était dit qu'une fille comme elle ne pourrait jamais vivre ailleurs qu'en ville, à un moment il avait même failli lui poser la question.

Il n'avait pas la moindre idée de ce qu'elle pensait de lui, mais le net sentiment qu'il l'intriguait, sans quoi elle ne serait pas restée tout ce temps à ses côtés. Tout en l'écoutant il s'était demandé si elle n'était pas de mèche avec les gars de la cuisine et si elle ne cherchait pas à l'embobiner. Il savait à présent ce que ces mecs attendaient de lui. De l'engrais. Sans doute pour faire sauter des transfos EDF ou des camions de chantier. En y réfléchissant, il pourrait sans problème leur sortir dix kilos de billes, mais il les laisserait les mélanger avec du fuel pour que l'engrais prenne de la masse et que ça produise de l'ANFO. Il se sentait prêt à le faire. Pour peu qu'ils lui fournissent les récipients et qu'aucun indice ne permette de remonter jusqu'aux Bertranges.

Alexandre continua de rouler plein nord, il filait sur le bitume désert, le coude posé sur la portière, il avait l'impression d'être un de ces acteurs des séries américaines qu'il regardait à la télé, il se prenait pour Mannix ou Napoleon Solo, un solitaire grisé par l'extravagance d'une mission, un aventurier comme Lord Brett Sinclair, anobli par le prestige d'un rôle à tenir dans l'Histoire. Faire une connerie ouvre un espace inédit, elle projette hors de soi-même et rend plus grand, et dans le regard des autres on brille d'un tout autre éclat. Leur refiler de l'engrais ce serait acquérir une dimension inédite, déjà il avait bien senti que Constanze le regardait, alors que les autres dimanches jusque-là elle ne le regardait tout simplement pas.

Lundi 22 septembre 1980

Plastic Bertrand et Mireille Mathieu passaient de pièce en pièce. Ils se faufilaient dans un dédale de grandes statues en terre cuite, de poupées géantes au regard d'enfants affolés… Alexandre suivait ça en se frottant la tête. Pour une fois, ce midi, il s'était assis avant que la table soit mise, il n'avait pas la force de la mettre. Pourtant ce matin il avait dormi jusqu'à onze heures, mais à cause de toutes les taffes de cette nuit il était assailli de vertiges.

— Mon Dieu, c'est quoi, cette horreur ?

— Ça, c'est Mireille Mathieu.

— Non, de l'autre côté.

— C'est une statue en terre cuite.

— Non, celle qu'a le masque de plongée avec une cravate ?

— Mais tu vois bien que c'est Plastic Bertrand !

La mère haussa les épaules et posa sur la table le poulet rôti dont les arômes hantaient tout le coteau.

— Alexandre, je t'avais dit de mettre la table, bon sang, t'exagères. Et ils sont où ?

— Qui ça ?

— Ben Danièle Gilbert !

— Du côté de l'Alsace, je crois, dans un musée de statues, j'ai pas tout compris.

Le pire c'est qu'il sentait bien que ses parents ne voyaient que ça, qu'il était vaseux, ils lui lançaient des regards bizarres. Jamais de sa vie il ne s'était levé à onze heures du matin, même grippé. Ils se demandaient sans doute s'il avait bu, ou peut-être si, à Toulouse, il avait rencontré une fille, ça les démangeait de lui poser la question, de savoir ce qu'il avait vraiment fait jusque si tard, mais ils n'osaient pas.

— Ça plane pour moi, ça plane pour moi...

Ce pauvre Plastic Bertrand était venu présenter son nouveau 45 tours, seulement chaque fois on l'obligeait à reprendre ce tube pogo-punk qui l'avait fait connaître, il n'arrivait pas à s'en défaire. Les parents enduraient ça, parfaitement dubitatifs, si les frangines avaient été là, pas de doute qu'elles se seraient mises à danser, avec elles cette chanson aurait eu un sens, alors que là, avec Alexandre qui baissait la tête pour qu'on ne voie pas ses yeux rouges, et ses parents qui supportaient ce refrain avec écœurement, le tube pogo-punk devenait sinistre.

En temps normal *Midi Première* était un petit miracle de diversion au moment du déjeuner, un programme nettement moins polémique que le journal télévisé et qui offrait peu de sources de désaccord dans les familles, en dehors des choix vestimentaires de l'un ou l'autre des invités, des hommes ultra-maquillés ou des filles à la tenue sommaire. En général Alexandre trouvait tous ces gens totalement ringards, alors que ses parents au contraire les trouvaient bien trop d'avant-garde. *Midi Première* se posait là à l'heure du déjeuner, rayonnant de son splendide paradoxe, ringard ou branché, carrefour de l'époque.

Après le café, Alexandre déclara qu'il devait faire une petite sieste, il ne tenait plus debout. Le père alluma sa gitane et, sans plus tourner autour du pot, lui demanda pourquoi il était rentré si tard cette nuit, qu'y avait-il donc de si extraordinaire à Toulouse qui mérite de se coucher à trois heures du matin.

— Une fête.

— T'étais avec ta sœur au moins ?

— Oui.

— Ah bon ? Je croyais qu'elle se couchait tôt.

Alexandre ne répondit pas, il se dirigea vers sa chambre. Cette forme de subordination lui pesait. Continuer de vivre avec ses parents jusqu'à vingt-cinq, trente, quarante ans impliquerait ce genre de remontrances, d'observations qui le renvoyaient aux pires schémas de l'enfance. Et le plus angoissant, c'était de se dire que ça durerait peut-être comme ça toute une vie, peut-être que ça n'en finirait pas, à coup sûr ses parents ne voudraient jamais le voir autrement que comme leur gamin. Tant qu'il n'aurait pas les moyens de se louer une maison quelque part, tant qu'il resterait à la ferme, il serait piégé par ce vieux carcan. Pour sortir un jour de ce piège, faudrait sacrément augmenter les rentrées d'argent, ou prier pour que les grands-parents se tirent en maison de retraite, histoire qu'Angèle et Jean prennent leur place dans le pavillon en bas, le fringant F4 avec salle de bains et perron, qu'à leur tour ils deviennent des anciens...

Alexandre s'allongea tout habillé sur son lit. Où qu'il regarde, l'avenir semblait tout tracé, sans aucune possibilité d'émancipation. En même temps la ferme était grande, il y avait cinq chambres, mais une seule télé, une seule cuisine, un seul couloir qui distribuait les êtres au fil de la journée, et surtout il n'y avait qu'un seul téléphone, ce foutu crapaud bien en évidence, là, dans le couloir, dès que quelqu'un passait un coup de fil, tous les autres pouvaient suivre sa conversation.

Dans ces moments de colère Alexandre se jurait de trouver une échappatoire, parfois il se faisait la promesse de se barrer un jour, d'avoir un chez-lui, une bicoque qu'il retaperait, à la limite une vieille caravane suffirait.

Là, il était d'autant plus en colère qu'il se sentait coupable pour ce matin, en tout cas il n'était pas fier de ne pas s'être levé à l'aube comme il l'avait promis, le père avait donc dû mener lui-même la vache à l'abattoir.

Il resta une demi-heure dans sa chambre, volets fermés, sans arriver à dormir, il entendait les parents qui allaient et venaient, qui parlaient dehors, puis le père qui mettait en route le compresseur, à croire qu'il le faisait exprès. Histoire de prendre du champ il se leva, prit son radiocassette à double haut-parleurs et partit refaire les clôtures des prairies du versant ouest, dans les terres en dessous de chez le père Crayssac. Au moins dans ce coin-là il serait tranquille. Tout de même, il avait pour lui ces immenses espaces offerts au soleil, cette nature grande ouverte, c'était une aubaine pour s'isoler, il suffisait de démarrer un tracteur et d'aller travailler dans un pré ou un autre, à l'autre bout tant qu'à faire, et personne ne viendrait le chercher. Là, comme le vieux tracteur faisait de plus en plus de bruit, il pouvait pousser le volume, foutre Supertramp à fond, personne n'était gêné.

Mardi 30 septembre 1980

Ce soir-là le père et Alexandre se faisaient la gueule, ils s'étaient engueulés cet après-midi au sujet des clôtures, il y en avait des kilomètres à reprendre, le père disait qu'il avait passé l'âge de faire ce genre de bricoles. Le nez plongé dans leur assiette, ils suivaient distraitement le journal de 20 heures, d'autant que la mère était en pleine négociation avec les gamines au sujet des devoirs, les deux sœurs n'arrêtant pas de chahuter. Aux premières images d'un reportage le père se leva pour monter le son, il avait reconnu le barrage de Malause, en juillet une explosion avait fait sauter l'usine hydroélectrique. Des nouveaux éléments de l'enquête révélaient que l'attentat visait la future centrale de Golfech, dont les travaux venaient juste de commencer. À cause de cet attentat, EDF avait dû relâcher des dizaines de millions de mètres cubes d'eau, la réserve d'eau s'était retrouvée à sec tout l'été, les cultures n'avaient pas été arrosées pendant les mois chauds et les récoltes s'étaient effondrées. La caméra traînait de façon obscène sur ces quatre cents hectares de vase, quatre cents hectares de poissons morts et de frayères détruites, pourtant c'étaient bien des écologistes qui avaient fait ça. Le père rageait en voyant ce désastre. Alexandre écoutait sans plus rien avaler, se sentant bizarrement concerné. La mère et les sœurs n'avaient rien remarqué.

Le soir, après dîner, le père descendait souvent voir ses parents. À pied il fallait dix bonnes minutes en suivant le chemin, mais le double pour remonter, la plupart du temps donc il y allait en voiture. Dans la vieille 4L il en profitait pour fumer sa gitane d'après-repas, il jetait un œil aux haies, aux arbres, aux clôtures surtout, comme il l'aurait fait s'il avait été à pied.

Ça lui faisait drôle de savoir que ses parents habitaient un pavillon moderne, eux qui se vantaient d'être de la vieille école. Jamais Jean n'aurait cru Lucienne et Louis capables de vivre dans des murs bétonnés, nets et lisses, mais finalement ils y étaient bien. Ils disaient même que c'était sacrément plus vivable que l'ancienne ferme, déjà parce qu'ils avaient enfin une baignoire, à près de soixante-dix ans il était temps, quand bien même ils ne prenaient jamais de bains. Le vrai luxe, c'était l'escalier intérieur pour aller dans le garage fermé, ce confort ils estimaient l'avoir grandement mérité.

Avec Jean ils firent un point sur ce qu'il y aurait à ramasser cette semaine, les salades, les épinards, les tomates qui se faisaient rares. Mais le souci c'était la ferme d'en haut, avant de songer à acheter un nouveau tracteur il faudrait refaire les canalisations sous les bâtiments, pour ça il faudrait rentrer un peu plus d'argent, et avec tout ce qui se racontait ces temps-ci au sujet des veaux aux hormones, Jean leur dit que c'était le moment de montrer à tout le monde qu'ici ils travaillaient autrement, qu'ici ils avaient ce trésor que les éleveurs semblaient oublier, cette merveille qui valait tous les tourteaux et les anabolisants du monde : l'herbe. Des hectares de prairies longues et grasses. Il leur reparla de son idée de faire de l'engraissement, de récupérer des vaches de réforme, d'anciennes laitières qui avec de la bonne herbe et du bon maïs ensilé prendraient facile cent kilos...

— Tu sais, Jean, avec tout ce qui se passe actuellement, je suis pas sûr que ce soit une bonne idée de mettre des laitières dans le troupeau. Faut pas s'amuser à mélanger les animaux comme ça, ça ramène plein de microbes, oublie pas l'adage, « quand on achète des bêtes, on achète aussi la maladie ». Et puis avec les autres vaches ça se passerait mal.

— Eh ben, on les mettra à l'écart. On pourrait en prendre au moins vingt de plus... Vu que le haché est à la mode, vingt vieilles laitières ce serait parfait.

Depuis toujours Jean élevait ses vaches à l'herbe, dans des proportions qui dépassaient le cahier des charges. En plus, grâce à la rivière le maïs poussait bien, les rendements étaient bons, les Bertranges étaient une vraie mine d'or végétale, la vallée de l'or vert, on pourrait sans problème engraisser vingt vaches laitières et même pousser jusqu'à cent cinquante vaches au total, soutenait Jean, et puisqu'il ne neigeait plus et que les hivers étaient de plus en plus doux, ce ne serait même pas la peine de refaire les bâtiments, ici les bêtes pouvaient faire leur vie dehors.

— Écoute, Jean, là-haut t'es chez toi maintenant, mais tu vois bien que l'herbe ne pousse plus comme avant. Y a cinquante ans, de l'herbe j'en avais jusqu'à la taille, ça poussait même à la Toussaint.

— Qu'est-ce que tu racontes, l'herbe poussera toujours...

— Je t'assure, je vois moins d'eau dans les sols, je ne vois plus de trèfle blanc, et regarde les puits, en juillet on pompe déjà les cailloux, crois-moi, les temps changent.

— Et alors, s'il n'y a pas assez d'herbe pour vingt vaches de plus, eh bien il suffira de doubler le maïs et on les nourrira avec, on va leur montrer ce que c'est que des bêtes élevées naturellement...

— Là encore, t'auras besoin de plus d'eau, le maïs en plus des vingt vaches, ça en fait des mètres cubes...

— Eh ben, on pompera dans la rivière. Elle est bien à nous, la rivière.

— La rivière, oui, mais pas l'eau.

Lucienne avait préparé un café arrangé, de la chicorée Leroux avec une giclée d'eau-de-vie pour appâter le sommeil. Depuis que Louis avait passé la ferme à son fils il n'était pas tranquille, non pas à cause de celui-ci, mais des nouvelles normes en tous sens, des heures de paperasses que ça supposait. Pour le moindre mouvement de brindilles sur l'exploitation il fallait ouvrir un dossier. Humant les effluves d'eau-de-vie, Jean ne disait plus rien, les idées continuaient de se bousculer dans sa tête, est-ce qu'il avait raison d'en chercher tout le temps de nouvelles, et où ça le mènerait de travailler avec l'hypermarché, est-ce qu'il y avait vraiment des risques à engraisser des bêtes venues de Normandie ou d'on ne sait où ?

— Je suis sûr que c'est le gars du Mammouth qui t'a mis cette idée en tête.

— Laquelle ?

— De faire de l'engraissement.

— Tu y as jamais pensé, toi ?

— Certainement pas. De toute façon ça te fera de la viande molle.

— Justement, aujourd'hui le gros de la demande c'est le haché, tout le monde veut de la viande hachée, entre les tartares, les burgers, les McDos et les steaks congelés, tu vois pas toutes ces pubs à la télé... ?

— À la télé je regarde pas les pubs.

— Sans parler des vieux qu'ont plus de dents, ou des mômes, même dans les restaurants c'est la mode du haché...

Lucienne tournait sa cuillère dans son faux café, bien souvent elle n'était pas d'accord avec son fils, seulement elle ne voulait pas le contrarier.

— Et toi, m'man, qu'est-ce que t'en penses ?

— J'en pense que le haché c'est un nid à microbes, t'as bien vu le boucher d'Uzerche, ils l'ont fait fermer, avec son hachoir il a empoisonné tout le monde, paraît que ça aurait même tué des gosses, c'est une saloperie ce truc-là, la viande c'est pas fait pour être hachée.

— Mais m'man, aujourd'hui les gens n'ont plus le temps de faire des daubes, le collier, le paleron, tout ce qui met deux heures à cuire, de nos jours ça part en haché, sinon ça se vendrait plus, le monde change, aujourd'hui toutes les femmes travaillent...

— Et moi, je travaillais pas peut-être ?

— C'est pas ce que je veux dire, mais les femmes, en ville, elles n'ont pas le temps de faire un pot-au-feu, dans le monde moderne c'est plus comme ça que ça marche...

— Eh bien ce monde-là ne tourne pas rond. Congeler de la viande pour que les gens la mangent à cent, deux cents ou deux mille kilomètres de là, de ce monde j'en veux pas.

— Écoute, le monde on ne le changera pas, on n'y peut rien, maintenant pour te dire les choses sans prendre de gants, la vérité c'est qu'il faut aller vers deux cents kilos de haché par vache, voilà, sans quoi le bétail c'est pas rentable... Ça sert à rien de faire des belles bêtes musclées, à la culotte bien rebondie, si on ne les vend pas au bon prix.

Jean s'en voulait de tenir tête à ses parents mais il se savait à la croisée de deux époques, de deux mondes. Cette ferme, il devait la faire tourner avec de vieux bâtiments, d'anciennes méthodes, et en même temps l'adapter pour la mettre aux normes, la préparer au monde de demain pour son fils, construire des stabulations plus hautes et bâtir un local de mise en quarantaine. Jean se savait de la génération charnière, celle qui prendrait le virage ou pas, une génération qui devait accepter le progrès, sans quoi le monde se passerait d'eux.

Ce qu'il reprochait à ses parents, c'était de ne pas voir les choses en face. Même dans leur pavillon neuf, ils avaient apporté la vieille cuisinière à bois, celle qui mitonnait des cuissons à longueur de journée, dès les premiers froids la mère avait toujours une marmite qui vivait sur le coin du feu. De la même façon, son père ne voulait pas comprendre qu'aujourd'hui on congelait dès l'abattoir, que la chaîne du froid était suffisamment au point pour qu'un steak haché fasse le tour du monde sans jamais se décongeler et qu'on puisse le conserver durant des mois.

Ces conversations-là, elles se finissaient toujours pareil. Le vieux Louis se levait en se tenant les reins, soulignant que quelque chose là-dedans ne fonctionnait plus. Il disait qu'il allait se coucher, même s'il ne faisait pas encore nuit. Là-dessus il sortait saluer le chien, sachant bien que son fils, désormais l'unique depuis que Pierrot s'était tué, lui emboîterait le pas après avoir fait la bise à sa mère, il le rejoindrait dehors, histoire de se réconcilier en parlant d'autre chose.

Le jour tombait, la température était douce, il n'y avait pas une once d'humidité dans l'air. Pourtant dans la vallée il faisait trois à quatre degrés de moins qu'en haut à la ferme, on était dans une zone bien encaissée, orientée est-sud-est, autant dire qu'on avait le soleil, celui du matin et de l'après-midi, mais pas celui qui cuit, surtout de juin à août. Louis caressa l'épagneul et fit un petit tour dans ses cultures, toutes ces plantes sages, dévouées, prêtes à se donner. Il sentait bien que Jean marchait derrière lui.

— Tu sais, Jean, y a des bruits qui courent au sujet des laitières.

— Le veau aux hormones, c'est ce que je te disais !

— Non, à propos des Prim'Holstein et des normandes. Écoute, moi je suis sûr de rien, mais je crois bien qu'avec les laitières ils font des drôles de trucs.

— Mais c'est des conneries et, de toute manière, ça c'est en Angleterre, soi-disant que là-bas elles bouffent des farines, chez nous non.

— N'empêche, tu devrais pas t'amuser à mélanger les troupeaux, tes vaches à toi tu les connais, mais les autres non. C'est pas bon de faire voyager les animaux comme ça. Les animaux c'est comme les hommes, faut pas que ça voyage, sinon ça ramène plein de saletés, et crois-moi que si là-bas ils en sont vraiment à nourrir les veaux avec des œufs, si vraiment ils poussent les génisses avec de la farine de poissons crevés, on est mort...

— Tout de suite, faut que tu fabules.

— Tu devrais pas t'amuser à recueillir des vaches alors que tu ne sais même pas ce qu'elles ont bouffé.

— Si tu le dis.

— Tu sais, avant on mettait des poissons rouges au fond des auges pour garder l'eau propre, ton fils m'a dit qu'il voulait le refaire.

111

— Oui, et alors ?

— Eh ben on a jamais vu une vache bouffer un poisson rouge. Jamais. Et encore moins un cheval. Alors crois-moi que ceux qui s'amusent à faire ça ils vont tout foutre en l'air, jusqu'au jour où plus personne ne voudra en manger, de la vache. Alors tu sais, Jean, vois grand si tu veux, mais pas trop.

Mercredi 1er octobre 1980

Il y avait ce qu'il faut de soleil mais pas assez de pluie. Si la nature ne voulait pas donner davantage, elle mettrait à mal tous les semis, et si les graminées manquaient de feuilles, elles seraient cuites aux premières gelées. Les vaches étaient toujours en bas, dans la vallée. L'automne venait de commencer, pourtant s'il voulait bien pleuvoir on pourrait faire une troisième coupe de luzerne. L'année prochaine le père ferait deux hectares de fourrage en plus, il louerait la nouvelle presse à balles rondes, comme ça se faisait maintenant, mais vu la pente qu'il y avait par ici faudrait rudement pousser le tracteur pour tirer la machine, ça coûterait du gasoil, c'était sans fin.

En contemplant ces prés, Alexandre s'efforça d'avoir un regard d'artiste, comme l'oncle Pierrot, le frère de son père qui s'était retrouvé sans terre et sans ferme, tout ça parce que Lucienne et Louis jugeaient qu'il buvait trop et n'avait pas les idées claires. Pierre qui, du temps où il travaillait ici, parlait des cultures à semer comme l'aurait fait un peintre, « L'année prochaine on plantera du colza au long du bois, on fera du jaune tout le long du vert, avec des coquelicots au milieu… » Avec lui, le coteau était peint du violet éphémère du safran, et le tabac en fleur était un champ de grappes blanches à liseré mauve. Pierrot gardait les fleurs de tabac cueillies dans des vases, il en faisait un bouquet géant dans la vasque de dehors, ça sentait bon, comme un miel d'ambre. Pierrot était un vrai poète, un bon paysan, mais un paysan qui ne mettait jamais le réveil et était souvent en retard sur le soleil.

Alexandre décida que la saison prochaine on sèmerait de la luzerne en plus du trèfle, si bien qu'il y aurait plein de fleurs, c'est important les fleurs, de loin ça caresse l'œil et puis ça ravit les abeilles. Dernièrement, dans les campagnes, plein de gens s'étaient installés des ruches, on aurait dit que c'était devenu une mode, seulement à force d'ajouter de nouvelles colonies d'abeilles un acarien venu d'Asie s'était glissé dans leurs rangs et les attaquait, passé par la Sibérie dans les années 1960, depuis quelque temps il envahissait l'Europe, d'aucuns avaient la trouille que ce parasite les tue toutes, comme si la Terre pouvait un jour manquer d'abeilles à cause d'un acarien asiatique. Alors, puisque les abeilles pullulaient, Alexandre ferait des fleurs, en les boostant avec de l'engrais on arriverait à faire trois coupes. Le père avait peut-être raison de vouloir engraisser d'autres vaches, d'autant qu'avec vingt bêtes en plus par an Alexandre commençait à se dire que plutôt que de retaper une bicoque, il pourrait carrément se louer un pavillon, un vrai pavillon, pas une vieillerie comme celle du père Crayssac. Avec vingt vaches de plus, il pourrait avoir un vrai trois-pièces de plain-pied, avec le frigo en inox, la chaîne hi-fi Technics de 80 watts en métal gris, haute comme un gratte-ciel, amplifiée par deux enceintes Cabasse...

À force de gamberger, Alexandre n'arrêtait pas de suer et de s'essuyer le front. Depuis la fête il fatiguait au moindre effort, à croire que le shit que le Basque avait glissé dans sa poche l'autre soir était trop fort pour lui. Mais surtout cette histoire d'engrais le travaillait, jamais il n'aurait dû se fourrer là-dedans, à la limite il n'aurait même jamais dû leur parler à ces types. La sueur lui coulait jusque dans les yeux, au lieu d'enfoncer le crampillon dans le piquet de bois il tapait chaque fois à côté, explosant le métal et se frôlant les doigts. En une demi-heure il s'était déjà tapé trois fois sur les doigts, ça virait au carnage. Pourtant ces clôtures il fallait absolument les remettre en état. Le pire c'était quand il se baissait pour les clous d'en bas, chaque fois qu'il se relevait la tête lui tournait au point de devoir prendre appui. Il eut un vertige plus fort encore en repensant à quoi il s'était engagé, parce que dimanche en huit il les reverrait à l'appartement, en tout cas Anton avait dit qu'il serait là, soi-disant qu'il squattait la grande chambre pour quelques mois. Avec le recul, il ne se sentait plus de leur refiler ces dix kilos d'engrais, parce que ça n'en finirait jamais, de dimanche en dimanche ils lui en demanderaient toujours plus. Il venait de mettre le doigt dans un foutu engrenage. À moins de ne plus aller à Toulouse, de ne jamais renouer le contact, de ne plus voir Constanze... Alexandre reposa le marteau, il flanqua le rouleau de fil barbelé et tout le matériel dans le godet du tracteur mais, au lieu de démarrer, il laissa l'engin là et remonta à pied à travers champs, il traversa le petit bois pour aller voir Crayssac. Le Rouge, c'était bien la seule personne au monde avec qui il pourrait parler de ça, lui au moins il avait une expérience des luttes et des activistes, il avait fréquenté des militants de toutes sortes en plus de tous les révoltés qu'il rejoignait sur le Larzac.

Il trouva le vieux dans sa chèvrerie en train de faire ses malheureux petits fromages. Crayssac n'aimait pas trop avoir de la visite, sinon que ça lui offrait le prétexte de boire un coup, d'étancher cette soif qui ne le quittait pas, une soif qui lui venait du sel qu'il tripotait chaque jour pour stabiliser ses fromages, le sel dont il enduisait ses boules de lait, cet homme passait sa vie dans le lait de chèvre et le sel.

— Ouh là, malheureux, va pas fouzeguer là-dedans. Crois-moi que les antinucléaires c'est un vrai nid de guêpes. Entre les anars, les maos et les agents allemands, sans parler des excités de l'ETA et de tous ces fils de bourgeois qui jouent à la guérilla en rêvant de casser du flic, fais gaffe à toi... Et puis je vais te dire, le nucléaire c'est le cadet de leurs soucis.

— Pas sûr, après tout ils sont comme vous sur le Causse, ils défendent la nature...

— Tu parles, le nucléaire c'est plus compliqué que ça.

Alexandre ne s'attendait à pas cette réaction, au contraire il avait espéré du père Crayssac une forme d'approbation, de fraternité complice, mais, en fait, la simple évocation des antinucléaires semblait le contrarier. Tout en parlant, il continuait de retourner ses fromages au-dessus d'un grand seau, il faisait voler du sel un peu partout, en même temps il lui livrait le fond de sa pensée, et alors qu'il était contre le téléphone, les camps militaires et les hypermarchés, visiblement il n'avait rien contre les centrales.

— Ça alors, mais vous êtes pour le nucléaire ?

— Non. Je suis contre ceux qui sont contre.

— Pourtant la bataille à Creys-Malville c'était un peu comme le Larzac, y avait des paysans qui se battaient contre la centrale…

— Tu parles.

— On les a vus à la télé !

— Ceux-là, s'ils y sont allés, c'était pour mater les Allemandes qui se douchaient au jet d'eau devant leurs minibus, ils y sont allés pour se rincer l'œil, et leur bataille ç'a été Waterloo, un mort, des centaines de blessés, ça partait dans tous les sens. De toute façon entre les pacifistes et les excités de l'extrême gauche ça peut pas coller, total on se tape un attentat par semaine depuis trois ans…

Alexandre le prit pour lui. Pour la première fois il se sentit concerné par ce mot, « attentat », ces bombes qu'on voyait péter à la télé, tous ces pylônes à haute tension, ces locaux d'EDF, ces barrages, ces engins de chantier qu'on faisait sauter à l'explosif, toutes ces nuits bleues en Corse, de même qu'en Irlande et au Pays basque, en Allemagne, en Italie, tellement de violence, de bombes et d'enlèvements depuis tant d'années qu'on n'y portait même plus attention.

Ils sortirent de la chèvrerie pour aller boire un verre à la fermette. Au loin, Alexandre reconnut le bruit du car scolaire, il s'arrêtait à la croisée des chemins tout là-haut. Sans les voir, rien qu'en entendant le vieil autocar redémarrer, il sut qu'Agathe et Vanessa venaient d'en descendre. Il imagina la scène, le car qui s'éloigne derrière elles, qui se dirige vers la route de Pastura, et elles qui ont encore tout le chemin à remonter à pied, près de deux kilomètres, deux kilomètres hors du monde, un chemin que dans la famille tous avaient fait à pied, deux kilomètres qui allaient de la route bitumée à la ferme, que le conseil municipal n'avait jamais voulu goudronner à cause de vieilles histoires de droit d'eau sur le barrage. Du temps où il y avait d'autres fermiers dans le canton, ceux-ci étaient jaloux que les Fabrier puissent pomper de l'eau dans la rivière et leurs vaches s'y tremper. En représailles, on avait laissé les Bertranges avec leur vieux chemin de terre. Maintenant, à part Crayssac, il n'y avait pas d'autres paysans dans le coin, et toujours pas de goudron sur le chemin.

— Y a un souci ?

— Non, c'est les gamines qui rentrent, je voulais leur faire signe mais vos haies sont trop hautes...

Le père Crayssac haussa les épaules. Les enfants, lui, ça ne l'intéressait pas.

— T'amuse pas à leur parler de ça...

— À qui ?

— À tes sœurs, ne leur parle pas de tous ces gars que tu vois à Toulouse. Je vais te dire, même à moi tu devrais pas en parler, quand on se met à avoir ce genre de fréquentations, on le garde pour soi.

— Mais moi j'ai rien à voir avec eux, c'est juste que je les ai rencontrés, c'est tout.

En pénétrant dans la vieille bicoque, Alexandre se fit immédiatement rattraper par l'odeur, un mélange de paille et de tabac froid, une odeur de terre exaltée par la fraîcheur du sol. Dans le fond cette odeur il l'aimait bien, c'était le parfum d'un antre intemporel, une odeur qui existait depuis des siècles et dont on se débarrassait aujourd'hui en mettant du carrelage partout, on carrelait même les chèvreries, et les ateliers devenaient des laboratoires à fromage.

— J'ai pas de conseils à te donner, mais j'vais t'en donner un quand même...

Le père Crayssac sortit sa bouteille de vin de sous l'évier et servit deux verres.

— Top top, pas trop, merci...

— Tu sais, ce qui compte quand on rejoint une lutte, c'est d'abord de savoir avec qui on lutte. Bien souvent les gars se lancent dans la lutte parce qu'ils sont creux, ils résonnent vide, rarement par pure générosité.

Alexandre fit couler l'eau du robinet pour qu'elle soit bien fraîche, il noya totalement son vin sans que le vieux s'en rende compte.

120

— Même moi, le Larzac, au début j'y suis allé pour ma sœur et mon beau-frère. Dans le fond je m'en foutais du Larzac, mais maintenant si j'y retourne c'est pour me battre contre tous ces cons qui veulent que je foute mon lait dans des bidons en aluminium et que je le filtre dans du nylon aseptisé, je me bats contre tous ces technocrates qui me disent que mon fromage est plein de bactéries alors que c'est la vie, les bactéries, bientôt on me demandera de faire mes cabécous avec une charlotte sur la tête et un masque de chirurgien... Tu vois, si j'y monte sur le Larzac, c'est pour me battre contre ce monde-là, pas contre leur terrain militaire. Même moi je suis pas honnête, je suis sincère mais pas honnête. Faut pas se faire d'illusions, militer c'est égoïste, alors l'intérêt général là-dedans, laisse-moi rigoler.

Il faisait sombre dans cette baraque. Alexandre avait beau regarder le décor sommaire, il ne voyait plus ce fusil habituellement en évidence, suspendu au mur par la lanière. Depuis son séjour en prison le vieux camarade était devenu prudent. Finalement, il y a quatre ans, les gars des PTT avaient fini de planter leurs poteaux pendant que Crayssac ruminait en garde à vue, puis il avait payé l'amende.

— Dis-moi, gamin, comment ça se fait que tout d'un coup tu te préoccupes du nucléaire ?

— Je m'y intéresse c'est tout, c'est notre avenir qu'est en jeu ! Et puis c'est plutôt vous qui êtes bizarre, avant vous sortiez le fusil contre des gars qu'installaient le téléphone et aujourd'hui le nucléaire ça ne vous pose pas de problème, une centrale c'est quand même autre chose que des poteaux de pin traités à l'arsenic, non ?

Crayssac ne lui dit rien de ses propres contradictions. L'idée de cette centrale nucléaire le révoltait, certes, comme toute idée de progrès, seulement il y avait eu tous ces attentats revendiqués par de faux communistes, de prétendus « communistes anti-nucléaires », des dizaines d'explosions un peu partout en France, et cette forme de violence là il ne la supportait pas. Il y avait surtout que les vrais communistes, les apparatchiks de la place du Colonel-Fabien, avaient arrêté leur point de vue sur le nucléaire, la nouvelle ligne du parti c'était que les centrales nucléaires seraient une vraie mine d'or pour le monde ouvrier, construire soixante réacteurs d'ici l'an 2000, c'était l'assurance de créer deux cent mille emplois... Le premier miracle de l'énergie nucléaire, c'était bien ces centaines de milliers de nouveaux travailleurs qui existeraient grâce à elle, de quoi faire oublier les ravages de la sidérurgie qui s'effondrait partout en France. Il y avait aussi qu'EDF avait promis de reverser 1 % de son chiffre d'affaires aux syndicats via son comité d'entreprise, alors il n'était pas question de tout gâcher, et si ce social-traître de Mitterrand continuait de prendre ses distances avec le nucléaire, c'était pour récupérer des poignées de voix écologistes, des hippies qui ne votent que quand ils ont le temps, ce Mitterrand faudrait le faire tré-bucher, faudrait le saborder plutôt que de l'aider à se faire élire...

Ils restèrent un long moment comme ça, sans se dire un mot, tous deux murés dans leurs contradictions. Puis le père Crayssac remplit de nouveau les deux verres et, sans relever les yeux vers Alexandre, il lança sans gloire :

— Tu sais, gamin, dans la vie, quand on regarde trop loin y a trop de choses qui nous dépassent, et faire de la politique, c'est apprendre à ne plus penser par soi-même, tu piges ?

Alexandre ne répondit rien. Les chèvres appelaient depuis la chèvrerie, elles voulaient sortir à l'air libre. Dans l'encadrement de la porte, le dehors faisait comme un tableau, le soleil de dix-sept heures vernissait les feuilles de ce début d'automne, les derniers verts étaient encore vifs, ils palpitaient sur un fond de ciel bleu, c'était apaisant.

Mardi 31 décembre 1980

« Cap sur l'an 2000 ! » À grand renfort de numéros spéciaux et de titres exaltés, les magazines n'arrêtaient pas de parler de l'an 2000, à croire que ce serait un point charnière, une date à partir de laquelle on basculerait dans un monde autre, le troisième millénaire. Des tas de reportages montraient à quoi ressemblerait le monde en « l'an 2000 », des tonnes d'illustrations et de photomontages renvoyant toujours à des décors urbains, des croquis futuristes et des articles parlant de cités tout en hauteur, un univers d'édifices exclusivement verticaux, et dans tout ça rien qui concernait la campagne, rien sur les arbres ou les forêts, comme si en l'an 2000 la nature n'existerait plus et qu'il n'y aurait plus que des villes. Jamais ces beaux croquis futuristes ne s'attachaient à représenter quelle forme auraient les prairies et les collines au troisième millénaire, pour les futurologues le monde paysan était figé à jamais dans ses usages, ringard pour l'éternité. D'ailleurs, en l'an 2000, de la nature on n'en aurait plus besoin, on se nourrirait de gélules, tout serait élaboré en laboratoire, la campagne ne servirait plus à rien.

Avec son numéro de *Paris Match* Caroline foutait les jetons à tout le monde. « L'an 2000, c'est demain », la formule résonnait sans cesse, pour certains ça relevait de l'incantation prometteuse, pour d'autres de l'angoisse pure. Avec ce nouveau millénaire, pile dans vingt ans, le changement serait inéluctable. Dans cette course à la prospective, Caroline était bien la seule à être pleinement confiante. Jusque-là, dans les fermes, tout ce que l'on voyait de cette marche forcée vers la nouveauté c'était toujours plus de normes, des bâtiments à reconstruire et des contrôles à n'en plus finir. Le seul vrai progrès était du côté des semences, des hybridations sans fin qui accouchaient de nouvelles graines avec des noms pas possibles mais qui se vendaient à prix d'or. Pour le reste, le monde moderne s'élaborait de plus en plus loin d'ici, les villes aspiraient tous les crédits et si les élus trouvaient de l'argent pour construire des autoroutes et des ronds-points, c'était uniquement pour se rapprocher des villes. Pendant ce temps, les chemins de terre restaient sans bitume et les départementales étaient gagnées par l'herbe.

Caroline était encore plus pionnière que les avant-gardistes. Pour elle il n'y avait même pas besoin d'attendre l'an 2000 pour que tout change, dès le mois de mai prochain tout pourrait changer, et même si Giscard était en tête dans les sondages, elle avait le projet de renverser la droite, comme elle l'aurait dit d'un roi ou d'un autocrate. En France la droite était au pouvoir depuis toujours, alors si la gauche gagnait ce serait une vraie révolution. À Toulouse, Caroline militait activement au parti socialiste. Contrairement aux étudiants de l'UNEF et des Jeunesses socialistes, des fils de bourgeois pour la plupart, elle avait déjà fait un grand pas en passant d'une condition à une autre. Quitter une ferme isolée pour une grande ville comme Toulouse, sans être un exil ça supposait tout de même une sacrée faculté d'adaptation. Elle se savait la preuve vivante que le changement, chacun pouvait l'accomplir, pas besoin d'attendre l'an 2000 pour ça.

Comme chaque fois qu'elle était aux Bertranges, Caroline monopolisait l'attention. Il n'y en avait que pour elle. Plus que jamais, en écoutant sa sœur, Alexandre se retint de dire quoi que ce soit, pourtant ça le démangeait de leur annoncer à tous que lui aussi il militait, lui aussi il influait sur le cours du monde, et encore bien plus

126

concrètement que sa frangine. En deux fois, il avait déjà refilé plus de trente kilos d'ammonitrate à Anton et Xabi. Mélangés à du fuel il y avait de quoi faire vaciller la société, et même s'il ne se sentait pas un activiste pour autant, il leur était désormais indispensable pour mener leurs actions.

Mais comme chaque fois c'était Caroline qui brillait. Sa bombe, son explosif à elle pour changer le monde s'appelait François Mitterrand. Une bombe qui exploserait Rocard avant de pulvériser Giscard, et même Chirac s'il se décidait. Pour elle, ce que cet homme avait de révolutionnaire, c'était d'être un littéraire en plus d'un homme d'action. Depuis qu'elle l'avait vu à *Apostrophes*, elle avait lu ses deux recueils, elle disait y avoir découvert un intellectuel champêtre, un stratège ami des fleurs, un politique trouvant la giroflée plus belle que la rose parce qu'en fait il n'aimait pas ça, les roses. Et comme dans ses livres il évoquait aussi bien le souvenir d'une balade en forêt qu'une soirée avec des amis, elle se retrouvait dans ce notable, cet être apparemment citadin mais parfaitement rustique au fond, un homme qui n'avait jamais renié le pacte de vie noué entre la campagne et lui, ce monde perdu de l'enfance.

— Un politique qui veut écrire l'histoire doit d'abord savoir écrire, et Mitterrand écrit bien, alors que Rocard, Chirac ou Giscard, eux ils n'écriront jamais.

Les parents l'écoutaient, pas trop enchantés qu'elle cherche à les convaincre de ses idées. S'ils admiraient tout d'elle, ils n'aimaient guère sa façon de faire de la politique, fallait pas se mêler de ces choses-là, seulement, puisqu'elle avait l'air de tout réussir et de mener sérieusement ses études, de leur fille ils avaient pris le parti d'en être fiers, quoi qu'elle fasse.

Dans la famille, Caroline était bien la seule à avoir confiance en l'avenir. Dans trois ans elle décrocherait son premier poste, elle viserait l'académie de Toulouse ou de Montpellier, elle enseignerait dans une banlieue, car si certains ne retenaient des banlieues que les rodéos et les voitures volées, elle-même y voyait une jeunesse en manque de culture, une jeunesse en quête de distractions autres que le shit et les mobylettes, une terre de promesses. Même Giscard venait de s'en rendre compte, investissant enfin de l'argent dans ces cités provisoires qui n'en finissaient pas de durer.

— À Toulouse, le conseil municipal vient de voter la construction d'un métro, où qu'on se trouve dans la périphérie on ne sera jamais loin du centre-ville.

À l'en croire, Toulouse et Montpellier deviendraient bien plus attirantes que Paris, la capitale de plus en plus embouteillée et sale, comme Bordeaux et Lyon, ces bourgeoises qui dormaient derrière leurs façades noires, Toulouse et Montpellier, au contraire, misaient sur la jeunesse, dans cinq ans elles seraient l'alter ego de la Californie, un genre de Silicon Valley du Sud-Ouest, alors l'an 2000 pouvait bien advenir, pour Caroline tout était déjà en place, bientôt elle aurait un salaire et un appartement, et malgré le travail elle profiterait de chaque moment libre pour aller au cinéma ou au théâtre. Elle viendrait de moins en moins aux Bertranges, mais cet éloignement elle savait qu'elle le vivrait sans amertume ni regret. Projeter sa vie à l'écart de la famille ne la dérangeait pas, d'autant qu'une famille elle en avait une nouvelle, faite d'étudiants, dont certains pousseraient plus loin pour se lancer dans la recherche, parce qu'ils n'étaient pas sûrs d'avoir la force de se confronter à des élèves. De son côté, ne doutant pas de son autorité, elle ne se laisserait jamais déstabiliser par qui que ce soit, et si demain il fallait servir de tête de pont à ses petites sœurs, elle le ferait. Par contre, elle ferait tout pour dissuader Alexandre d'emprunter la même voie. Lui il fallait qu'il reste à la ferme. C'est pourquoi elle n'aimait pas le voir venir trop souvent à Toulouse, elle redoutait qu'il n'y prenne goût.

Vendredi 17 avril 1981

Il avait dit oui à la bande d'Anton, mais uniquement pour une action non violente. Anton ne croyait pas aux actions non violentes mais, juste là, à deux jours du premier tour de l'élection présidentielle, il s'était dit que celle-là vaudrait le coup. Alexandre avait d'abord hésité mais, quand les gars lui avaient dit que cette mission il faudrait la mener en binôme et que sa partenaire prévue était Constanze, il avait accepté. Pendant vingt-quatre heures il ferait équipe avec elle pour sillonner les campagnes du Gers, une histoire de cartons à récupérer et à redistribuer, sans plus de précisions. Passer vingt-quatre heures avec Constanze, cette perspective lui était apparue totalement inespérée.

Ce matin-là, pour préparer la 4L, il enleva les sièges arrière, apparemment les cartons étaient grands, il fallait faire de la place. Après quoi il se lança dans le boulot pour s'occuper l'esprit, façon aussi de ne pas trop penser à cette virée de vingt-quatre heures avec Constanze. Par chance, être agriculteur c'était travailler sans cesse, c'était embrasser le vivant comme l'inerte, ça suppose d'être à la fois éleveur, soigneur, comptable, agent administratif, vétérinaire, maçon, mécanicien, géologue, diététicien, zoologiste, chimiste, paysagiste et tout un tas de choses encore... Et surtout de ne pas craindre de passer des heures dans des moteurs de toutes sortes, de plonger les mains dans le matériel, parce que les pannes et les réglages ça n'en finissait jamais. Par moments Alexandre n'en pouvait plus de cet enchaînement de contraintes, toutes les cent cinquante heures de travail il devait vidanger l'huile du tracteur, vérifier la boîte de vitesses et le circuit hydraulique, et elles étaient vite faites les cent cinquante heures de tracteur, quand il s'agit de semer, de faucher, d'épandre de l'engrais, de faner, de ramasser, de débroussailler, de moissonner, de passer l'épareuse le long des chemins, cent cinquante heures c'était rien. Et maintenant qu'à la ferme il y avait deux tracteurs, ces tâches ingrates volaient encore plus de temps. Il fallait vidanger le bloc-moteur et changer les filtres, mais également jeter un œil aux essieux, aux vérins hydrauliques, comme à tout le reste, et chaque fois Alexandre découvrait une coulée d'huile, si minime soit-elle, signe qu'il y avait une fuite quelque part. À chaque fois il perdait un temps fou à dégripper les boulons et à retrouver les bonnes clés. La vieille boîte à outils de son père pesait plus de vingt kilos, elle ne fermait plus tellement elle était pleine. C'était bien aussi pour ça qu'il intéressait la bande d'Anton et de quelques autres à l'appartement, parce qu'il savait tout faire de ses mains et qu'en plus il avait les outils.

Ce matin-là, après avoir purgé le bloc-moteur pour en sortir la moindre goutte d'huile, il remarqua que le tracteur n'était pas pile à l'horizontale, ce qui faussait tout. Il devrait le redémarrer, le garer plus loin pour le mettre bien à plat, tout recommencer, à moins de faire les niveaux un peu au hasard, il ne savait plus... Ce matin-là il faisait n'importe quoi. La boîte de vitesses fuyait un peu, le boulon était inaccessible, alors il se faufila là-dessous tout en se demandant si à cinquante piges il aurait encore la souplesse de le faire, ou s'il en serait comme son père, à avoir mal au dos tout le temps. Il changea correctement le joint mais bâcla la vidange comme il ne faut jamais le faire.

Ensuite, il recueillit les vieilles huiles et les versa dans le bidon vert de récupération. Plus question maintenant de balancer les huiles usagées dans la rivière ou sur le sol devant la grange, pas plus que dans la crevasse d'Aujolle comme avant. L'année dernière une loi était tombée, les garages devaient récupérer les liquides de vidange. De jour en jour, chaque geste était encadré par une loi, même dans les coins les plus reculés le fantôme d'un agent de l'administration était là à tout observer.

En refermant le grand fût, le regard d'Alexandre se porta sur les énormes sacs blancs au fond de la grange, trois sacs de cinq cents kilos d'engrais. Chaque fois qu'il les voyait il ressentait un scrupule atroce. En fin de compte, il leur en avait déjà filé près de cinquante kilos. Pour ne pas que le père s'aperçoive que de l'engrais avait disparu, Alexandre ne remplissait pas complètement la cuve de l'épandeur quand il s'en servait. Les cultures avaient manqué un peu d'azote, d'ailleurs par endroits ça s'était bien vu à la fin de l'hiver, alors pour rattraper le coup Alexandre avait épandu du bon vieux fumier, du fumier à l'ancienne afin de compenser ces nitrates partis faire péter des pylônes à haute tension et des engins de chantier.

Il se savait un petit rôle dans l'histoire, un rôle secondaire et secret. D'autant qu'en plus de leur fournir de l'engrais et du fuel il leur avait aussi refilé la combine pour accéder au local technique de chez Sauvanet, la carrière sur la route de Villefranche, l'astuce c'était d'y accéder en passant par le sentier d'en haut, le petit chemin qui descendait le long du bois. Ensuite il n'y avait plus qu'à se laisser glisser vers le local technique et à scier le cadenas. À la carrière il n'y avait pas de surveillance le soir, pas plus que le week-end, il y avait juste une vieille caméra vidéo au-dessus de la porte mais qui n'était jamais branchée, et ça peu de monde le savait. Les gars de la bande d'Anton n'avaient eu aucun mal à éclater le cadenas pour se servir. Ils avaient pris une dizaine de détonateurs électriques, dix cordeaux détonants, peut-être même plus, Alexandre ne voulait pas le savoir. Pour le reste, à eux de trouver l'émulsion, il les avait laissés se démerder avec ça, vu que dans le groupe il y avait des étudiants en chimie et des gars proches de l'ETA. Tout ce qui comptait pour lui, c'était cette mission dont ils lui avaient parlé, une mission à effectuer juste avant le premier tour de l'élection présidentielle pour qu'elle ait plus d'écho, et qu'il devrait mener en binôme avec Constanze.

Depuis cinq mois maintenant, il n'ouvrait pas le journal par les pages régionales mais par les nationales, craignant de retrouver ses billes d'engrais derrière telle ou telle explosion. Sans cesse il se demandait ce qu'ils avaient bien pu en faire. Seulement, des actions violentes il y en avait sans arrêt, sans compter les enlèvements, les prises d'otages et les assassinats, cette violence n'en finissait pas. La veille, à Ajaccio, une bombe avait ravagé l'aérogare pile au moment de l'atterrissage du président Giscard d'Estaing, on parlait de coïncidence, il n'empêche que les blessés étaient nombreux, il y avait même eu un mort. Le président-candidat n'avait pas été blessé et avait assuré son meeting comme si de rien n'était, mais pour la première fois une bombe venait de tuer en Corse. C'était vertigineux cette histoire, à quelques secondes près il n'y avait plus de président à la tête de l'État, un candidat de moins pour l'élection de dimanche. Tout cela lui semblait fou, à la fois terrible et fascinant, l'Histoire se jouait donc à quelques secondes près, chacun pouvait la détourner, d'un simple geste violent.

À présent la violence il ne voyait plus que ça, entre les Brigades rouges et la bande à Baader, les Prolétaires armés et l'Armée révolutionnaire bretonne, sans parler de l'ETA ou des brigades d'extrême droite, tous les jours il y avait de nouvelles bombes et déflagrations. Dans cette litanie de la terreur il avait repéré ce grand pylône d'EDF déchiqueté dans le Gers, et une énième explosion au barrage de Malause, il tremblait chaque fois qu'apparaissaient des images de voitures pulvérisées, de transformateurs détruits, de banques ou de bureaux dévastés, à croire que depuis qu'il leur avait filé ce nitrate ça pétait partout en France, aussi bien sur les Champs-Élysées qu'à la Bourse, à la porte d'une synagogue ou dans les bureaux de Chanel, avec en plus la série de bombes devant les domiciles de diplomates turcs et l'ambassade de Syrie, et puis devant les locaux de l'Aéroflot et l'Hôtel de Ville de Paris... Désormais, il se sentait concerné dès qu'il tombait sur la photo d'un homme à terre, comme ce physicien spécialiste du nucléaire travaillant pour l'Irak qui venait d'être assassiné à Paris, ou d'une explosion, comme ces bombes d'extrême droite contre un foyer SONACOTRA et l'Association des étudiants musulmans nord-africains. Pourtant, malgré cette trouille qui montait, il avait dit oui à la bande d'Anton, vendredi prochain il se lancerait dans l'action, cette fois il ne pouvait plus faire demi-tour, une désertion serait vécue par eux comme une trahison, et ce serait se couper définitivement de Constanze.

Vendredi 24 avril 1981

Alexandre se réveilla à quatre heures du matin sans pouvoir se rendormir. Il ne savait plus ce qui dominait chez lui, le vertige de se retrouver avec Constanze ou l'angoisse de se compromettre davantage, de se faire manipuler par cette bande. Mais il ne pouvait plus faire marche arrière. Il rejoindrait Constanze à quatorze heures devant la petite gare de Dieupentale, des cartons seraient planqués dans les hangars abandonnés, à partir de là ils s'aventureraient dans un périple dont Constanze avait le parcours, un genre d'opération d'approvisionnement.

Caroline l'avait surpris en train de parler avec les activistes il y a quinze jours, mais elle ne saurait jamais de quoi il retournait. D'ailleurs elle ne devait même pas imaginer qu'il puisse réellement être de mèche avec eux.

À six heures du matin, il était déjà sous le hangar, à changer les couteaux de l'épareuse pour que tout soit nickel. Son père s'en servirait pour faucher les haies et les bords de chemin, il en aurait pour deux bonnes journées. Alexandre voulait arriver en avance au point de rendez-vous. Constanze avait cours toute la matinée, après quoi elle prendrait le train jusqu'à la petite gare, de là ils rouleraient pour écumer une poignée de cantons entre le Lot-et-Garonne et le sud du Gers, en tout il y aurait près de vingt binômes à l'œuvre dans le Grand Sud-Ouest, chacun avait son plan de route. Alexandre avait menti en disant qu'il connaissait le Gers et le Lot-et-Garonne comme sa poche, en fait il ne s'y repérait que vaguement, mais l'essentiel était que sa mission l'entraîne loin de Toulouse et de ses banlieues.

Il arriva avec plus de vingt minutes d'avance. La gare de Dieupentale était perdue sur la ligne Toulouse-Paris, loin du village. Les cartons devaient être dans un des vieux hangars à marchandises, il faudrait les déposer à cinq points convenus, sauf le dernier dont ils distribueraient eux-mêmes le contenu dans un large périmètre allant de Lauzerte à Mauvezin. Constanze savait tout précisément. Alexandre révisa ses cassettes. En fouillant dans le vide-poche il douta un peu de ses choix, le *Greatest Hits* de Simon & Garfunkel, l'album *Breakfast in America* de Supertramp, il craignait que Constanze ne trouve ça ringard, pour elle ce devait être des *musiques de vieux*, c'est ce qu'elle avait dit l'autre soir à propos de Pink Floyd et de Dire Straits. Mais au moins il était sûr de sa sono. Cet été il avait installé un autoradio K7 Pioneer, un bloc de métal avec des enceintes de 40 watts, la qualité d'écoute était fabuleuse.

Il sortit de la voiture pour faire quelques pas. Les abords étaient déserts. Le chef de gare semblait cloîtré dans son bureau, sa porte était fermée, à moins qu'il ne fasse la sieste. À gauche il y avait de grands hangars abandonnés. Cette gare avait dû être importante à une époque. De l'autre côté des voies, le canal des Deux-Mers coulait en contrebas, avec un reste d'embarcadère, là aussi à l'abandon. Dans le temps les tonneaux de vin devaient repartir sur des barges le long du canal, alors que le foin partait par le train. Alexandre s'avança vers les vieux bâtiments. Il faisait sombre là-dedans, à première vue il n'y avait pas de cartons. Il avait le trac, parce que tout de même cette fille c'était pas rien, elle parlait trois langues, elle voulait être doctorante ou agrégée, il ne savait pas la différence, sinon que c'était une pure intellectuelle, il n'imaginait pas bien de quoi il pourrait parler avec elle.

Le train avait du retard. Il n'y avait pas la moindre habitation autour de la gare, et les pylônes étaient rouillés. Par moments le soleil perçait le ciel couvert, la chaleur montait, mais dès que les nuages le cachaient, il faisait de nouveau gris, et presque nuit dans les vieux hangars. Soudain il se mit à craindre qu'il n'y ait une bombe là-dedans, ou bien que les gendarmes ne soient en planque quelque part, qu'ils ne débarquent, après tout il n'était plus un homme en règle, il n'était plus de ces braves citoyens tels qu'il y en avait toujours eu dans la famille.

Pétrifié par ces hangars sombres et cette gare vide, il se dit que le mieux serait de tout laisser tomber. Jusque-là il avait eu de la chance, personne n'était venu à la ferme demander des comptes au sujet de l'engrais. Sans qu'il le sache les gendarmes avaient peut-être commencé une enquête, un jour ils remonteraient jusqu'à lui, et si Anton et ses sbires se faisaient arrêter, ils finiraient par dire qui leur avait fourni le nitrate.

Une porte grinça. Le chef de gare sortit de son local, la casquette sous le bras. Alexandre était dans l'ombre, il ne savait pas si le bonhomme pouvait le voir, mais il s'avança à son tour sur le quai.

— Y a pas grand monde ici !

Le bonhomme le regarda sans lui répondre, cette remarque l'avait sans doute blessé, parce qu'elle soulignait que plus personne ne venait dans sa petite gare.

— Je viens chercher quelqu'un.

— Je m'en doute.

Le chef de gare mit sa casquette, soudain il était plus impressionnant, plus grand, officiel. Il jeta un regard à Alexandre, à croire qu'il était au courant pour les cartons. Puis il consulta sa montre, le guidon de départ calé sous son bras. Alexandre se dit qu'il n'aurait jamais dû se garer juste devant, ce type avait certainement eu le temps de relever le numéro d'immatriculation. Il découvrait qu'il n'était pas préparé à ce genre de missions, à compter de maintenant il devrait tout anticiper. Un bruit infime monta depuis les rails, le signal d'un roulement lointain, la micheline rouge apparut tout là-bas au sud, elle semblait lente, tout l'inverse de ces images du futur TGV qu'on voyait à la télé. Puis le bruit enfla jusqu'à devenir vacarme et que s'y mêlent les crissements du freinage. Alexandre vit trois wagons passer devant lui, à l'intérieur il y avait peu de monde, et pas Constanze. À la limite, ça simplifiait tout.

Finalement, elle sortit de la dernière voiture, sans empressement. Elle affichait ce grand sourire qui paraissait être chez elle une disposition naturelle. Elle portait une robe à fleurs un peu hippie, un grand sac en osier à l'épaule, elle avait l'air d'une vacancière. Alexandre s'apprêta à lui faire la bise mais elle le serra dans ses bras, il plongea dans l'odeur de patchouli, d'autant qu'elle l'enlaçait carrément, comme s'ils étaient amoureux et s'étaient déjà mille fois embrassés. Alexandre s'aperçut que le chef de gare les regardait, en fait elle faisait ça pour lui, pour que ce type pense qu'ils étaient deux amoureux ne s'étant pas vus depuis des jours. Puis elle lui prit la main et l'entraîna vers la voiture. Alexandre lui glissa : « Et les cartons ? » Elle lui répondit d'un air entendu qu'ils n'étaient pas là mais dans un autre endroit pour brouiller les pistes. Cette fille était un tourbillon, ça faisait à peine deux minutes qu'il était à côté d'elle et déjà tout le dépassait, tout se transformait en imprévu.

Vendredi 24 avril 1981

Caroline était en cours. Après avoir passé la matinée mal assise dans le grand amphi, elle goûtait la paix de la petite salle où se tenait le TD. Ici elle oubliait le temps et l'heure, se foutant pas mal de la météo, elle était absorbée par le mythe d'Orphée, Orphée qui perd Eurydice le jour même de leur mariage, elle y était d'autant plus sensible qu'elle avait une peur bleue des serpents, cette phobie s'ajoutant à bien d'autres, comme celle des araignées, des petites bêtes en général... Vivre à la campagne n'avait jamais été un agrément pour elle mais une lutte, un combat quasi physique avec tout un tas d'ennemis urticants ou piqueurs. Elle décortiqua dans le détail le mythe du héros qui descend jusqu'aux Enfers pour retrouver celle qu'il aime, pour l'en sortir. Elle envisagea l'actualité possible à donner à tous ces symboles, se laissant distraire par les maigres arbres qu'on voyait par les fenêtres, toutes ces feuilles en pousse étaient d'un vert émouvant. Ce genre de pan de nature qu'on trouve en ville lui suffisait amplement. Si par moments elle se sentait un peu coupable, c'était de ne pas éprouver le moindre regret de vivre loin des collines et des prés où étaient les siens, cette ferme, ces prairies, ces bois ne lui manquaient pas du tout.

Aux Bertranges, le père se leva de sa sieste d'après-repas, il ne se reposait jamais plus d'une demi-heure, sinon au plus chaud de l'été où il dormait à l'ombre jusqu'à seize heures. Il avala un Nescafé et partit vers les champs voir les bêtes plutôt que de continuer à tailler les haies. Les veaux ayant pris de la force ils se glissaient sous les barbelés trop lâches, il y avait des dizaines de mètres à reprendre le long des prairies, et sans attendre. Il était tombé vingt-cinq millimètres de pluie dans la nuit, vingt-cinq litres d'eau par mètre carré, chaque fois il imaginait ce que ça représenterait de balancer vingt-cinq litres d'eau juste là autour de ses pieds, il se sentait toujours reconnaissant de ce pur bienfait. Pas au point cependant de croire en Dieu.

Il râlait qu'Alexandre ne soit pas là pour lui filer un coup de main, il était en formation pour la moissonneuse-batteuse, du moins c'est ce qu'il lui avait dit, mais le père n'y avait pas vraiment cru à son histoire de

Massey Ferguson, sans rien en montrer il sentait bien que son fils lui avait raconté des histoires en prétendant avoir gagné un stage de vingt-quatre heures. En même temps il voulait qu'il se sente libre, pas trop épié. Lui-même ayant travaillé avec ses parents toute sa jeunesse, il connaissait cette hantise de les avoir sans cesse sur le dos, d'autant que ses vieux à l'époque lui rappelaient tous les quatre matins que la ferme était la leur, qu'ils savaient tout mieux faire que lui. Jean ne voulait pas imposer cela à son fils. Après tout, le pauvre gamin avait bien le droit de vivre sa vie, déjà qu'il était tous les jours à la ferme et qu'il assurait le boulot, il se doutait bien qu'à vingt ans il avait besoin de prendre l'air, de « faire ses petites affaires », comme disait la mère.

Profitant donc qu'Alexandre ne soit pas là, le père se mit en tête de jeter un œil à sa terre. Depuis longtemps il avait des doutes, surtout les lendemains de pluie, il lui semblait que les parcelles fraîchement semées ne vivaient pas, et malgré tout ce qu'Alexandre avait épandu d'engrais, les pousses se développaient mal. Mais au lieu d'aller creuser à coups de bêche le milieu du champ, il remonta jusqu'à la grange où était rangée la vieille pelle rétrocaveuse achetée par ses parents, il y a trente ans, afin de planter les noyers.

Elle était toute rouillée et relevait de la brocante. Jean eut un mal fou à la dégripper avant de l'arrimer à l'arrière du tracteur. Angèle était au village, les gamines à la maison, personne ne lui poserait la question de savoir ce qu'il foutait, ce qu'il lui prenait de ressortir ce grand godet qui servait à faire des trous profonds. Justement, il voulait voir ce que sa terre avait dans le ventre, alors il partit vers les coteaux sans alerter personne, seule la chienne qui n'était plus toute jeune courut le rattraper, sans doute lasse d'entendre les gamines jouer à l'intérieur depuis le début de l'après-midi. Il ne remarqua même pas que Fanou galopait après lui, il avait la tête ailleurs, réquisitionnée par des choses graves, au sortir de l'hiver les champs lui paraissaient trop lisses, ils lui faisaient penser à des terrains de foot, il ne voyait plus ces tortillons de terre remontés par les vers. Mais le plus inquiétant c'est que les lendemains de pluie on aurait dit que l'eau se débinait, elle ruisselait le long de la pente tout en embarquant de la terre au fil des longues coulées.

Pour en avoir le cœur net il commença de creuser à l'endroit qu'il trouvait trop tassé et trop propre, en quelques coups de godet il fit une tranchée d'une trentaine de centimètres de profondeur et descendit du tracteur regarder ce que ça donnait. Dans cette première coupe franche la terre était polie comme un

146

mur. Depuis l'automne le sol était offert au ciel, sans jamais rien qui pourrisse dessus. Il se remit à creuser. Quiconque l'aurait aperçu de loin aurait pensé qu'il creusait une tombe pour un homme ou un cheval, on l'aurait pris pour un fou ou un assassin, pourquoi pas un suicidaire. Voulant faire un trou de près de deux mètres il continua d'enfoncer la pelle jusqu'au moment où les dents du godet produisirent un crissement énorme en touchant le fond, comme s'il venait de percuter une plaque de métal là-dessous, un coffre-fort. Jean coupa le moteur et sans plus de questions se jeta dans la fosse pour voir ce qu'il en était. Fanou l'observait sans comprendre, elle reniflait vaguement cette terre qu'il venait de remonter, ne décelant ni odeur ni trace, rien de vivant à débusquer. En grattant avec les doigts, Jean dégagea une espèce de conduite maçonnée, puis en grattant un peu plus il distingua une dalle scellée au mortier, ça lui foutait la trouille de découvrir cette sorte de bâti sous sa terre, se demandant si c'était un genre de tombe hon-teuse ou de site sacré. Il en oublia carrément pourquoi il avait creusé ce trou et recom-mença de gratter à mains nues. Incapable de bouger l'énorme dalle de grès, il nota qu'elle reposait sur deux montants, mais qu'il n'y avait rien dessous, sinon de la terre, comme une tombe de terre enterrée dans sa propre terre. Il n'y comprenait plus rien, d'autant qu'une autre dalle apparaissait en amorce, à croire que ça se poursuivait comme ça à l'infini, il gratta encore pour voir où cela aboutissait, moins intrigué qu'en colère, il repensa à ce que lui disait Pierrot, son frère maudit, Pierrot qui jurait que cette terre souffrait d'une malédiction, Pierrot qui dans ses délires éthyliques affirmait que les terres des Bertranges étaient damnées, qu'elles recouvraient des tombes de chevaux pestiférés ou de sorcières romaines, des troupeaux entiers de vaches tuées par la tuberculose, Pierrot qui jetait des anathèmes pour se venger de la famille, refusant de voir que s'il n'avait pas hérité de cette terre, ce n'était pas parce qu'il était le cadet, mais parce qu'il avait le cerveau dévoré par l'alcool...

Jean se redressa au fond du trou, pour la première fois de sa vie il était au cœur même de sa terre, dans ses entrailles, il jeta un regard à ces flancs inertes et constata que c'était mort là-dedans, les pluies n'y descendaient plus, pas plus que l'air et les racines, c'était de la terre tassée, figée dans sa masse inerte. Cette dalle en dessous, c'était peut-être une source éteinte. Ça voulait dire qu'ici même, il y avait des générations de cela, de l'eau sourdait, et que tout se tarissait maintenant, qu'un jour il n'y aurait plus rien, ça voulait dire que cette terre pourrait crever, que depuis toujours ils la tuaient, lui et des générations d'aïeux avant lui, ils l'avaient

tuée à force de la lessiver, d'enlever les rési-
dus de paille et de faire place nette entre
deux récoltes. Pour que ces sols se remettent
à assimiler l'eau et l'air, il faudrait donner à
manger aux vers de terre, balancer des rési-
dus de matières organiques pour que les
lombrics reviennent, faute de quoi il faudrait
ajouter toujours plus d'engrais, tenir à bout
de bras toutes les récoltes à venir... Cette
terre on devait la salir pour qu'elle revive,
mais ça prendrait des années, elle gagnerait
un centimètre d'humus en trois ans, autrement dit cinq en quinze ans, ça serait terriblement long, mais surtout ça remettrait en
cause leur façon de travailler et leurs rendements, or pour être rentable il fallait élever
toujours plus de bêtes, doubler le cheptel en
dix ans, alors ce n'était pas le moment de
tout chambouler.

Cette terre froide, cette dalle enterrée, tout
ça lui faisait peur. Ce n'était sans doute pas
une source, puisque d'autres dalles semblaient enfouies dans la continuité. Il n'aurait jamais dû fourrer son nez là-dedans, le
mieux était de tout reboucher et d'oublier.
En relevant la tête il vit Fanou qui le surplombait. La chienne était nerveuse, solidement campée sur ses pattes, attendant une
consigne. Elle se disait que si le père avait
creusé aussi profond, c'était pour déloger
quelque gibier trop bien terré, quelque âme
ou quelque esprit, si bien qu'elle tremblait

de tout son être, elle s'électrisait sur place mais n'aboyait pas, à l'arrêt comme un chien de chasse.

— T'en fais pas, tout va bien. Calme-toi, Fanou, vas-y, calme-toi...

Mais la chienne ne cessa pas de trembler, Jean dut se mettre sur la pointe des pieds pour lui passer la main sous le flanc, et aussitôt elle s'allongea, rassérénée, de nouveau calme.

Il remonta sur le tracteur et reboucha le trou avec la pelle hydraulique. À la fin ça faisait un vrai tumulus, alors il passa et repassa dessus pour effacer toute trace.

Depuis le fond de son pré, planqué derrière des genévriers, le père Crayssac l'observait et ça le faisait marrer. Il se doutait bien que cette andouille de Fabrier n'avait rien compris à ce qu'il venait de trouver, ces dalles enterrées, ces soubassements scellés de mortier, de toute évidence il n'y avait rien pigé. Et ça, le père Crayssac, ça le faisait marrer.

Vendredi 24 avril 1981

L'Histoire se fait au plus près des êtres, elle influence les vies comme les mains modèlent l'argile. Constanze venait d'un pays coupé en deux dans lequel elle ne retournerait jamais. Elle ne rêvait que de voyager, parlait de vivre un jour en Afrique ou en Inde, d'autant qu'elle voulait réparer les torts de la révolution verte, cette politique des pays avancés qui à force de pousser les rendements dans les pays en développement avait tué leurs terres. Venant d'un pays fermé elle dévorait ce monde grand ouvert et voulait apprendre toutes les langues. À l'inverse, Alexandre savait qu'il ne quitterait jamais les Bertranges, son statut de successeur faisait que cette terre avait besoin de lui. Ils étaient originaires de deux planètes inconciliables, c'est pourquoi il n'en revenait pas de se retrouver à côté d'elle, de sillonner avec elle le Tarn-et-Garonne et les vallons du Gers, quitte à devenir un activiste, un artisan de l'ombre.

En suivant le parcours qu'elle avait préparé, Constanze lui expliqua l'objectif de la mission, une gigantesque distribution de faux documents à en-tête d'EDF. L'idée était celle d'un groupe de militants dont elle se disait proche, il s'agissait de profiter du premier anniversaire de l'accident de la centrale nucléaire de Saint-Laurent-des-Eaux pour raviver la psychose. Il y avait pile un an, un morceau de tôle avait bouché le circuit de refroidissement de la centrale, la température était tellement montée que l'uranium était entré en fusion dans le réacteur, menaçant d'exploser. L'événement avait été d'autant plus spectaculaire que la télé avait filmé les alarmes et les sirènes hurlantes, des images évoquant une déclaration de guerre... Un an après, cinq cents personnes nettoyaient encore le réacteur contaminé. À tour de rôle, pendant deux minutes, on plongeait des groupes d'ouvriers dans le réacteur, au bout d'une corde, avant de vite vite les remonter. Ensuite ils devaient attendre le lendemain avant d'y retourner, se relayant ainsi sans fin. Il faudrait des années et des millions de litres d'eau de la Loire pour rincer complètement ces installations, pour l'heure des rejets de plutonium continuaient de tuer les poissons dans le fleuve. Il fallait donc à l'occasion de l'anniversaire de l'accident réveiller les esprits et réactiver la psychose en diffusant ces tracts à l'en-tête d'EDF, des tracts alarmants que tout le monde prendrait pour un message officiel. Si l'opération réussissait, une vague de panique gagnerait tous les départements autour de Golfech, une trouille gigantesque qui remobiliserait tout le monde.

Constanze lui montra un des tracts. Orné du logo officiel d'EDF, la lettre invitait les abonnés à modifier d'urgence le voltage de tous leurs appareils électroménagers, téléviseurs, chauffages, machines à laver ou grille-pain, il fallait absolument tous les faire rectifier au cas où une partie de l'électricité qui leur était fournie serait d'origine nucléaire. En quelques lignes le document expliquait qu'avec l'électricité issue d'une centrale nucléaire le voltage dans les fils électriques serait renforcé au-delà du 220 volts, il gonflerait pour absorber le trop-plein d'intensité dû à l'atome, de sorte que si on les laissait tels quels, tous ces appareils électroménagers risquaient de prendre feu ou carrément d'exploser...

Dès le lendemain de la distribution, il est clair que les standards d'EDF et des pompiers crouleraient sous les appels paniqués, ce serait la désorganisation complète, la psychose se répandrait et l'énergie atomique apparaîtrait pour ce qu'elle est, incontrôlable et démesurée. Déjà que la population

153

du Grand Sud-Ouest se méfiait du nucléaire et que le référendum avait dit non à 83 % à la future centrale, alors avec cette lettre les foules seraient prises d'une telle angoisse que le doute gagnerait tous les esprits.

Constanze avait dessiné des traits verts et des points bleus sur sa carte Michelin, le gros carré rouge c'était la cache où étaient les cartons, un ancien abri à outils en pleine campagne. Au loin ils identifièrent ce petit bâti de pierre sèche, en haut d'une colline, près d'un bois, ils s'engagèrent dans un chemin et s'en rapprochèrent avec fièvre. Les six cartons étaient vierges de tout indice, aucun moyen de savoir de quelle imprimerie ou machine offset ils sortaient. Alexandre les chargea avec peine à l'arrière de la 4L, pendant ce temps-là Constanze regardait tout autour pour s'assurer que personne ne les voyait, elle balayait scrupuleusement le paysage des yeux, se laissant peu à peu envahir par ce décor, le velouté de ces prairies neuves, la nature fraîchement repeinte dans des teintes vertes, les pâtures encadrées de haies vives, une nature toute simple qui lui sautait aux yeux. Elle ne connaissait rien de la campagne. Entre Leipzig, Berlin, Paris, puis Toulouse elle avait toujours vécu en ville.

Alexandre referma le coffre sans traîner. En redescendant le chemin chaotique il s'attendait à ce que sa complice évoque la suite des opérations, se rendre aux points relais, livrer les cinq cartons et distribuer le contenu du dernier dans les boîtes aux lettres de villages bien définis. Mais Constanze ne sortait pas de sa rêverie.

— Je t'assure, je n'ai jamais vu un endroit aussi *belle*...

— Aussi beau.

— Aussi beau. Mais toi, tu ne trouves pas que c'est beau ?

— Si, bien sûr, dans le Gers y a des beaux coins, mais c'est pas très sauvage.

— Chez toi, c'est beau comme ça ?

— Aux Bertranges ? À mon avis c'est bien plus beau, il y a plus de relief, des bois, des collines, et puis surtout c'est sauvage...

— Comment ça, sauvage ?

— Sauvage, ça veut dire qu'il y a une maison tous les cinq kilomètres, les fermes sont perdues, loin de tout.

— Quand j'étais petite on prenait l'autoroute pour aller chez mon oncle, mais là-bas la campagne c'est pas comme ça, la terre est sale, et les fermes c'est des kolkhozes de trois mille vaches.

Alexandre lui lança un regard soupçonneux, sachant parfaitement que des fermes de trois mille vaches ça ne se pouvait pas. Elle lui assura que c'était vrai. Jamais pourtant Crayssac ne lui avait parlé de ça. Cette fille venait bien d'une autre planète, de cet Est totalement mystérieux, sur lequel on entendait tout et son contraire. Mine de rien, elle avait fait le choix de tout quitter, de laisser sa famille pour choisir la liberté. À côté d'elle Alexandre se sentait totalement disqualifié. Elle était juste là, à côté de lui, mais jamais il n'aurait osé la moindre approche. Il se recentra sur la mission, préserver l'humanité du péril fou de l'atome, éviter qu'une centrale avec son cortège de déchets éternels ne soit construite au milieu de ces belles prairies, au moins là-dessus elle l'avait convaincu, surtout que ces déchets seraient toxiques durant des millénaires, on manquait de recul sur le nucléaire mais une chose semblait sûre c'est que les déchets radio-actifs s'accumuleraient à une telle cadence que très vite on ne saurait plus quoi en faire. Elle lui dit aussi que d'autres dans le groupe préparaient des actions violentes, elle voulait à tout prix empêcher cette dérive, mais cette violence qu'elle dénonçait, lui-même en était devenu le complice, Alexandre était horrifié. Constanze lui confia que les partisans de l'action violente se trouvaient confortés par les événements de Bilbao. Là-bas les travaux avaient cessé net après l'assassinat de l'ingénieur de la centrale, preuve que la violence payait. Dans un tel climat, Mitterrand jurait d'abandonner Golfech s'il était élu. Refusant toute action violente, Constanze faisait le pari que la bonne façon d'agir c'était de sensibiliser l'opinion publique, d'où ces tracts, il fallait attiser cette peur de l'atome que chacun a en soi, les pauvres comme les puissants,

— Cette peur il suffit juste de la réveiller, parce que c'est par la peur qu'on marque les peuples, tu comprends...

— Je comprends.

Ce qu'Alexandre comprenait surtout, c'est qu'elle n'était pas au courant pour l'engrais, et il ne fallait surtout pas qu'elle le soit. Il s'arrêta au croisement, attendant qu'elle lui dise où tourner, il la regarda, plongée dans sa grande carte, la dévisagea longuement, aussi fasciné que déboussolé. C'était pour elle qu'il se retrouvait mêlé à des termes comme *tracts*, *manifestations*, *bombes*, *déchets nucléaires*, *Soviétiques*, des mots que jusque-là il ne faisait qu'entendre au journal de 20 heures.

— En fait le mieux c'est de prendre à gauche, direction Gimont.

Alexandre continuait de la regarder. Jamais il n'aurait pensé qu'une femme puisse à ce point le détourner de sa trajectoire.

— Eh bien, tu ne démarres pas ?

— Ce serait mieux de ne pas emprunter la nationale, trouve-nous plutôt un itinéraire par les petites routes, celles qui sont en blanc sur la carte.

Constanze tourna son regard vers lui, convaincue de la pertinence de sa remarque. Ils repartirent tout droit par la départementale.

Alexandre conduisait calmement pendant que Constanze recomposait un nouveau parcours, en confiance. Elle se mit à parler d'elle, de son rejet de la violence, elle venait d'un pays où on tirait sur ceux qui cherchaient à passer la frontière, en RDA pas question de manifester contre le nucléaire, pourtant là-bas c'était bien pire qu'en France, les travaux de la centrale de Stendal avaient commencé, la plus folle de toutes, quatre mégaréacteurs soviétiques, sachant que dans ce genre de chantier la priorité des Russes n'était pas de respecter les normes ni la santé de la population, mais le calendrier.

— À l'Est, les centrales ils les montent n'importe comment, c'est de la pure folie, mais personne ne peut rien contre...

Cette fille était habitée par une haute conscience de l'humain, en l'écoutant Alexandre mourait d'envie de lui prendre la main, de l'embrasser dans le cou. Il n'avait jamais été très à l'aise avec les filles, son enfance il l'avait vécue dans l'ombre de trois sœurs, leur laissant toujours la priorité, ensuite au lycée agricole il n'y avait que trois filles dans sa classe, il avait tapé dans l'œil de l'une d'elles, et les autres gars étaient jaloux, mais s'il lui avait plu à cette fille, c'était justement parce qu'il ne la draguait pas, contrairement aux autres lourdauds.

Malgré le changement de parcours ils furent à l'heure aux différents points de rendez-vous.

À dix-huit heures trente ils s'arrêtèrent comme prévu devant un pavillon décrépi aux environs de Mauvezin, leur dernier contact de la journée. Deux gars en sortirent. Cette fois Constanze leur fit la bise, alors qu'aux autres elle avait simplement serré la main. Alexandre posa deux cartons devant le portail sans vraiment saluer les gars, puis ils repartirent dans la 4L. La mission maintenant c'était de distribuer les dernières liasses dans les boîtes aux lettres, seulement à la campagne les magasins fermant tôt il fallait d'abord se préoccuper d'acheter à manger. Au village il n'y avait qu'un charcutier mais ils y trouvèrent du pain, des ramequins de crudités, du saucisson et des tranches de jambon, tout faisait envie. Il y avait même du vin mais pas de Coca. Quand ils reprirent la route, ils croisèrent l'épicerie ambulante qui rentrait, alors Alexandre se mit en travers pour l'arrêter, de loin on aurait pu croire à un braquage, le commerçant lui-même sembla le penser, mais ils lui payèrent rubis sur l'ongle le pack de petites bouteilles de Coca en verre, Constanze adorait le Coca.

— Tu sais, Alexandre, c'est la première fois que je vais camper.

— Camper ? Mais je n'ai pas prévu de tente.

— Je sais bien, mais quand on dort dans une voiture, en français on peut bien dire « camper » ?

— Je ne sais pas, Constanze, je ne sais pas. Par contre, quand on dort dehors, on peut dire « dormir à la belle étoile ».

— Ah oui, la belle étoile, mais c'est laquelle la belle étoile ?

Vendredi 24 avril 1981

Aux Bertranges, l'idée de se promener venait rarement. Aller à pied, c'était jamais pour se rendre plus loin que le hangar ou la voiture, et toujours pour faire quelque chose. Alors marcher pour rien, le regard en goguette, ça n'avait pas de sens. Pourtant le soir, quand il faisait encore jour, la mère partait quelquefois faire un tour après manger, elle se baladait sans but dans les collines ou à travers champs en bas. À l'automne elle en profitait pour repérer les champignons, au printemps c'était plutôt pour débusquer les premières jonquilles ou les primevères, l'été pour s'immerger dans le parfum de la menthe sauvage, des tas de prétextes pour justifier ce besoin de marcher qu'elle avait.

En général, un des chiens la suivait, Rex ou Belle ou Fanou, parfois les trois. Il arrivait même que des chats lui emboîtent le pas. Les soirs de beau temps, quand il a fait bien chaud toute la journée, les animaux eux-mêmes goûtent le plaisir de flotter dans un air redevenu doux.

Mais ce soir-là les chiens ne voulaient pas bouger de la cour, la mère avait beau les appeler, ils ne bronchaient pas. Chose étrange de leur part, ils semblaient veiller sur le père, le père qui lui ne sortait pas, nerveux, fumant même une deuxième cigarette, comme s'il attendait quelque chose. Si bien que la mère partit seule vers les coteaux. En approchant des pâtures, elle jeta un regard attendri aux vaches groupées à l'autre bout. C'était beau. Les prairies étaient recouvertes de milliers de petits globes plumeux de fleurs de pissenlit, ça faisait comme une neige duveteuse. Les bêtes l'avaient sentie, les vaches étaient déjà debout mais les veaux restaient couchés et sages dans l'herbe. En la voyant qui s'accoudait à la barrière, ils voulurent tous se relever, du moins cherchèrent-ils à le faire avec une maladresse touchante. Pour quitter leur position de repos, les plus habiles forçaient sur leurs pattes arrière en essayant de prendre de l'élan, puis ils balançaient le poids du corps vers l'avant, mais les pattes antérieures étaient trop faibles encore, alors le pli n'était pas pris, ils repoussaient tout le poids du corps vers l'arrière pour tenter de se relancer de plus belle, on aurait dit des chevaux à bascule, des grosses peluches ou des gros jouets au fonctionnement défectueux. La mère songea aux deux millions de veaux que l'on venait d'abattre, à ce que l'on avait dit pendant des semaines sur ce scandale des veaux aux hormones. À force de ne plus se soucier des bêtes, de tourner le dos à la campagne, la France avait découvert que les trois quarts des veaux étaient élevés dans des cages noires et infectes, et là on les gavait d'anabolisants pour qu'ils grossissent de cinquante kilos en trois mois. Ce grand dérèglement était né de la politique agricole commune, de ces sphères déconnectées du terrain où l'on parlait toujours d'accroître la production, mais pour les paysans le résultat était là, pendant des mois les médias n'avaient parlé que de ça, des élevages de veaux issus de vaches laitières parqués dans des cellules, des bêtes piquées comme des cyclistes ou des haltérophiles pour gagner du muscle, du muscle et surtout pas de gras, parce que là aussi l'époque voulait ça, l'homme moderne venait d'identifier deux nouveaux ennemis : le pain et le gras. Partout dans les magazines on les dénonçait, le pain faisait grossir et le gras tuait en douce, à la télé des toubibs en survêtement ordonnaient de manger maigre et de faire du jogging ou de la gym en écoutant de la musique disco.

Angèle avait le sentiment d'aller contre l'époque. En tout cas aux Bertranges on ne mettrait jamais de veaux en cage, parce que ici il y avait ce qu'il faut de pâtures et de foin, de maïs et d'eau pour élever des bêtes en liberté, libres de leurs mouvements.

Les veaux s'étaient mis debout, ils avaient attendu que les mères prennent les devants pour marcher vers la clôture où se tenait Angèle. Face aux terres alentour, elle pensa aux générations qui y avaient vécu. Un veau approcha sa tête et vint lui téter le doigt. Les mères étaient tranquilles, d'autant que les chiens n'étaient pas là. Angèle s'était toujours dit que les vaches méprisaient les chiens, elles les trouvaient serviles, alors qu'elles-mêmes s'étaient affranchies depuis belle lurette, elles ne tiraient plus de carrioles ni de charrues. En regardant vers l'ouest Angèle vit des tulles de nuages très haut, ils signaient l'arrivée d'air froid. Elle pensa à Alexandre. Ce matin elle l'avait vu sortir une couverture de sa chambre pour la mettre dans le coffre de la 4L, elle n'avait pas posé de questions. Par moments elle se demandait s'il était aussi solide que ça, son fils, s'il avait vraiment la tête sur les épaules.

Vendredi 24 avril 1981

Finalement ils n'avaient pas distribué le moindre tract. Le carton était toujours à l'arrière de la 4L, même pas ouvert. Demain ils commenceraient tôt. Pour se planquer bien à l'écart de la route, Alexandre et Constanze avaient repéré un coin tranquille à flanc de coteau, en retrait de la mission qui les réquisitionnait. De là-haut ils dominaient les collines du Gers, des reliefs quadrillés de petites parcelles, des prairies aussi bien que des cultures, des zones en friche et des bois, un tableau de paysages apaisés. Constanze semblait de nouveau fascinée par l'amplitude de ce spectacle tout simple.

Alexandre lui assura que quand le soleil basculerait à l'ouest, elle pourrait voir la chaîne des Pyrénées tout au fond, peut-être était-ce déjà le cas, en ouvrant grand les yeux on devinait une ligne de crêtes blanches au-dessus de l'horizon... Constanze voulait le croire. Alexandre n'était pas sûr toutefois que ce soient les neiges éternelles, en fait de cimes blanches il devait plutôt s'agir de nuages, une énorme entrée maritime qui amènerait la pluie. Mais ça, il ne le dit pas.

Un air humide et frais se glissa entre les vêtements et la peau, Constanze commença de frissonner. La consolation, c'était le pique-nique. Ils avaient déposé toutes les victuailles emballées sur l'herbe. Il y avait du vin mais pas de verres, Alexandre retira le bouchon avec son Opinel, Constanze n'ouvrit même pas de Coca, elle observait le paysage, cette fois avec un air grave.

— À vrai dire, ça me rend triste...

— Ah bon, et pourquoi ?

— Penser que ces fermes, ces champs, il suffirait d'un accident dans une centrale pour tous les anéantir, une seule explosion et tout disparaît, c'est complètement fou...

Alexandre n'avait jamais envisagé que ce panorama soit vulnérable ou en danger. Cette nature il la savait là de toute éternité, et pour toute l'éternité. Ils restèrent à regarder le couchant, ruminant chacun son intuition. Enfants de la guerre froide, depuis toujours ils ressentaient l'équilibre de la terreur, avec les Russes et les Américains qui de part et d'autre n'en finissaient pas d'accumuler des stocks d'armes nucléaires, mais cette guerre on se disait qu'elle ne viendrait jamais, de toute façon ce n'est pas humain de vivre sans cesse avec une menace au-dessus de la tête. Alors on l'évacuait, on oubliait les bombes stratosphériques. Par contre, là où Constanze avait raison, c'est qu'avec des centrales nucléaires disséminées un peu partout, cette angoisse, elle deviendrait concrète, visible et omniprésente.

En guise de nappe, Alexandre déplia la couverture sur le sol, puis il déballa la nourriture, les papiers d'emballage serviraient d'assiettes. Il n'avait qu'un seul couteau et pas prévu de serviette ni de cuillère. Tout de même, il mit un soin particulier pour présenter le repas. Constanze dit que son père était ingénieur et qu'il se désolait que l'atome absorbe le plus gros de la recherche fondamentale, c'était immoral de dédier les plus gros budgets à une énergie héritée de la bombe, alors qu'il y avait encore des tas de maladies qu'on ne soignait pas. À partir de là elle ne s'arrêta plus. Elle ne parlait pas en militante, mais en humaine convaincue. Tout en l'écoutant, Alexandre étala du pâté sur des tartines de pain, plongea son couteau avidement dans les ramequins de chou-rouge et de céleri, avala un morceau de cantal... Régulièrement il tendait un minisandwich à Constanze, qui le grignotait sans s'interrompre une seconde.

Au moins maintenant il savait pourquoi elle était en France. Toulouse faisait figure d'eldorado dans le milieu de l'aéronautique, et son père étant passé d'ingénieur à businessman en s'installant à l'Ouest, il voyageait tout le temps pour que l'Europe conquière le monde avec ses Airbus. Le business était plus fort que la politique, pour asseoir sa domination il suffisait de vendre. Apparemment son père ne parlait que d'avenir, tandis que sa mère et sa sœur étaient restées dans ce monde arrêté, de l'autre côté du Mur. Depuis deux ans elle ne les avait pas revues. Sa mère s'occupait de ses parents malades, vu leur âge ils auraient pu quitter l'Est mais ne le voulaient pas. Constanze se sentait coupable de ne pas aller là-bas, de ne pas être auprès d'eux, seulement le passage obligé par Checkpoint Alpha, avec les attentes et les interrogatoires humiliants, et cette peur une fois à l'Est de ne plus pouvoir en ressortir, tout ça la terrorisait d'avance.

Alexandre avait mangé plus de la moitié des victuailles, il s'allongea, l'herbe avait rafraîchi la couverture.

— Et toi, tu as déjà voyagé dans d'autres pays ?

— Non.

Constanze le regarda comme s'il venait de dire quelque chose d'extravagant.

— Tu as déjà pris l'avion ?

— Certainement pas. Et je ne le prendrai jamais.

Constanze médita cette étrangeté. Ainsi, on pouvait être jeune et ne pas être tenté par les grands voyages, pas plus l'Asie que l'Amérique, aujourd'hui encore on pouvait se satisfaire de son petit monde à soi.

— Les avions, je les aime pas. Quand j'étais môme, je partais à vélo seul sur le causse, je me barrais pendant des heures, eh bien, même quand j'étais complètement paumé, peinard, à l'abri de tout, y avait toujours un avion là-haut qui passait, avec plein de gens qui devaient regarder par les hublots, et ça me gênait, tous ces gens assis là-haut, tous ces richards...

— En fait t'en as peur ?

— Peut-être. Je veux pas le savoir.

Constance voulut le faire parler de lui. Elle lui posa des questions auxquelles il répondit évasivement. Il n'avait pas grand-chose à dire, sinon qu'il aimait vivre au grand air, dans la nature comme ici, c'était un vrai besoin, et déjà qu'il ne connaissait pas tout de sa vallée, alors pourquoi il irait en explorer d'autres. Pour le reste, sa vie était toute tracée, son projet c'était de tenir la ferme, d'épouser les saisons, et s'il ne se plaignait d'aucun mur, il sentait naître un fossé entre le vieux monde dans lequel il vivait, et le nouveau qui s'annonçait, celui de la ville, des semenciers, des mises aux normes et des banques. À sa grande surprise, Constance ne trouva pas cela désuet ni archaïque, au contraire ça lui semblait beau de vivre en pleine nature, libre en quelque sorte, elle lui dit qu'il était l'être le plus libre qu'elle ait jamais rencontré.

La pénombre gagnait tout. Constanze était si belle, pensa Alexandre, il aimait ses paroles, sa voix, l'accent qui animait son sourire, même quand elle ne parlait pas sa grande bouche dessinait un large contentement universel, un sourire permanent. Ils ne se regardaient pas, ne se cherchaient même pas des yeux, et s'ils se prirent la main, s'ils eurent tous les deux, au même moment, le même réflexe, c'était moins pour se saisir que pour se rassurer. Parce que, à partir de cet instant-là, ils ne furent plus très sûrs de rien, même s'il faisait réellement froid ou pas, tout devint incertain, comme si l'enfance ou l'adolescence venait de les rejeter là, de les projeter sur la plage ultime de l'innocence, celle depuis laquelle on embarque enfin vers sa vie, mais sans vraiment savoir laquelle. S'ils se prirent la main, c'est qu'ils venaient tous deux de tomber de haut. Tous deux, sans rien dire, ils ruminaient leurs liens, tout ce qui les empêchait d'être réellement libres, elle qui se sentait appelée par d'autres pays pour sans cesse fuir le sien, et lui qui se sentait viscéralement attaché à sa terre. Ils continuèrent à se tenir la main, serrant de plus en plus fort, ils pactisaient sans un mot, comme s'ils se résolvaient à ne pas se plier à l'ordre des choses. Il faudrait se battre pour que tout soit autrement, se battre non plus seulement contre des centrales nucléaires mais également pour soi, se battre très égoïstement contre cette vie déjà toute tracée. Tout couple était une révolte.

— Tu sais, je n'ai jamais vu la nuit comme ça.

— Qu'est-ce que tu veux dire ?

— La nuit totale, le noir... La nuit, je l'ai toujours vue par morceaux, et toujours dans la lumière des villes, mais jamais en grand comme ici, jamais en entier.

Vendredi 24 avril 1981

Ce soir, c'est à Toulouse qu'avait lieu le dernier grand meeting du candidat Mitterrand d'avant le premier tour, l'appartement était devenu un lieu de rassemblement afin de se rendre en groupe au stade. En attendant, le jeu c'était de parodier le lyrisme de l'homme à la rose avant d'aller l'écouter pour de vrai. Chacun s'amusait à clamer comme lui sa flamme pour le socialisme.

Seuls Antoine et Marc cassaient malicieusement l'ambiance en rapportant ces propos entendus dans leur famille.

— Pour mon grand-père, si ce printemps est moche et qu'il fait froid comme en hiver, c'est le signe de l'arrivée des communistes au gouvernement, c'est le vent de l'Est qui se lève.

— Oui, et chez moi on dit que si Mitterrand est élu, il raccrochera la France à l'URSS, au prochain 14 juillet les chars russes défileront sur les Champs-Élysées…

Devant ce genre de propos, Caroline se mit en colère.

— Mais c'est les bourgeois qui pensent ça, c'est normal, ils ont peur du socialisme parce que le socialisme, c'est la floraison de la fraternité, le socialisme, c'est l'alliage du peuple et du progrès...

Là-dessus Sophie ajouta :

— Le socialisme, c'est le terreau des peuples, mort aux bourgeois !

— Eh, oh, tu déconnes là !

— Eh bien pour moi le socialisme, ce serait déjà que tout le monde achète du papier-toilette, du Mir et des Spontex à tour de rôle, déclara sobrement Paula...

— Oui, le socialisme ce serait aussi qu'on arrête de mettre ses affaires chacun dans son petit compartiment du frigo... Et surtout de ne plus faire semblant de ne pas voir que l'évier est bouché pour refiler le problème au suivant !

Pour Sophie et Paula, l'exercice était l'occasion de régler leur compte à ceux de la colocation qui ne faisaient que se servir, qui ne se souciaient jamais de racheter des vivres, en dehors des bières et des chips, les garçons la plupart du temps.

À ces mots, Caroline applaudit, avant de prendre la parole avec ces accents de chef-taine qui la caractérisaient aux yeux de tous :

— Le socialisme, c'est déjà de se rappeler que dimanche c'est le premier tour et qu'il faut aller voter... Alors, que tous ceux qui n'ont pas fait leur changement d'adresse prennent le train pour aller voter chez papa-maman, la seule façon de gagner une élection c'est de voter, débrouillez-vous mais votez !

Une bonne dizaine d'entre eux l'accla-mèrent à la fin de sa belle envolée, mais sans tout de même reposer leur verre, quant aux autres ils se souvinrent qu'ils ne s'étaient pas occupés de leur carte d'électeur, tout en réalisant qu'il était trop tard maintenant pour le faire.

Plus que jamais, ce soir-là, Caroline était le cœur battant du groupe. Rendez-vous avait été pris avec d'autres étudiants pour marcher ensemble jusqu'au Stadium, non pas pour un derby ni un concert, mais pour Mitterrand. Après avoir disparu tout l'hi-ver, le candidat avait enchaîné les meetings dans les grandes villes de province, il sen-tait que ces lignées de ruraux parties vivre en ville gardaient une nostalgie enfouie de leur campagne d'origine, se voulant ter-riens au possible. Sur sa nouvelle affiche il posait devant un village perdu dans les collines du Morvan, une photo qui vou-lait dire que la France demeurait ce pays rural aux traditions bien ancrées. Face à cette carte postale champêtre, par contraste Giscard apparaissait protocolaire et froid dans les dorures de l'Élysée, un monarque installé au cœur de ce Paris élitiste et plein de mépris, de cette capitale surplombante qui concentrait les pouvoirs.

Pour le reste, si Mitterrand était là ce soir, c'est que de toutes les grandes métropoles de région Toulouse avait bien été la seule à avoir dit non à de Gaulle en 1969. Ici tous les députés étaient de gauche, de même que le président de région et la majorité des maires. Symboliquement la ville rose servirait d'avant-poste pour conquérir la France mais, pour cela, il fallait que le stade soit plein. Avec le froid et les averses, ce n'était pas gagné et, en cas de gradins vides, les trois chaînes de télé nées de l'ancienne ORTF ne se priveraient pas de bien les filmer.

C'est d'ailleurs à cause de cette météo désastreuse que certains se désistèrent au moment de sortir. Au lieu de se geler dans un stade, ils préféraient jouer aux cartes à l'appartement, si bien qu'ils n'étaient plus que onze pour aller au Stadium, comme une équipe de foot. Seulement il n'y avait que trois mobylettes.

Marc et Paula montèrent sur la Piaggio d'Antoine, Sophie et Brigitte se calèrent facile sur la MBK de Pablo, tout s'organisait, si ce n'est que Caroline refusa de s'asseoir sur les larges sacoches de la 125 Honda de Xabi, déjà parce qu'elle n'avait pas de casque, mais surtout aucune confiance en Xabi. Son truc, c'était de jouer les ombrageux en mettant une grande cape comme dans *Elephant Man*, mais le plus gênant pour elle c'est qu'il faisait partie de la bande d'Anton, elle ne comprenait même pas qu'il vienne au meeting, lui qui s'inventait des liens avec des gars d'Iparretarrak et se vantait de savoir manier les explosifs, il n'avait pas sa place dans un rendez-vous républicain.

— Mais bon sang, Caroline, fais pas ta crâneuse, c'est juste à cinq minutes.

— Non, faut d'abord aller chercher la bande chez Tortoni...

— Mais c'est des poivrots, ils préféreront picoler au bistrot !

Caroline haussa le ton, marquant bien que c'était elle qui gardait le contrôle des opérations.

— Non, on passe les chercher, sinon ils vont nous planter eux aussi, OK ?

Plutôt que de filer directement au stade, Caroline voulait remobiliser les gars du rugby, parce que ceux-là ne craignaient pas le froid. Sa hantise c'était que le stade soit vide, d'avance elle voyait les images des tribunes désertes à la télé demain, alors elle détacha le vélo communautaire au pied de l'escalier et ouvrit la voie en direction de la place du Capitole. En traversant le pont Neuf ils se prirent un fameux coup de vent, pour les garçons cette soirée avait des allures de Bérézina.

Arrivés chez Tortoni, ils pénétrèrent dans une salle encore plus bondée que d'habitude, il y avait de tout, en plus des punks et des rugbymans, Caroline reconnut même des gars du PFN, ce bel œcuménisme était dû au fait que le patron célébrait sa grande résolution, il rentrait de Francfort où il venait de signer avec la filiale Europe de McDonald's, grâce à lui Toulouse allait entrer dans le monde moderne et il y aurait enfin un McDo dans le sud de la France, le tout premier...

— Le premier quoi ?

— Faites pas semblant de pas connaître...

— Tu te vends aux Amerloques !

— Et alors, vous avez vu cette place, vous avez vu Toulouse, faut faire quelque chose, sinon le quartier tombera en ruine...

— Et si les communistes accèdent au pouvoir ?

— Je m'en fous, j'ai obtenu tous mes crédits, alors Mitterrand ou même Brejnev peuvent bien entrer à l'Élysée, moi j'ai mes contrats, et lundi je commence les travaux, donc avant de brancher les pompes à Coca faut vider tout l'alcool, le Four Roses, la Guinness, et les cigarettes, Marlboro... Allez, tournée générale !

L'invitation du patron souleva une vague de hourras... Caroline, Sophie et Paula crurent à une provocation, en plus de la météo elles devaient contrer maintenant cette masse d'étudiants plus saouls que politisés. En jouant les amphitryons, le patron coalisait sa clientèle autour d'une mondialisation concrète, rhum des Antilles, cachaça du Brésil, vodka à l'herbe de bison de Sibérie, le monde il le bradait... Il s'en foutait pas mal de l'avenir du socialisme, ayant vécu cinq ans aux États-Unis il savait que pour changer le monde il suffisait d'entreprendre !

— T'es un vendu !

— Peut-être mais, en attendant, ce soir tout est gratuit.

Caroline eut un mouvement de recul, surtout quand elle repéra dans la foule des gars de la bande d'Anton, des ennemis déclarés de l'impérialisme pourtant prêts à écluser le bar pour faire place nette à un McDonald's. Elle était d'autant plus agacée que depuis deux jours elle n'avait pas vu Constanze, certains s'amusaient à lui faire croire qu'elle aurait embarqué son frère dans un genre d'expédition secrète. Elle savait Alexandre crédule et brave, chaque fois qu'il mettait les pieds à Toulouse elle redoutait qu'il ne se fasse avoir, alors elle n'aimait pas l'idée qu'il fricote avec Constanze et encore moins avec la bande d'Anton, tous étaient fichés aux RG, en cas de problème ça remonterait jusqu'aux flics et les parents ne le toléreraient jamais, ça ferait des tas d'histoires, pour la ferme ce serait un drame. Alexandre c'était une oie blanche, tandis qu'eux c'étaient des fils de bourgeois, en cas d'emmerdements ils auraient toujours un parent ou un avocat pour les sortir de la mouise.

— La Guinness, c'est la paix ! Le Bacardi, c'est la paix ! Le Four Roses, c'est la paix ! Le Malibu, c'est la paix ! Le Get 27, c'est la paix ! Le business, c'est la paix !

Écœurées par tant de bêtise, les filles ressortirent de chez Tortoni, l'avantage c'est qu'elles avaient suffisamment de mobylettes pour en prendre chacune une, Caroline garda son vélo. Pris de remords, Antoine, Éric et deux autres ne tardèrent pas à lâcher le bar pour leur emboîter le pas, jurant qu'ils reviendraient finir de vidanger Tortoni après le meeting... Ils voulurent prendre le guidon mais les filles les rejetèrent sur les porte-bagages, salement rabaissés.

Une fois sur place, non seulement les gradins étaient pleins mais la ferveur contrastait avec le ciel. Ces tribunes avaient l'habitude des matchs de plein hiver, ce n'était pas un coup de froid qui allait les ankyloser. Sur l'écran géant on voyait des plans larges du parterre au pied de l'estrade, on y retrouvait cette première garde dont on connaissait vaguement les visages mais pas les noms, Lang, Quilès, Mauroy, des hommes en majorité, et ce qu'on remarquait comme fraternité chez tous ces camarades, ce qui les soudait vraiment, c'est que tous étaient transis de froid, tous s'étaient emmitouflés dans des manteaux, des chapeaux et de belles écharpes, renvoyant une image pas trop conquérante ni dynamique.

C'était la première fois que Caroline mettait les pieds dans un stade, il était rempli à ras bord, trente-cinq mille personnes vociférant et hurlant des « Mitterrand, Mitterrand », avec de grandes lettres blanches dessinant sur la pelouse « Mitterrand président ». Mais le plus inouï pour elle, c'était de le voir en gros plan sur l'écran géant, puis en petit tout là-bas, le véritable Mitterrand qui montait à la tribune, Mitterrand en chair et en os mais pas plus grand qu'une figurine. Sur l'écran il avançait lentement, une rose à la main, un homme avec une fleur à la main ça ne faisait pas très moderne, surtout avec cette démarche un peu affectée, un rien mortifère, à la limite on se demandait sur quelle tombe il allait la jeter, sa rose. Seulement, un frisson envahit tout le stade dès qu'il se mit à parler, dès les mots tout simples qu'il adressa à tout le monde comme s'il les réservait à chacun : « Bonsoir, peuple de gauche ! »

En trois mots il venait d'opérer la fusion, en trois mots il avait soudé les troupes, c'était peut-être ça, un chef, on le remarque à ce genre de détails, d'autant que contrairement à ceux en bas de la tribune, lui était enfiévré et réchauffé, il ne portait qu'une veste. Un chef, c'est celui qui n'a pas froid. Il posa la rose sur le pupitre et s'adressa non pas à la foule, mais à chacun des regards dirigés sur lui, en modulant la voix, en la forçant quand il fallait, parlant plus bas parfois, s'accoudant au pupitre comme s'il allait chuchoter un secret. Caroline découvrait cela, cet homme irradiait d'une foi laïque. Ou alors c'était un grand comédien, de ceux qui prennent leur rôle à cœur, au risque même d'improviser, oui, il gardait dans la main gauche un tube de feuilles roulées qu'il ne dépliait pas, son discours sans doute, pendant que sa main droite s'agitait sans cesse, elle tournoyait comme un flambeau à hauteur de son visage, le pupitre fragile bougeait au moindre mouvement, l'estrade elle-même avait l'air branlante, et pourtant le candidat semblait fort, puissant, inarrêtable.

Caroline voyait l'homme qu'elle voulait voir, elle entendait les paroles qu'elle voulait entendre, la politique au travers de cet homme prenait tout son sens, être porté par un projet et avant tout par un chef, seul un chef sait incarner un projet, alors elle l'écoutait de plus en plus intensément, à en fermer les yeux, au point que Sophie lui demanda :

— Caro, ça va ?

« ... Je vous affirme, et j'affirmerai hautement jusqu'à mon dernier souffle, que moi, je suis un homme libre. Et il n'est personne au monde, aucune force, aucune puissance qui pèse sur ma décision, ni à l'Est, ni à l'Ouest, ni Moscou, ni Washington, ni Bonn, ni personne, aucune force à l'intérieur, ni les forces de l'argent dont je me moque, ni le grand capital, ni les multinationales, ni les lobbies, ni les coalitions, aucune puissance au monde ne me fera jamais vous dire autre chose que ce que je pense... »

Caroline en tremblait, elle aurait voulu que cela ne s'arrête pas, elle jeta un œil à sa bande, eux aussi étaient gagnés par la ferveur du discours, et plus encore lorsqu'on sentit que le candidat allait conclure, que cet homme-là, dressé devant eux tous, se projetait rien de moins qu'à la proue d'un peuple, au-devant de l'Histoire, sa voix maintenant occupait tout l'espace, les gradins vibraient des trémolos du tribun, le pacte était scellé, la communion faite...

« Alors je vous dis à bientôt, à bientôt en France, à bientôt pour la France, à bientôt pour la république, à bientôt pour la victoire... »

Soulevées par le mouvement unanime de la foule, Caroline et Sophie se mirent à applaudir follement et se prirent toutes deux dans les bras, mais elles sursautèrent quand le candidat quitta le pupitre et que les haut-parleurs éructèrent *L'Internationale*, d'autant que l'enregistrement faisait vieillot, éraillé, on aurait dit les Chœurs de l'Armée rouge, ce qui n'empêcha pas la foule d'entonner le chant : « Debout, les damnés de la terre, debout, les forçats de la faim... ! » Ces paroles renvoyèrent Sophie à sa saine colère de tout à l'heure, le frigo à l'appartement devait être vide, les garçons n'étaient jamais foutus de faire les courses, et en ce moment même certains étaient vissés au bar de chez Tortoni à picoler. Le socialisme était un combat de tous les jours, avant de parvenir à la fraternité il y avait encore du boulot, si ce n'est que d'ici peu la vie, à coup sûr, allait changer.

Vendredi 24 avril 1981

En sortant du meeting, ils ne se savaient plus où ils avaient laissé les mobylettes et le vélo, certains disaient d'aller à droite, Antoine, Sophie et Patrice juraient que c'était à gauche, cette perdition était joyeuse. Finalement militer, c'est tout faire pour ne pas être seul, c'est de l'égoïsme confraternel, alors là, dans les abords du stade mal éclairés, ils se sentaient bien entourés. Caroline se tenait en arrière du groupe, elle les regardait, elle les voyait comme quand on se rappelle une séquence de sa vie, des années après l'avoir vécue. D'avance elle ressentit une forme de nostalgie, elle se figura que dans dix ans, dans vingt ans, lorsqu'elle repenserait à ce meeting, à cette soirée, lui reviendraient toutes ces images, ce stade plein, ce discours, cette ferveur, tout lui apparaîtrait intact. Les grands moments de l'Histoire sont la consigne de nos souvenirs personnels. La petite bande devant elle doubla un autre groupe, une cinquantaine de militants postés devant un car, ils attendaient qu'on leur ouvre la porte, le chauffeur s'était endormi sur son siège. Pour le réveiller ils chantaient en chœur l'hymne du parti socialiste de Herbert Pagani, mélange de *Bella Ciao* et de chant russe : « Ne croyons plus aux lendemains qui chantent, Changeons la vie ici et maintenant, C'est aujourd'hui que l'avenir s'invente, Changeons la vie ici et maintenant... » Ceux-là semblaient sacrément soudés, des adultes qui reprenaient une partition bien apprise, ça faisait penser à des chants militaires ou aux *Ave Maria* dans les messes, sinon que ce chant-là était souriant, soulagé de toute gravité transcendantale.

Sophie, Brigitte et Patrice se joignirent à la chorale, mais ne se souvenaient pas des paroles. Caroline était sûre d'une chose, bien plus qu'un meeting ce soir elle avait vécu le prélude d'un réel bouleversement, plus qu'une révolution, l'amorce d'une nouvelle ère. Que l'homme à la rose soit élu ou pas, plus rien ne serait comme avant, avec ou sans Mitterrand à la tête du pays, ce qui était certain, c'est que sa vie à elle changerait, les sept années à venir marqueraient une nouvelle époque, déjà parce que ce serait la fin de ses études, ensuite parce qu'elle serait affectée à son tout premier poste, s'y ajouteraient les corollaires de la vie active, un appartement, un mec, une nouvelle famille peut-être, ici dans cette ville ou dans une autre, oui, ces sept années redessineraient tout.

Ils se rejoignirent tous à l'appartement. Caroline arriva après tout le monde. Le vélo, finalement, elle l'avait retrouvé pas loin des courts de tennis, posé contre le grillage sans cadenas, quelqu'un avait peut-être fait un tour avec, mais ne l'avait pas volé. Tout participait de la magie de ce soir-là, de l'universelle fraternité.

Les traîtres qui avaient passé la soirée chez Tortoni venaient juste de rentrer. Tous étaient ivres, et bien que n'ayant rien vu du meeting, ils avaient tous un avis. D'abord ils trouvaient ringarde cette idée de s'afficher avec une rose, c'était flatter le bas peuple, d'autant que Mitterrand la tenait comme un jeune marié, alors que la force du symbole aurait plutôt dû venir du contraste entre la rose et le poing, comme sur le logo du PS, la rose il fallait l'empoigner fermement pour montrer que rien n'arrête les forces de progrès, ni les épines ni les ennemis.

— Mais enfin, un homme qui s'avance vers le pouvoir avec une rose à la main, vous ne trouvez pas ça beau ?

— Tu parles, ça fait plutôt penser à Wizard qu'à Che Guevara !

Xabi et les autres en profitèrent pour resservir encore le même discours, ce fameux triptyque :

Médias, Gouvernement, Multinationales, voilà l'aliénation dont il fallait se libérer, et pour ça, une rose au bout d'un poing n'y suffirait pas. Anton ne disait rien. En les écoutant, Caroline fut rattrapée par le scrupule de savoir son frère entre de mauvaises mains, alors plutôt que de leur répondre sur Wizard et les multinationales, elle leur demanda s'ils savaient où était Constanze et pourquoi elle ne rentrait pas ce soir. C'est Anton qui lui répondit :

— Qu'est-ce que tu veux que j'en sache. Entre Allemands on ne s'espionne pas.

Là-dessus les conflits repartirent de plus belle, les plus radicaux dénigrant cette fascination pour les meetings, ces grand-messes faites pour endormir les peuples. À l'inverse, Patrice et Marc parlèrent de Rocard, le mieux armé selon eux pour battre la droite, sans le vouloir ils scellèrent le compromis en faisant rire tout le monde, si bien qu'ils ne surent plus où ils en étaient, pour les déstabiliser complètement, Anton et Xabi leur servirent deux grands gin tonics... C'est alors que le téléphone sonna. Minuit était largement dépassé. Sophie décrocha. Comme le correspondant s'avérait peu amène et parlait allemand, elle appela Anton. Le brouhaha s'apaisa, chacun cherchant à tendre l'oreille pour savoir qui ça pouvait bien être, d'autant qu'Anton avait l'air grave et qu'il raccrocha très vite, puis il revint dans la pièce et fonça vers Xabi et Gerhard, sans se parler ils ramassèrent chacun leur sac et leurs affaires et sortirent sans un mot. C'est un peu plus tard, vers une heure du matin, que des bruits de pas résonnèrent dans l'escalier, des pas heurtés et lourds, signe qu'un groupe d'hommes était en train de monter précipitamment les deux étages, en regardant par la fenêtre Caroline vit des véhicules de gendarmerie garés dans la rue, puis il y eut des grands coups frappés à la porte, des poings qui tapaient dans un même mouvement, et une voix bien forte qui ordonnait d'ouvrir.

Samedi 25 avril 1981

Au matin, le carton gisait dans l'herbe à l'arrière de la voiture, gorgé de pluie. Cette nuit, n'y tenant plus, Constanze et Alexandre avaient fait l'amour dans la 4L trop étroite, ils avaient commencé par s'embrasser doucement au fil de la compilation désuète de Simon & Garfunkel. Après, Constanze avait sorti le dernier Talking Heads, la cassette étant à moitié déroulée elle avait dû rembobiner la bande marron du bout de son index, ce qui avait occasionné un curieux temps mort où il n'y avait plus eu d'autre bruit que l'écho sinistre de la pluie. Une fois la cassette engagée, volume à fond, tout s'était emballé. À présent ce n'était plus seulement s'embrasser qu'ils voulaient, mais se prendre, se mordre, se soulever le corps en s'attisant à coups de langue, à coups de reins, seulement dans si peu d'espace ils avaient un mal à fou à se défaire de leurs vêtements, ils n'étaient pas libres de leurs gestes, mais cette entrave les excitait et décuplait le désir. C'est alors qu'Alexandre, aveuglé par la fougue, avait ouvert le hayon pour balancer dehors le gros carton bourré de tracts qui les privait d'espace, alors ils purent s'étendre et firent l'amour sur Talking Heads, tous deux électrisés par les rythmiques primitives, endiablés par les ritournelles des voix répétitives, une musique qui prenait comme une transe.

Alexandre se réveilla aux premières lueurs du jour, n'osant pas bouger de peur de réveiller Constanze. À huit heures elle dormait encore, la tête emmitouflée dans cet amalgame de pulls et de sacs qui leur avait servi d'oreillers. Il regarda son corps long et fin. Elle était accrochée à lui, s'il faisait le moindre geste il l'éveillerait, d'autant qu'il faisait froid. S'il se détachait d'elle il la sortirait de son sommeil. La pluie n'avait pas cessé, elle était douce maintenant, Alexandre la voyait comme une alliée, c'était une de ces pluies de printemps qui abreuvent le végétal en pleine pousse, une de ces pluies dont se gorgent les plantes et qui profitent instantanément au blé, à la luzerne et aux prairies. Alexandre se doutait qu'en ce moment même ses parents devaient la bénir, cette flotte, ils devaient dégager tous les écoulements vers les réserves d'eau et la citerne, mais surtout ils devaient se demander où leur fils pouvait bien être, pourquoi il n'était pas rentré hier soir de son stage. Il savait qu'ils auraient la délicatesse de ne pas lui poser de questions quand il rentrerait, simplement ils lui feraient la gueule pendant tout le week-end.

Alexandre se redressa, sans le moindre à-coup, pour regarder dehors, et il découvrit le carton qu'il avait largué, tellement détrempé qu'il en était tout avachi. Là-dedans, les milliers de tracts ne devaient plus faire qu'un bloc compact, une masse de feuilles agglomérées et dégoulinantes d'encre. À cet instant, Constanze ouvrit un œil. En suivant le regard d'Alexandre, ce fut comme si elle réalisait où ils étaient, comme si elle avait oublié tout cet espace totalement libre et dégagé autour d'eux. À son tour elle se redressa et aperçut alors le carton qui gisait là sur le flanc.

— Qu'est-ce qu'on a fait !

— L'amour.

Elle resta quelques secondes sur cette réponse, ne pouvant la nier... Cette nature dont elle se souciait tant, finalement c'était la première fois qu'elle communiait avec elle, et cette expérience inédite, elle la devait à ce garçon qui sentait bon les arbres. Alors qu'elle se laissait glisser encore un peu vers le sommeil, elle se ravisa et se releva d'un mouvement brusque.

— Mon Dieu, Alexandre, il faut que je téléphone !

— Quoi, là, maintenant ?

— Cette nuit j'ai pensé que...

— Que quoi ?

— Rien, il faut que je téléphone tout de suite.

— Mais Constanze, c'est pas possible, ou alors faudrait rouler jusqu'à une maison, trouver une ferme, je ne sais pas où...

— Non, non, il faut trouver une cabine, je ne peux pas téléphoner de chez quelqu'un.

— Mais à qui tu dois téléphoner ?

Constanze ne répondit pas, elle regarda le paysage tout autour, redécouvrant le petit bois, les collines qui semblaient courir comme ça jusqu'à l'Atlantique ou les Pyrénées, puis elle se rallongea doucement, les yeux fermés.

— Tu sais quoi, on ne bouge pas de là... On ne bouge plus jamais de là.

Alexandre savait qu'il aurait été malhonnête de lui dire oui, mais plus cruel encore de ne pas l'approuver. Soudainement, elle eut l'air affolée et tendue.

— Alexandre, ils me font peur.

— Qui ça ?

— Les autres, Anton, Xabi, tous...

— Pourquoi ?

— Je sens qu'ils vont faire quelque chose pour l'élection.

— Ah bon, et quoi ?

— En fait, je ne sais pas.

Alexandre redoutait de comprendre. De nouveau lui revint l'image de ces kilos de billes blanches qui l'avaient rapproché de Constanze, à un point tel qu'il se trouvait on ne peut plus près d'elle.

Cette fois, Constanze se releva pour de bon et dans le même élan sortit de la voiture, et là ce fut comme si elle s'était fait rattraper par une mission, elle devait vraiment aller téléphoner, mais d'abord il fallait s'occuper de ce carton, il était impensable de le laisser là en rase campagne.

— Alexandre, qu'est-ce qu'on va faire de tous ces tracts ?

— À mon avis, on ne peut ni les brûler, ni les noyer, encore moins les distribuer...

— Non, ne rigole pas, si on nous arrête avec ça...

Avant de lever le camp ils se démenèrent pour remonter le carton dans le coffre, manœuvre d'autant plus délicate qu'il était devenu mou, n'offrant pas la moindre prise et pesant dix fois plus lourd. Puis, sans plus attendre, ils repartirent le long du chemin, avec le carton inerte à l'arrière. Alexandre savait qu'avant de trouver une cabine il faudrait faire des kilomètres, peut-être monter jusqu'à Lauzerte. Pour peu que le temps se lève, de là-haut au moins, avec la vue panoramique au-delà des remparts, ce serait beau. Constanze avait maintenant autre chose en tête, leur balade avait changé de tonalité, mais il tenait encore à lui en mettre plein les yeux. En roulant il jeta un regard vers elle, elle n'était plus attentive au décor et semblait réquisitionnée par d'obscures pensées. Il aurait aimé lui prendre la main, lui sourire, mais il redoutait d'afficher la moindre attitude d'amoureux transi, il s'appliqua à n'avoir aucun geste vers elle, pas plus à lui passer la main sur la joue que, pire, lui faire un baiser. Il avait compris que cette fille était sauvage, qu'elle fuyait la moindre entrave, la liberté chez elle était comme ses longs cheveux blonds bouclés, on ne voyait que ça.

Sous la lourdeur de leur poids à tous deux, plus celui du carton, la 4L renâcla pour monter jusqu'à la place du village. Là-haut il y avait une église, deux cafés et une cabine téléphonique, mais elle était occupée par une vieille femme. Constanze se planta devant pour bien marquer qu'elle attendait. La mémé était en communication, elle parlait fort et faisait tout répéter. Alexandre s'installa au Café du Commerce et commanda deux grands crèmes. Pour les croissants il fallait aller à la boulangerie. Pour le journal c'était au tabac-maison de la presse de l'autre côté. Il posa les deux soucoupes sur les tasses pour garder le café au chaud et partit à la boulangerie. Constanze le suivit du regard, tandis que lui de son côté la regardait attendre, ils s'observaient comme deux amants éloignés. À la boulangerie tout sentait bon, il prit des croissants, deux brioches, dans le fond il ne savait pas ce qu'elle aimait. Quand il poussa la porte de la maison de la presse, le « gling » de la porte fit se retourner les trois clients qui étaient là à discuter devant la caisse. Il se dirigea vers le mur de journaux et se fit de nouveau rattraper par l'angoisse d'entendre parler de son nitrate, il consulta les journaux un à un, tous les titres disaient que le monde était une poudrière, le colonel Kadhafi tentait de coaliser les pays arabes pour protéger le Liban d'Israël, le président Reagan se remettait doucement de la tentative d'assassinat perpétrée par un fou de *Taxi Driver*, à Belfast un garçon de quinze ans était mort en recevant une balle de plastique tirée par les forces de l'ordre, en Italie, huit mois après les dizaines de morts de l'attentat de Bologne, la piste était remontée des Brigades rouges à la Loge P2. En France, quatre-vingts tombes du cimetière juif de Bagneux avaient été couvertes de graffitis antisémites, le vent resterait au nord et accentuerait le froid, demain à vingt heures pile, grâce à l'ordinateur CII Honeywell Bull, on aurait les résultats du premier tour de l'élection, trente-sept millions de Français auront voté mais à la seconde près on saurait tous les scores, et dans tout cela pas la moindre explosion dans les parages, rien sur Golfech, ni Agen, ni Toulouse, rien...

— Vous cherchez quoi, le résultat du tiercé ?

— Non, je regarde.

— Vous n'allez tout de même pas lire tous mes journaux sur place !

Pour éviter de se faire remarquer Alexandre acheta la demi-douzaine de titres qu'il venait de feuilleter, puis retourna au café. Le patron prit de lui-même l'initiative de redonner un coup de vapeur aux deux cafés crème afin de les réchauffer, son jet fit un boucan infernal. Sur la place, la situation n'avait pas bougé, Constance attendait toujours devant la cabine.

— Tenez, bien chaud ce sera meilleur.

— Merci.

— Dites, votre amie, elle peut venir téléphoner ici au comptoir si elle veut.

— Non, je crois qu'elle veut appeler l'étranger.

— Alors là, évidemment, c'est pas la même chose, mais attention, les pièces ça file vite. En même temps, ça dépend où elle veut appeler.

— Je ne sais pas, en Suisse je crois.

— Alors vous feriez mieux de lui porter son café, parce que avec la petite mère Cadelle, comme elle est sourde, ça peut durer...

— Je vous remercie, ça va aller.

Alexandre ouvrit les journaux mais le silence le gênait. Il avait la sensation que le patron derrière son bar épiait tout.

— Vous n'êtes pas d'ici ?

— Non, de Corrèze

— Pourtant votre voiture est immatriculée 46, c'est pas la Corrèze, ça ?

— Oui, mais c'est pas ma voiture.

Alexandre se félicita d'avoir embrouillé le patron. C'était aussi bien comme ça. À la campagne, dès qu'on fait vingt kilomètres, il y en a toujours un pour vous demander d'où vous venez, à vingt kilomètres de chez soi on est déjà un étranger.

La petite dame raccrocha enfin. Avant de sortir de la cabine elle ramassa tout un tas de pièces sur la tablette et les mit dans son sac en prenant tout son temps, Constanze lui succéda aussitôt. Alexandre la regarda faire. Il nota qu'avant d'engager l'index dans le cadran elle consultait son carnet d'adresses, c'est donc qu'elle n'appelait pas à l'appartement, mais un numéro peu habituel, il essaya de déceler dans son attitude quelque chose qui indiquerait de quel genre d'appel il s'agissait. Elle semblait nerveuse. Puis elle raccrocha, chercha de nouveau dans son carnet, refit le numéro ou un autre.

Alexandre replongea dans ses journaux, il éplucha les pages régionales de *La Dépêche*, une Renault 12 avait percuté un sanglier sur la départementale vers Montcuq, deux blessés légers, la photo montrait la voiture, pas les blessés ni le sanglier. Un train de marchandises avait heurté un camion sur un passage à niveau, sur la ligne Brive-Toulouse. Un camion-benne rempli de gravier s'était renversé dans la carrière vers Caylus, une épicerie ambulante avait été braquée à Villefranche. Le spectaculaire restait limité. En ouvrant *France-Soir* il tomba sur la photo d'une gigantesque explosion suivie d'un long article, une bombe de forte puissance avait sauté la veille à l'université de Berlin, les dégâts étaient considérables. Il se pétrifia en lisant ça, se demandant si de près ou de loin Anton pouvait y être lié. Sans arriver à se concentrer il saisit juste qu'un extrémiste proche de la Fraction Armée rouge avait fait une grève de la faim dans sa cellule, qu'on l'avait nourri de force et qu'il en serait mort. S'était ensuivie une semaine d'émeutes à Berlin-Ouest, des centaines de jeunes et d'antinucléaires venus des squats avaient manifesté sans relâche, ils étaient tous vêtus de noir et s'agglutinaient pour former un bloc noir, la presse les avait surnommés le *Schwarzer Block*, ils lançaient des cocktails Molotov dans les magasins et mettaient le feu aux banques, jusqu'à cette gigantesque bombe...

— Pas joli à voir, pas vrai ?

Alexandre sursauta. Le patron se tenait debout derrière lui. Alexandre referma le journal mais le patron continua de commenter, ça lui rappelait les émeutes à Brixton de la semaine dernière, un quartier de Londres transformé en Belfast pendant quatre jours, des centaines de blessés et des images de guerre dans la capitale de Mme Thatcher, et surtout la peur que tout Londres ne prenne feu...

— En ce moment ça pète de partout, ça va finir en révolution, je vous le dis, on ferait mieux de rappeler l'armée et de liquider tous ces voyous...

Alexandre n'osa pas répondre, le patron attendait qu'il l'approuve, mais il ne le fit pas. Le bonhomme retourna derrière son comptoir. Alexandre replia tous les journaux devant lui, il ne comprenait pas le sens de toute cette violence, de toute cette colère, de ce monde si différent du sien, ce monde juste là devant lui, à l'image de ce village avec les collines au loin. Tout s'entrechoquait. Il regarda la petite place dégagée, les maisons aux arcades voûtées, le village tranquille, dans cette campagne il était à l'abri, parce que la ville c'était bien le point commun de toutes ces violences, la ville c'est ce qui liait tous ces drames, Londres, Berlin, Bologne, Belfast, Washington, Beyrouth, Kaboul...

Constanze était toujours au téléphone. Elle lui paraissait soudain très loin, différente en tout point. Cette fille, il vaudrait mieux qu'il s'en détache. Qu'il la plante là. Le mieux ce serait de faire comme s'il ne l'avait jamais rencontrée. Sans le vouloir elle le ramenait à cette double page de *France-Soir*, à ces immeubles effondrés, ces émeutes dans ce

Berlin coupé en deux. Il n'y avait rien de bienfaisant dans tout cela. Par faiblesse il repensa aux Bertranges, à ses vaches, à ses prairies, aux grands-parents qu'il faudrait aider pour le maraîchage, aux huit veaux qui venaient de naître, sa place était là-bas, auprès d'eux. Jamais il n'aurait dû se fourrer dans cette histoire, tout cela ne le concernait pas.

Constanze referma nerveusement la porte de la cabine, elle se dirigea vers le café mais fit soudain demi-tour. Elle eut de nouveau du mal à ouvrir la porte vitrée, elle avait oublié quelque chose, puis elle revint vers lui. Ça se voyait tout de suite qu'elle n'était pas d'ici, à cause de sa blondeur déjà, et puis de sa façon d'être, de marcher.

— Dis donc, elle est belle la copine...

Alexandre se retourna, le patron essuyait distraitement ses verres derrière le bar tout en regardant dehors, lui aussi.

— Vous ne pourriez pas mettre la radio, ou de la musique, ou je ne sais pas quoi ?

— S'il n'y a que ça pour vous faire plaisir.

Le patron alluma son grand poste et tourna la molette, jusqu'à ce qu'il trouve une station qui diffusait de la musique, *Dancing Queen* d'Abba, une rengaine fiévreuse de boîte de nuit qui dans ce décor revêtait des airs de petit matin.

À voir le visage fermé de Constanze, Alexandre comprit qu'il devait se passer quelque chose, alors plutôt que de courir le risque que le patron entende leur conversation, il sortit la rejoindre, et là elle lui tomba dans les bras.

— Alexandre...

— Qu'est-ce qu'il y a ?

— Je ne peux pas rentrer à Toulouse...

— Qu'est-ce qui se passe ?

— Les flics sont venus à l'appartement, je suis sûr qu'ils cherchaient Anton et Xabi.

— Et Caroline, ça va ?

— Je ne sais pas.

— Mais c'est tout de même pas à cause des tracts ?

— Non, Alexandre, non.

Ils s'assirent tous deux à une des tables en terrasse. Constanze semblait soudain abattue, débordée par une lassitude, un besoin de se confier. Alexandre jeta un œil à l'intérieur, le patron trônait toujours derrière son bar, sans doute fâché de ne pas les entendre.

— Tu sais, moi, je ne veux pas d'histoires. Moi, tout ce que je veux c'est qu'il n'y ait pas de centrale, c'est tout... Mais leur violence, leurs bombes, tout ça j'en veux pas, ça nous fait du mal, tu comprends.

— Je comprends, Constanze.

— Non tu ne comprends pas, tu ne peux pas comprendre, ce qui les excite le plus c'est de provoquer, de provoquer pour attiser la haine, la haine des flics, la haine de l'État, en fait leur rêve c'est que tout s'embrase, mais pourquoi, pourquoi... La violence, Alexandre, j'en veux pas.

Il prit Constanze dans ses bras, il essaya de se montrer rassurant alors qu'en fait elle l'affolait, mais elle paraissait tellement démunie qu'il n'imaginait pas la planter là pour tourner le dos à ces embrouilles.

— Je comprends, Constanze. Je comprends même parfaitement.

— Alexandre, il faut absolument que je prenne l'air, là je ne peux pas retourner à l'appartement, tu ne veux pas m'emmener chez toi ?

— C'est que...

Il n'avait pas envisagé cela, il n'imaginait pas Constanze aux Bertranges, pas une seconde... Entre les regards des parents et les questions de ses petites sœurs, et Caroline qui risquerait de l'apprendre, c'était impensable.

— Alors ?

— Oui, oui si tu veux.

— Tu es sûr ?

— Pas de problème.

Quand ils rentrèrent dans le café, le patron eut le sentiment de voir un couple réconcilié, un tout jeune couple secoué par une crise passagère, rien de plus.

— Dites, si vous voulez je peux encore vous les réchauffer, les cafés.

Dimanche 26 avril 1981

Un dimanche électoral est un jour où l'indécision flotte, les heures semblent dilatées et le temps à l'état gazeux. Comme pour le jour de l'an, la nation entière est focalisée sur le même rendez-vous, vingt heures et zéro seconde, pour l'annonce des résultats. Aux Bertranges, l'atmosphère était encore plus irréelle qu'ailleurs. Avec cette longue fille blonde aux cheveux bouclés, l'attention revenait toujours sur elle. Sa seule présence rendait ce week-end exceptionnel, c'était bien elle l'attraction, mais aussi Alexandre, lui d'habitude si discret, lui qui ne disait jamais rien de sa vie et qui cachait toujours ses petites copines, voilà que non seulement il leur montrait à tous qu'il avait une amoureuse, mais en prime il avait débarqué avec elle sans prévenir, sans même vraiment dire combien de temps elle resterait. Ça paraissait fou.

Pour un dimanche le déjeuner n'avait rien d'exceptionnel, mais il l'était aux yeux de Constanze. Sur l'évier trônaient un grand saladier de pommes de terre vinaigrette et un autre de macédoine, alors que dans le four cuisait un gros poulet qui diffusait dans la maisonnée des arômes évoquant le croustillant.

— Les enfants, faut mettre la table !

On ne savait jamais à qui s'adressait l'instruction, c'est l'avantage des grandes fratries, chacun peut prendre l'ordre pour soi, ou se dire qu'il vaut pour les autres.

Alexandre entendit ses deux petites sœurs qui rivalisaient de zèle pour mettre les assiettes et les couverts. Avec Constanze ils faisaient un tour dans le jardin. Ils avaient passé la nuit dans la même chambre, Constanze n'avait vu là rien que de très normal, alors qu'Alexandre s'était senti salement gêné vis-à-vis de ses petites sœurs, de ses parents surtout. Il était d'autant plus embarrassé qu'il sentait poindre chez eux une forme de soulagement, l'intime satisfaction de se dire que leur fils avait enfin trouvé une femme, une fille qui, peut-être, serait prête à vivre là. Dès lors ce fils, plus rien ne le gênerait à l'idée de rester à la ferme, d'y faire sa vie, comme on l'avait toujours fait jusque-là.

Constanze voulut prolonger la balade en allant marcher le long des prés, Alexandre n'osa pas lui dire non, d'ailleurs il ne disait pas un mot. Son malaise venait aussi de tous les doutes qui le taraudaient, se répétant que si cette fille était là en ce moment même, c'était avant tout pour fuir des embrouilles à Toulouse. Pour se tenir à l'écart de la descente de police. Rien d'autre ne l'intéressait aux Bertranges probablement que l'assurance d'être planquée dans une ferme paumée au bout d'un chemin introuvable. Alexandre hésitait à lui faire part de ses doutes, à lui poser froidement la question, « Constanze, pour quelle vraie raison tu es là ? », il avait trop peur de la réponse, qui pourrait fracasser la magie de l'instant. C'était quelque chose tout de même de se balader le long des prés avec elle, de longer les haies vives reprises par le printemps, elle lui demandait sans arrêt le nom de ces buissons ou de ces herbes, de ces arbustes gorgés de pluie et de sève, pareil pour les oiseaux, et chaque fois il savait. Tout en marchant elle lui prit la main, il vit bien qu'elle ne faisait pas semblant, parce que sa main elle la serrait fort, comme si elle s'y agrippait. Dans ce décor elle s'étonnait de tout, ne connaissant rien aux arbres, ni aux plantes, ni aux chants d'oiseaux, elle avançait dans cette nature comme dans un monde inédit, découvrant tout avec l'air d'une enfant dans un monde enchanté. Contrairement à la veille elle n'était plus triste ni affolée, simplement elle se laissait embarquer dans une fabuleuse parenthèse, transportée par ce dimanche en lévitation.

— Alexandre, tu m'en veux ?

— De quoi ?

— Parce que je t'ai, comment on dit en français, je t'ai un peu forcé les mains…

— Non, *la* main, on dit forcer *la* main.

— Alors ?

Alexandre ne répondit pas, encore une fois. Au fond, il ne savait à quel genre de risques il s'exposait en l'hébergeant. Si les gendarmes de Toulouse se mettaient en tête de la retrouver, à coup sûr ils remonteraient jusqu'à la ferme et feraient le lien avec l'engrais. En apercevant la ferme de loin, cette solide matrice d'où toute la famille venait, Alexandre s'en voulut avant tout à lui, le premier à avoir triché dans cette histoire c'était bien lui.

Au déjeuner, plus encore que la veille au soir, l'atmosphère était étrange. Agathe et Vanessa semblaient toujours intimidées par cette jeune femme, cette adulte qui les dépassait en tout, d'autant que la lumineuse étrangère fascinait largement les parents. Avec cet accent qui amplifiait ses sourires, cette sorte d'aisance de fille affranchie, tout signifiait qu'elle arrivait d'une autre planète. Les parents la regardaient un peu comme une extraterrestre, déjà parce qu'elle était originaire de cette Allemagne improbable de l'autre côté du Mur, n'en revenant pas que sa mère et ses grands-parents vivent dans cette immense tache rouge qu'on voyait sur les mappemondes, le bloc soviétique dont on redoutait qu'il ne déborde un jour sur le monde libre, d'autant que depuis trois semaines l'Armée rouge se déchaînait en Afghanistan, les images étaient terribles, le rouge devenait plus que jamais inflammable. Avec cette fille, toute une réalité géopolitique prenait corps devant eux, ce monde à part existait donc bien, et même si Constanze n'avait aucun problème à parler de sa famille, elle se sentit rattrapée par un sentiment de honte, une culpabilité à décrire la réalité. Elle se crut même obligée de dire qu'elle pouvait voir sa mère quand elle le voulait, celle-ci travaillait pour l'équivalent de la SNCF est-allemande, et les gens de l'Est qui travaillaient dans les transports avaient accès à Berlin-Ouest, d'ailleurs elle-même, si elle le souhaitait, pourrait aller à l'Est dès demain et en ressortir, elle dédrama-tisait parce qu'elle se sentait un peu hon-teuse de venir de ce pays toxique... À ce bout de table, Constanze occupait tout l'es-pace. Sans le savoir elle avait pris la place de Caroline. Devant eux tous, elle faisait figure d'improbable apparition, d'aînée de substitution, seul Alexandre la voyait par moments comme un oiseau de malheur.

Au journal de 13 heures ils montrèrent les images des candidats en train de voter. Le président Giscard d'Estaing à Chanonat, petit village dans un repli du Puy-de-Dôme, Chirac au fin fond de la Corrèze, Debré avait rempli son devoir à Amboise, Crépeau à La Rochelle, puis d'autres à Poitiers ou ailleurs, Mitterrand, lui, était toujours attendu dans son coin perdu de la Nièvre, chacun puisait sa force au sein d'une terre d'origine, signe que la terre, c'était bien de là qu'un Président tirait sa force et sa légitimité, pour être élu il devait d'abord valider sa parcelle d'humanité faite de la même argile que le peuple, de la même terre. Plus les hommes politiques devenaient citadins, et plus ils prétendaient être de la campagne.

En ce moment même, partout sous le ciel nuageux se jouait l'avenir du pays. La France faisait son choix, dans les villes comme dans les campagnes les citoyens allaient à leur bureau de vote. Bulletin après bulletin, sans même s'en rendre compte, ils réorientaient le cours de l'Histoire en se lançant dans l'aventure du socialisme, peut-être même du communisme en votant Marchais, ou alors ils préféraient la sécurité en se rabattant sur le sortant, dans un premier tour tout est ouvert. À cette heure personne ne savait.

Même là, à table, on ressentait cette chimie étrange qui imprègne les dimanches d'élection et prend souvent la forme d'une mélancolie anticipée ou d'une confiance inquiète.

Dimanche 26 avril 1981

Quand Caroline téléphona à la toute fin du déjeuner, Alexandre eut un mal fou à leur faire respecter la consigne. Il ne voulait pas qu'on lui dise que Constanze était là, il craignait que sa sœur ne soit jalouse, qu'elle ne lui en veuille de ne pas lui avoir demandé la permission de sortir avec sa colocataire. Quant à Constanze, elle ne voulait pas qu'à Toulouse ils sachent où elle se trouvait. Pourtant les deux sœurs y allèrent bêtement de leurs cachotteries, jouant les mystérieuses, demandant à leur aînée si elle se doutait de la chose incroyable qui se passait ici, oui ici à la ferme... Mais à l'autre bout du fil Caroline n'écoutait pas vraiment, elle ne soupçonna rien, elle était bien trop fébrile et anxieuse, débordée par l'émotion partisane, et puis par autre chose, une tension qu'elle taisait, elle leur dit juste que depuis deux jours elle n'avait pas dormi à cause de certaines histoires à l'appartement.

En tout cas, pour l'instant, tout ce qu'elle attendait, c'était qu'il soit vingt heures pour enfin savoir.

Au moment du café, sur les coups de quatorze heures, le ciel fut pris d'une formidable éclaircie, un soleil franc dans un bleu neuf. Tout le monde se leva de table et se prépara à sortir. La mère se dirigea vers le jardin, les gamines la suivirent, en revanche le père dit qu'il fallait en profiter pour dégager l'arbre qui était tombé en bas sur le chemin du moulin. Alexandre sentit qu'il y avait là comme une instruction, alors il se rendit à la remise pour prendre la tronçonneuse. Constanze restait sur le pas de la porte sans savoir qui suivre, démunie comme jamais. Alexandre lut dans son regard un désarroi d'orpheline, celui d'une enfant seule sur le quai alors que le train vient de partir. Il se demanda si en fin de compte elle ne se cherchait pas une famille d'adoption, un environnement apaisé, fait d'êtres proches, voilà peut-être ce qui lui manquait. Il lui fit signe de les rejoindre, le père et lui, et Constanze courut s'installer avec eux sur le tracteur.

Ils descendirent vers les prés par le petit chemin de terre. Ces secousses étonnantes, ça fit rire Constanze. Puis le père s'occupa de l'arbre en jouant de la tronçonneuse, il laissa Alexandre changer les bêtes de pré. Constanze découvrit ce bruit de faux que font les vaches quand, d'un coup de langue, elles cisaillent une herbe bien longue, fauchant les tiges juteuses, c'était puissant et fauve comme bruit. D'un bout de bois mort elle improvisa un bâton et avec Alexandre ils menèrent le troupeau vers la prairie au-dessus. Les petits veaux semblaient doux comme des peluches, Constanze n'osait pas les approcher à cause des regards que lui lançaient les mères, Alexandre l'aida à en caresser un, puis un autre, elle avait envie de les prendre dans ses bras, ils avaient de longs cils émouvants sur de grands yeux étonnés. Jamais elle n'avait tenu un gros animal comme ça dans ses bras, c'était inédit et câlin. Elle se releva et ferma les yeux pour inspirer l'air à pleins poumons. Alexandre la regarda faire, émerveillé par la façon dont son corsage se tendait sur ses seins.

— Tu sais, cette prairie-là, si tu reviens dans deux mois, elle sera envahie par le parfum de la menthe fraîche, elle sera couverte de millions de petites fleurs de menthe sauvage…

— Vraiment ?

— Oui, l'été tout le coteau est recouvert de millions de fleurs bleues, quand tu marches dedans c'est comme flotter dans un océan de menthe fraîche…

— Je ne te crois pas.

— Reviens en juillet, tu verras…

Alexandre contempla la prairie bien dense, au moins là-dessus il avait bonne conscience, de son ammonitrate il avait fait bon usage. Et si Anton et les autres s'en servaient pour fabriquer des bombes, lui l'avait épandu sur ces champs de trèfle et de ray-grass, leur apportant ce qu'il faut d'azote à la sortie de l'hiver pour bien lancer la repousse. Comme en plus le mois de mars avait été chaud, avril un peu froid mais sans trop de vent, le tout avec beaucoup de pluie, l'herbe était juteuse comme jamais, et le trèfle bien sucré.

Constanze était surprise de le voir couper ces tiges et mordiller dedans, il lui apprit que toutes les herbes ne se ressemblent pas, mais celle-là était excellente, il y aurait de quoi en nourrir les vaches sans trop ajouter de maïs, ils n'étaient pas de ces éleveurs qui gavent leurs bêtes de protéines comme les haltérophiles des Jeux de Moscou ou Arnold Schwarzenegger.

Constanze vivait une sorte de journée inimaginable, et pourtant elle parlait maintenant de rentrer, ce soir elle devait retourner à Toulouse, elle n'en pouvait plus de ne pas savoir ce qui s'était passé exactement, elle avait peur pour eux, Anton, Xabi, Gerhard et les autres, elle avait peur pour elle surtout.

À dix-sept heures tout le monde se retrouva à la maison. Les gamines prirent leur goûter, elles trempaient des Pailles d'or dans un Nesquik froid, on allait vers les beaux jours. Constanze jeta de nouveau un œil à ce téléphone bien trop en évidence, elle devait vraiment rentrer. Les parents tannèrent Alexandre pour qu'il la ramène avec la GS à Toulouse, à leurs yeux elle était déjà aussi précieuse qu'une belle-fille. Mais Constanze voulait rentrer en train, sans le dire elle savait que c'était plus prudent pour lui. Avant de partir pour la gare de Gourdon, ils regardèrent les horaires sur l'indicateur de la SNCF, sans se rendre compte que c'était celui de l'hiver dernier. Ce n'est qu'une fois sur place qu'ils comprirent que le train de 18 h 56 n'existait pas, depuis Pâques il partait à 19 h 27. Il n'y avait pas de bistrot ni de buvette, rien, alors ils attendirent dans la voiture devant la gare déserte.

Constanze profita de ce temps mort pour lui dire que ces trois jours lui avaient fait un bien fou, pendant trois jours elle s'était sentie légère, comme portée, entourée d'êtres simples, clairs, pas tordus. Alexandre chercha à lire dans ses yeux ce qu'elle voulait dire vraiment. Naïvement il attendait qu'elle lui fasse une déclaration, à moins que ce n'ait été à lui de s'y risquer. Mais cela ne se pouvait pas. Constanze n'aborda pas le sujet, alors il s'efforça de faire de même. S'il évoquait l'idée de se revoir, de parler déjà du week-end prochain, il sentait que ça l'effaroucherait. Elle était bien trop libre pour s'attacher à qui que ce soit. Pourtant c'est elle qui s'approcha de lui, une nouvelle fois elle posa sa tête sur son épaule. Alexandre affecta d'être fort, de ne pas paraître atteint ni déçu de la voir partir.

Tandis qu'ils marchaient vers le quai 2, il parvint à consolider sa froideur, après tout elle avait eu ce qu'elle voulait, venir à la ferme pour fuir Toulouse, se planquer le temps que l'orage passe.

— Alexandre, tu as l'air loin…

La vieille micheline rouge entra en gare dans un grand fracas. Une fois à l'arrêt, le moteur thermique de l'autorail faisait toujours autant de bruit et il dégagea une fumée chaude, bien sale. Constanze monta sur la première marche du wagon, puis elle se retourna vers Alexandre comme si elle avait d'un coup plein de choses à lui dire.

— Quand je verrai Caroline, je serai obligée de lui dire que je suis venue…

— Non, si ce n'est pas moi qui le lui dis, elle va me prendre la tête pendant des mois, elle ne supportera pas que je ne l'aie pas mise au courant avant tout le monde, Caroline, elle est comme ça.

— Mais, Alexandre, un secret c'est impossible à garder, et puis de toute façon, c'est pas un secret, il n'y a rien de mal à se voir, pas vrai ?

Le chef de gare réceptionnait des cartons que lui apportait le machiniste, ils discutaient tous deux et n'avaient pas l'air d'accord. Constanze redescendit sur le quai, elle s'approcha d'Alexandre, essaya de parler bas, malgré le boucan et le fait qu'il n'y ait personne autour d'eux, personne dans ce train, elle veilla à ne pas hausser la voix.

— Alexandre, il faut absolument qu'elle sache que je suis venue à la ferme, il faut que tout le monde le sache.

— Mais pourquoi ?

— Pour toi, Alexandre. S'il y a une enquête, les flics remonteront jusqu'à la ferme, et comme tout le monde saura qu'on sort ensemble, les flics penseront que c'est moi qui t'ai volé l'engrais, tu comprends, s'ils remontent jusqu'à la ferme ils remonteront jusqu'à moi, tu comprends...

Alexandre en était foudroyé, découvrant qu'elle était aussi au courant pour l'engrais. Elle le prit dans ses bras, emportée par un élan de bienveillance autant que d'amour. Il était sonné par ce qu'il venait d'entendre. Si ça se trouve elle savait tout depuis le début. Cette bande-là, c'était un repaire de grands cachotiers. Il plongea sa tête dans ses boucles blondes pour étouffer toute question, il sentait bien que cette fille n'avait rien à faire avec lui, mais ce fut plus fort que lui...

— Le week-end prochain, Caroline sera là. Mais dans quinze jours c'est le deuxième tour de l'élection, elle sera à Toulouse, alors toi, tu pourrais venir, tu ne crois pas ?

Sans relâcher son étreinte, Constanze lui glissa juste un oui.

— Oui...

— Tu m'appelles ?

— Promis...

Un coup de sifflet strident les détacha. Alexandre jeta un œil au chef de gare, ça n'avait pas de sens de siffler si fort, ou alors il l'avait fait exprès pour leur faire peur. La micheline poussa le moteur, crachant encore plus de fumée, Constanze agita la main en disant quelque chose, peut-être à bientôt, ou le contraire. Il réalisa avec effroi que le seul numéro où il pourrait la joindre, c'était le même que celui de sa sœur, il ne savait même pas le nom de son père, ni de sa mère, encore moins leur adresse, en dehors de l'appartement il ne savait absolument pas où la joindre. Dès lors il serait suspendu à son coup de fil à elle.

Samedi 9 mai 1981

Dans cette famille tout le monde était toujours fourré dehors, et pour quiconque attendait un coup de fil, ça virait au cauchemar. Sans personne à la ferme il n'y avait aucun moyen de savoir si le téléphone avait retenti ou pas, pas plus qu'on ne pouvait compter sur qui que ce soit pour prendre un message. Quand le téléphone sonnait dans le vide, seuls les chiens devaient l'entendre, les chats et les poules aussi. La seule solution c'était de rester dans le périmètre de la cour, pas trop éloigné du crapaud gris, sinon impossible de savoir si on cherchait à vous joindre.

Ce matin-là, les gamines étaient allées préparer leur spectacle de théâtre chez les Martel, quant au père et à la mère ils étaient partis à la coopérative, après quoi ils iraient faire les courses chez Mammouth, puis ils passeraient chez les anciens en bas, histoire de leur rapporter tout ce que la grand-mère avait mis sur sa liste. Si bien qu'Alexandre était seul sur tout le domaine. Avec le tracteur il remontait tous les quarts d'heure à la maison pour tendre une oreille. Il traitait le maïs dans la grande parcelle du bas et revenait chaque fois avec son tracteur attelé. À plusieurs reprises, de loin, il crut entendre sonner. Avec le moteur qui tournait et à plus de deux kilomètres de la ferme, il avait la très nette sensation de percevoir des sonneries mais, arrivé à la maison, il n'y avait plus rien. Une fois il alla même jusque dans le couloir, il décrocha pour voir si le téléphone marchait toujours, démêla le cordon en spirale enroulé sur lui-même. Quand le fil fut bien remis, il posa la main sur la boîte de bakélite inerte, convaincu que le téléphone avait effectivement retenti tout à l'heure et qu'il allait résonner subitement.

Constance lui avait laissé entendre qu'elle reviendrait ce week-end, qu'elle l'appellerait. Alexandre était d'autant plus nerveux qu'il profitait de ce samedi pour traiter le maïs afin de garder son dimanche de libre. Les pousses de maïs étaient pleines de liseron par endroits, cette fleur que Constance avait trouvée jolie et sauvage, le terme même de *mauvaises herbes* l'avait ravie, *mauvaise herbe*, ça lui semblait charmant, alors qu'on en était envahi. Alexandre avait pourtant traité tout de suite après les semis, mais les pluies avaient entraîné l'herbicide vers le fond. S'il ne réagissait pas tout de suite, le liseron prendrait le dessus, s'y ajouteraient les chardons et les fétuques et le tout aurait vite fait d'étouffer les jeunes plants. Dans le temps les herbicides étaient lourds, ils restaient au sol pendant des semaines et pouvaient même endurer dix pluies, ils éliminaient les mauvaises herbes en les grillant jusqu'au bout des racines, alors que les herbicides de maintenant ne s'attaquaient qu'aux feuilles, à la première pluie ils étaient évacués. C'est ce qu'il avait dit à Constanze, mais ça ne l'avait qu'à peine rassurée.

Alexandre se servit un grand verre de sirop d'orange dilué avec de l'eau du robinet. En ressortant il jeta un œil aux trois chiens allongés dans la cour, ils avaient l'air maussade, comme s'il faisait lourd.

— Vous pouvez pas me dire si ça a sonné ou pas ?

Les chiens dressèrent la tête, comprenant bien qu'Alexandre leur demandait quelque chose, sans saisir l'instruction, alors ils reposèrent leur museau sur leurs pattes pour replonger dans leur rêverie. Alexandre remonta sur le tracteur en rageant. Dans le fond le père Crayssac avait raison, le téléphone était une invention maléfique, une vraie calamité, soit on en était réduit à attendre qu'il sonne, soit on craignait de manquer les sonneries.

Il s'efforça de rester concentré sur sa tâche. Un temps il hésita à retourner à la ferme et à faire le numéro de l'appartement de Toulouse, mais il avait bien trop peur de tomber sur Caroline. Que n'importe qui d'autre décroche ne l'aurait pas gêné, mais devoir demander à Caroline qu'elle lui passe Constanze, ce n'était pas pensable.

Attendre un coup de fil de Constanze, en fait, c'était recréer un peu de sa présence. Se dire qu'elle allait venir, c'est comme si elle avait déjà été là. La seule chose qui l'effrayait, c'était de ne jamais la revoir, ce serait comme d'avoir entendu une chanson à la radio, une chanson envoûtante et magnifique, et de ne jamais pouvoir en retrouver le titre, de n'avoir aucun moyen de la réécouter un jour. Depuis qu'elle était venue ici, il la sentait présente partout, tout lui faisait penser à elle, ce décor, ces paysages, cet environnement, qui en fin de compte lui ressemblaient. Il avait le sentiment de la retrouver dans cette campagne qui l'avait enchantée, parce que cette nature était à son image, sauvage, lointaine, tout ce décor à présent lui parlait d'elle, au point que par moments il sentait son parfum, son patchouli léger lui revenait en tête, par séquence. Il accéléra pour terminer de traiter, à près de vingt kilomètres-heure, convaincu que là-haut ça allait enfin sonner. Une fois il crut même la voir de l'autre côté de la haie, comme si elle pouvait lui faire ce genre de surprise. Sans qu'il s'en rende compte, les autres rentrèrent un à un à la ferme, d'abord les sœurs puis les parents, seuls les chiens savaient si ce foutu téléphone avait vraiment sonné ou pas.

En arrivant à la ferme, Alexandre remarqua combien ils étaient tous obnubilés par cette élection, les gamines n'étaient pas en âge de voter, mais elles demandaient à quelle heure on irait demain à la mairie, elles voulaient déposer les bulletins dans l'urne. Alexandre demeurait prudent sur le sujet. Demain il ne bougerait pas de la maison, tant que la bakélite n'aurait pas retenti il resterait là. À part ça, il voulait que Mitterrand soit élu, qu'on en finisse avec ces histoires de centrale nucléaire, de Larzac et tout le toutim, au moins pour lui tout serait plus simple. Mitterrand avait promis de remettre le dossier du nucléaire sur la table, en bon représentant du monde des ouvriers il redonnerait du travail aux mineurs de Decazeville et d'ailleurs. Là-dessus les parents n'étaient pas d'accord, les mines de charbon n'étaient pas le problème, pour eux il fallait que Giscard repasse pour faire barrage aux rouges, surtout que Marchais laissait entendre que les communistes avaient reçu de solides garanties de la part du socialiste. Avec 20 % de votes en leur faveur au premier tour, ils étaient devenus les faiseurs de roi. Déjà des rumeurs annonçaient l'effondrement du franc, la fermeture des frontières et que les chars russes manœuvraient dans les pays de l'Est. Quant à cette histoire des diamants de Bokassa, c'était un complot du KGB pour dégommer Giscard, pas de doute que, dans l'ombre, des communistes faisaient tout pour que la France vire au rouge, signe que les cocos menaient le monde.

— Dis-toi bien que voter Mitterrand, c'est faire rentrer des hurluberlus comme Crayssac au gouvernement, t'imagines ces gens-là au pouvoir, les Américains vont bien se marrer !

Alexandre n'entra pas dans la polémique mais il n'avait plus le choix. Il fallait absolument que Mitterrand passe pour qu'Anton, Gerhard, Xabi et toute la bande arrêtent leurs conneries, il fallait que Mitterrand soit élu pour qu'on arrête Golfech et tous les autres projets de centrales nucléaires. Qu'importe si cette victoire était due aux révélations sur les diamants de Bokassa, qu'importe si cette fable aux accents coloniaux était vraie ou pas, il est des matchs qui se gagnent grâce à un but marqué de la main.

Dimanche 10 mai 1981

Constanze n'avait pas appelé. Il n'était pas vingt heures mais, à voir la mine grave d'Elkabbach et le rictus indéchiffrable d'Étienne Mougeotte, les parents, comprirent que quelque chose d'important allait se passer. Ces deux journalistes-là savaient, ça se voyait que là-haut à Paris ils connaissaient déjà le résultat, d'ailleurs elle était insupportable cette façon qu'ils avaient de bien montrer qu'eux, à Paris, ils savaient déjà des choses, ils les savaient même sans doute depuis plusieurs heures, peut-être même depuis midi, mais ils faisaient semblant de ne pas être au courant, alors qu'à la campagne il fallait attendre que la grande horloge carillonne huit coups pour le connaître, ce résultat, et cette supériorité-là était révoltante. Alexandre le guettait plus que tout le monde, car dès qu'ils le donneraient il passerait un coup de fil à l'appartement pour savoir comment ça se passait là-bas.

Juste avant vingt heures, le silence se fit sur le plateau, et là il y eut un décompte comme pour les fusées de cap Canaveral. Ensuite le sommet d'un crâne commença de se dessiner comme sur l'écran d'un Minitel, une calvitie qui pouvait tout aussi bien être de gauche que de droite, pendant deux secondes la France resta le cul entre deux chauves, et finalement c'est le visage de François Mitterrand qui apparut, constitué de milliers de petits points électroniques, bleus, blancs, rouges. Dans la maison, tout comme à la télé, il y eut un blanc. Un silence. Puis très vite l'image bascula sur une caméra qui devait être en direct rue de Solférino, et là, pour le père ce ne fut pas supportable de voir ça, cette ébriété qui collait à tous ces visages, des hilares encombrés de roses qui se mettaient à s'embrasser, se piquant sans doute avec les épines, s'étreignant en se faisant mal. Le père se leva pour éteindre la télé mais Vanessa et Agathe voulaient regarder, tout comme la mère d'ailleurs, qui disait qu'on n'en était plus à une catastrophe près. Le père referma la petite porte des commandes de la télé, comme s'il voulait en voler la clé, puis, de dépit, il baissa juste le son et sortit dans la cour. Alexandre, plutôt que de s'intéresser aux images des militants en liesse, guettait plus que jamais le téléphone, se disant que cette victoire de Mitterrand c'était le prétexte idéal pour appeler à Toulouse, savoir comment ils vivaient leur triomphe là-bas, il appellerait Caroline dans l'espoir que ce soit Constanze qui décroche.

— On appelle Caroline ?

— Pour quoi faire ? dit la mère.

— Depuis le temps qu'elle attendait ça, ils doivent faire une sacrée fête...

— Justement, laisse-la tranquille.

— Allez, maman, ne fais pas la tête, dis-toi que c'est la victoire de la jeunesse, et la jeunesse c'est l'avenir, pas vrai !

La mère ne répondit pas, trouvant curieux que le candidat le plus âgé de tous soit celui qui ait la faveur des jeunes, que l'idée du progrès ce soit donc d'élire un président qui avait lui-même dépassé l'âge de la retraite. Cette histoire était incompréhensible, et surtout elle se demandait ce que ça donnerait au niveau de l'Europe, des aides, du cours des bovins et du prix des machines, parce que les semoirs étaient bien vieux, bougrement rouillés par endroits, et qu'il faudrait faire des travaux dans les bâtiments pour les mises aux normes, et que la gauche mènerait l'agriculture vers la planification, peut-être même la collectivisation des terres, en tant que communiste historique Crayssac, demain, aurait plus grand qu'eux.

Alexandre avait déjà fait le numéro, mais personne ne décrocha. Alors il laissa sonner. Pris d'un doute il raccrocha pour refaire le numéro, cette fois ça sonna occupé. Au moins il y avait quelqu'un, il y avait même du monde, à distance il imaginait la fiesta qu'ils devaient faire là-bas. Il reposa le combiné pour rappeler, toujours occupé.

— Tu te doutes bien qu'ils sont dehors, regarde-moi ça, ma parole ils ont l'air heureux à Paris...

— Je te dis que ça sonne occupé. C'est donc qu'il y a quelqu'un.

— 52 %, c'est pas Dieu possible, ce vieux grigou qu'a toujours perdu les élections, c'est pas possible, c'est pas possible qu'il ait gagné maintenant qu'il est en retraite...

— Faut croire que si.

— Eh ben, demain ça va être l'émeute à la Caisse d'épargne.

Vanessa et Agathe s'étaient déjà lassées du spectacle des figures réjouies ou déconfites qui se succédaient, Jospin, Pasqua, Olivier Duhamel, elles voulaient voir autre chose mais il n'y avait rien, de toute façon la mère ne changerait pas de chaîne tant que Giscard n'aurait pas lui-même déclaré qu'il avait perdu. Rien n'était sûr encore. Alors les filles se replièrent dans leur chambre. La mère alla à la cuisine, non pas pour faire un café mais une fleur d'oranger, ce soir il fallait calmer tout le monde, et là le téléphone sonna. Alexandre se jeta dessus comme si Antenne 2 les appelait pour leur demander leur avis... C'était bien Caroline. Elle était folle de joie. Elle voulait parler au père, histoire de le chambrer un peu, Alexandre lui dit qu'il était sorti, alors elle voulut parler à la mère, mais Alexandre la coupa.

— Elle est occupée.

— Ah bon, et à quoi ?

— Elle fait de la fleur d'oranger.

— Pour papa ?

— Non, pour tout le monde...

— Ben dis donc, bonjour l'ambiance !

— Et vous là-bas, vous faites quoi ?

— On va prendre les vélos et sortir, tu te rends compte, c'est historique ce qui se passe là, c'est l'Histoire qu'on est en train de vivre, la gauche au pouvoir, tu te rends compte...

— Oui, c'est sûr. Et vous allez où ?

— Mais, Alexandre, je ne sais pas, au hasard, vers le Capitole sans doute, tout le monde sort ici, c'est la révolution, t'entends pas, ça klaxonne de partout, t'entends pas...

Caroline tendit le combiné vers la fenêtre ouverte, mais Alexandre n'entendit rien. Il jeta un œil par la fenêtre. Ici aussi il faisait encore jour, et dehors il n'y avait pas un bruit, les chiens n'aboyaient même pas, à la limite tout ce que l'on pouvait entendre c'était le son de la télé, cette atmosphère surexcitée qui gagnait Paris, sinon qu'à ce moment-là la caméra se plaça rue de Marignan au siège de Giscard, et là par contre ça semblait aussi calme qu'aux Bertranges...

— Dis-moi, Caroline, tout le monde est là ?

— Comment ça ?

— Je veux dire, t'es avec qui ?

— Bon, écoute, j'y vais, et rappelle à papa qu'il a perdu son pari, hein, promis...

— Attends, Caroline, je vous rejoins !

— Alexandre, je ne sais pas où on va, ça va être la fête dans toute la ville... Salut !

Alexandre fonça dans sa chambre, laissant la télé seule dans le salon. Il se changea à la va-vite, enleva son pull et enfila sa chemise aux manches ultracourtes, celle du poster de Bruce Springsteen, il prit aussi son blouson de cuir serré qui le faisait bien costaud, puis il passa par la cuisine pour tâter le terrain auprès de sa mère, histoire de voir s'il pouvait emprunter la GS.

— Attends, tu vas tout de même pas aller à Toulouse maintenant !

— Ben quoi, il y a une fête géante, Caroline m'a supplié de venir les rejoindre, une fête pareille, ça n'arrive pas tous les ans.

— Encore heureux !

— Alors, je peux prendre la GS ?

— Non, dans la GS il n'y a plus qu'un quart de réservoir, alors tu feras jamais l'aller-retour avec...

— OK, j'ai compris.

— Dis, tu vas bien rentrer ce soir, hein, tu fais pas comme l'autre fois...

S'il rentrerait ou pas, il ne le savait pas lui-même. Après tout, il était libre. Dans sa vie c'était lui le boss, un peu comme ici, dans ces champs, sur cette terre, sur tout ce territoire, ce soir il était le boss, mieux que Springsteen... Il fit le détour jusqu'au hangar pour prendre la 4L mais là il se fit surprendre par le père, assis sur le compresseur au fond, à fumer une énième gitane.

— Tu vas où ?

— À Toulouse.

— T'es de gauche, toi, maintenant ?

— Pourquoi pas. Et puis tu veux quoi, que je reste là à vous voir tous faire la gueule, à border les gamines parce que demain y a école ?

— Si vraiment tu veux boire des coups, t'as qu'à aller au Paradou, c'est moins loin et je suis sûr que ce soir va y avoir un paquet d'allumés pour faire tourner le bar.

— Je m'en fous de boire. Moi ce que je veux c'est voir du monde, je veux du bruit, je veux voir des gens, des rues pleines de gens, en ce moment c'est la fête partout en France, par millions ils font la fête, alors je veux pas passer à côté de ça !

230

— Et si les deux dernières vêlent cette nuit ?

— C'est des Salers, ça sortira tout seul.

— Le jour où ce sera toi le patron ici, faudra pas que tu t'amuses à faire des virées comme ça.

Dimanche 10 mai 1981

Alexandre roulait vite. Dans cette 4L, finalement, il se sentait pleinement lui-même, il y était bien mieux que dans la GS. Depuis qu'il y avait dormi avec Constanze, cette voiture était devenue inestimable. Depuis qu'ils y avaient fait l'amour en se tenant très fort l'un contre l'autre, depuis qu'ils s'étaient serrés pendant toute une nuit, une nuit à déjouer le froid et à parler comme jamais encore il n'avait parlé avec qui que ce soit, cette 4L c'était devenue un monde en soi, le seul vestige vraiment tangible de cet amour.

Il passa par Saint-Clair avant de redescendre dans la vallée pour rejoindre la nationale. Il y avait peu de monde ce soir-là sur la route. Les voitures dans l'autre sens lui faisaient des appels de phares et klaxonnaient tant et plus, même le Grand Chelem du XV de France n'avait pas soulevé autant de joie, un mois plus tôt. Dans les bois, les chevreuils et les sangliers devaient se demander pourquoi il y avait tant de coups de klaxon ce soir. C'était un soir étrange, chaque voiture semblait prise d'un besoin de communier. Pourtant Alexandre ne filait pas vers cette harmonie universelle, ce n'est pas vers cette humanité en liesse qu'il fonçait, mais vers une personne seulement.

Aux abords de Toulouse il y avait bien plus de voitures, une vague qui déferlait vers le centre-ville. Il se pauma en voulant longer le canal, se demandant s'il ne l'avait pas pris dans le mauvais sens, il avait toujours du mal à se repérer en ville. Puis il fut coincé dans un embouteillage alors qu'il se dirigeait du côté de la place de la Daurade, cette zone où Caroline et les autres allaient boire des coups le soir, traînant au bord de l'eau quand le temps était beau. Il ne faisait pas chaud mais peut-être que dans la folie du moment ils viendraient piquer une tête. Ça bouchonnait de plus en plus. Il décida de laisser sa voiture le long du quai pour être sûr de la retrouver plus tard. Il n'était pas à l'aise, toujours sur le point de se faire surprendre par ces véhicules qui surgissaient de partout. Il commençait son créneau sur un passage piétons, quand une bande de fêtards se mit à secouer la 4L comme le font les supporters de rugby, les soirs de finale. Ce coup-là il se sentit encore plus largué. Il leur fit des signes avec le pouce, feignant de participer à cette fiesta, pas d'autre choix que de se fondre dans cette encombrante gaîté, de la partager, alors que pour lui le seul vrai mérite de cette victoire c'était de propulser tout le monde dans les rues, et que Constanze y soit elle aussi. Dès lors il les regarda tous attentivement, guetta tous les visages, il savait pertinemment qu'elle était dehors, quelque part par là. Sa stratégie, c'était de longer le bord du fleuve depuis la Daurade, il le fit deux fois, mais comme il ne la trouvait pas, ni même sa sœur ou qui que ce soit du groupe, il s'enfonça dans les petites rues. Il suivit le mouvement. Tous ces vainqueurs semblaient avoir en tête de se rassembler dans le centre, au Capitole. Tous ces sourires, ces cris, cette effusion de joie le dépassaient complètement, des « Mitterrand président » et des « On a gagné, on a gagné » fusaient de toutes parts, les bars mettaient de la musique et il y avait des musiciens qui jouaient dans les rues. Alexandre ne manqua aucune de toutes ces silhouettes, de tous il était le plus concentré, le plus présent à l'Histoire, contrairement aux autres il n'était pas grisé par l'alcool ni par l'euphorie, encore moins par l'esprit de revanche, non, lui au milieu de tout ça il était calme, focalisé sur un seul projet, tout voir de tous ces visages. D'avance, il essaya de se figurer l'émotion incroyable que ce serait de tomber sur elle, là, de la repérer d'abord de loin, de son côté elle l'aurait repéré au même moment, alors ils marcheraient l'un vers l'autre et s'étreindraient, à partir de là ce serait la fête, vraiment.

Cent fois il crut la voir, à la moindre blondeur bouclée, à la moindre grande silhouette au pull soyeux, à la moindre odeur de patchouli. Ce serait tellement extraordinaire de réussir à se rejoindre dans ce grand désordre, il s'y préparait comme à un temps fort de sa vie, mille fois plus fort qu'une simple victoire présidentielle.

En passant devant un bar, il reconnut Patrice, celui qui traînait souvent à l'appartement, visiblement il était seul, accoudé au bar au milieu de plein d'inconnus plutôt alcoolisés.

— Patrice, ça va ?

— Quoi ?

— Je suis Alexandre, le frangin de Caroline...

— J'sais bien.

— Eh ben, tu fais pas la fête ?

— Regarde-moi tous ces cons... Le grand bain de la démocratie, tu parles d'une arnaque !

— C'est clair. T'es tout seul ?

— Regarde-moi ces cons.

— J'imagine que t'as pas voté Mitterrand ?

— Voter, moi ? Faire mon petit pipi civique tous les sept ans, non mais tu m'as pris pour un larbin...

— D'accord, d'accord...

— C'est pas ça, la démocratie, faut rendre le pouvoir au peuple. Même s'il ne l'a encore jamais eu, faut lui rendre...

— En fait je m'en fous un peu de ces histoires.

— Toi t'es un mec bien !

— Dis-moi, ils sont où les autres ?

— Ah, je comprends mieux... C'est Faye Dunaway que tu cherches ?

Alexandre comprit que Patrice devait picoler depuis un bout de temps, il se contint pour ne pas réagir à sa remarque moqueuse.

— Alors, ils sont où les autres ?

Patrice se planta devant lui et tâta son blouson du bout des doigts, comme s'il l'évaluait.

— Mais dis donc, c'est du vrai cuir ! Toi, on sent que t'as vraiment peur d'avoir l'air d'un plouc, mais rêve pas, bonhomme, tu te la feras pas...

Alexandre prit une profonde inspiration, le torse bien moulé dans son blouson étroit, une deuxième peau calquée sur ses muscles, et là, dans un mouvement presque involontaire, il chopa Patrice par son K-way et colla son visage contre son pif.

— Tu sais, pauvre naze, j'ai jamais aimé ta tronche, et maintenant je sais pourquoi.

— Calmos !

Alexandre serra plus fort.

— Ils sont où, putain ?

— Eh oh, détends-toi...

Leur empoignade dans l'euphorie ambiante passa inaperçue, d'autant que Patrice était bien trop ivre pour avoir véritablement les jetons, en réalité ça l'aurait fait plutôt marrer de se retrouver pris dans une bagarre, histoire de casser l'ambiance, de foutre le bordel dans ce simulacre de fiesta généralisée. Seulement Alexandre lui serrait réellement le K-way contre la carotide, ce qui lui faisait mal.

— Ils sont où ?

— Je sais pas, vers le Capitole, ou dans le vieux rade espagnol avec les jambons au plafond, c'est là que ça fraternise.

Alexandre se précipita hors du bar et traça au milieu de la foule en liesse, il leur en voulait à tous d'être heureux. Autour de lui à présent il ne voyait plus que des nazes, des excités, une coalition de crédules égayés, cela dit ils semblaient tous liés par une forme très concrète de fraternité, dans cette belle communion il se savait déplacé, d'ailleurs il le lisait dans leurs regards, tous lui reprochaient sa quête égoïste qui l'amenait à ne chercher qu'une seule personne dans cette humanité épanouie, en ce jour qui changeait l'Histoire et dont tous se souviendraient, lui ne pensait à rien d'autre qu'à replonger dans les bras d'une fille. Tout de même, pourquoi elle n'avait pas appelé pendant ces deux semaines, pourquoi elle n'avait rien fait pour le revoir ou lui parler ?

Et là, il sentit une main se poser par-derrière sur son épaule.

— Dis, je t'ai branché avec ton blouson, excuse-moi, c'était juste pour te vanner... Maintenant si c'est Constanze que tu cherches, faudrait pas que tu te montes la tête...

— Qu'est-ce que tu veux dire ?

— Écoute, moi je suis hors jeu, mais à l'appart ta sœur a fait le ménage, après la descente de flics elle a viré tout le monde.

Alexandre fit le rapprochement avec la gueule que tirait Caroline, le week-end précédent. Dès qu'on lui parlait de l'appartement, de ses colocataires, elle changeait de sujet.

— Et alors ?

— J'ai pas l'habitude de dire aux autres ce qu'ils ont à faire, mais je pense que tu t'es foutu dans une sacrée merde. À ta place je ferais tout pour ne pas les revoir.

Alexandre était sonné par ce phrasé étonnamment humain et calme de Patrice.

— Crois-moi, n'essaie pas de les revoir. Ils vont mettre le paquet dans les jours qui viennent, Anton, Xabi et la bande du Mirail ils veulent tout fumer sur le chantier, paraît qu'ils ont préparé six bombes...

— Et Constanze ?

— T'inquiète pas pour elle. Elle, au moins, elle est sûre de pas être emmerdée.

— Et pourquoi ?

— Elle est repartie à Berlin.

Vendredi 24 décembre 1999

En regardant les billes d'engrais qui trempaient dans le gasoil, Alexandre repensa à cette soirée d'avril 1986. À l'époque ils avaient toujours l'affreux téléphone gris avec son long fil torsadé, et ce soir-là il était resté deux heures dans le couloir, d'abord penché au-dessus du guéridon, puis assis par terre, avant de carrément s'allonger sur le carrelage, écoutant si intensément la voix de Constanze que par moments il sentait son parfum. Finalement elle avait rappelé, mais cinq ans après. C'est bien grâce à l'explosion d'une centrale nucléaire qu'il avait enfin eu de ses nouvelles, c'est grâce à Tchernobyl qu'il avait retrouvé la trace de cet amour évanoui.

Sans cette catastrophe nucléaire dans l'Empire soviétique, elle n'aurait peut-être jamais rappelé, jamais repris contact avec lui. Sans l'errance de ce nuage radioactif au-dessus de l'Europe, et cette folle incertitude au sujet de la radioactivité qu'il répandait, il ne l'aurait peut-être jamais revue. Seulement, deux jours après la catastrophe, Constanze avait téléphoné, elle voulait s'assurer que tout allait bien pour lui, pour la campagne tout autour, elle voulait être sûre que les prairies, les arbres et surtout les fleurs de menthe sauvage étaient toujours bien là. Elle était surprise d'apprendre qu'en France on se croyait protégé du nuage radioactif, alors qu'en Allemagne et dans les pays nordiques, beaucoup cédaient à la panique et se ruaient sur les pastilles d'iode. Si en France on ne s'inquiétait de rien, là-bas on parlait de milliers de morts en URSS, ce nuage on le jugeait gravissime, il ne fallait pas sortir sous la pluie, ne pas emmener ses enfants dans les squares ni toucher aux salades, éviter tous les fruits et les légumes ramassés durant les trois derniers jours. Voilà les mots qu'Alexandre aura entendus d'elle après cinq années de silence, signe que depuis le début elle avait raison de se méfier du nucléaire, si ça se trouve les problèmes ne faisaient que commencer. Alors elle lui avait parlé de ce désir qui ne l'avait pas quittée, de vivre un jour à la campagne, elle en rêvait, en ces circonstances plus que jamais. Alexandre n'osait pas croire ce qu'il entendait, mais avant tout il n'en revenait pas de l'entendre, elle, de retrouver sa voix, il ne s'en lassait pas, il lui avait posé mille questions, et d'abord il voulait savoir où elle en était de ses études. Elle continuait la biologie et le droit, plus que jamais elle se flattait d'avoir fait ce choix, pour des raisons qu'elle ne pouvait pas lui dire par téléphone. C'est pourquoi elle avait envie qu'ils se revoient, au mois de juillet elle irait peut-être passer une semaine chez Anton, depuis sa sortie de prison il vivait sur le causse dans l'Aveyron. Après trois années de détention il se faisait oublier en prenant du recul chez des amis dans un repli du causse, il avait rejoint un de ces groupes de paysans hippies qui avaient fleuri en bordure du Larzac. Il s'était retranché là avec deux autres, dont Xabi, celui qui savait manier les explosifs.

Alexandre avait écouté Constanze lui raconter tout ça, il entendait sa voix à l'autre bout du fil, se demandant s'il rêvait. C'était d'un exotisme déboussolant.

Seulement, sans ce coup de fil de Constanze, il n'aurait pas retrouvé la trace d'Anton et de son artificier. Et s'il ne les avait jamais revus, ces deux-là, il n'en serait pas là ce soir, à déplacer des sacs d'engrais pour les mettre au plus près du réservoir de fuel, et à faire ce travail d'artificier pour que tout pète, comme Anton le lui avait montré.

1986

Jeudi 24 avril 1986

Alexandre était sorti pendant deux ans avec la fille Bardane, Isabelle, elle était pharmacienne et avait son âge. Ils se voyaient deux fois par semaine, avec l'idée de s'en limiter à ça, parce qu'elle tenait à vivre dans son deux-pièces en plein centre-ville de Cahors, alors que lui ne voulait pas bouger de la ferme. Isabelle n'avait pas le permis et avait peur de conduire, jamais elle n'aurait pu vivre à la campagne. Vivre comme ça, sans plus d'attente, lui allait bien. Si ce n'est qu'il avait eu cette aventure avec une Hollandaise du camping de Cénevières, à cause d'un mois d'août un peu chaud, et comme des amis de la fille Bardane étaient allés tout lui raconter, elle n'avait pas supporté l'affront. L'histoire en était restée là, dissipant tout projet d'enfant et le reste, tout ce dont ils n'avaient fait que parler. Les parents n'avaient pas compris qu'il se sépare de la pharmacienne, ce n'était pas rien comme situation.

En cinq ans Alexandre n'avait jamais eu de nouvelles de Constanze, mais pour lui le 24 avril restait un jour anniversaire, une célébration dont lui seul connaissait l'existence, la première nuit où ils avaient couché ensemble. Il se demandait si Constanze, où qu'elle soit, avait retenu cette date mais sans doute qu'elle l'avait complètement oubliée et qu'elle ne se souvenait même pas de leur histoire. Non seulement il n'avait jamais eu de ses nouvelles, mais il n'avait pas non plus trouvé de moyens d'en obtenir, sinon en tapant régulièrement son nom sur le clavier froid du Minitel. Depuis que cet engin était indispensable pour déclarer les naissances des bêtes et faire le suivi du cheptel, Alexandre pianotait tous les jours sur ce bijou de technologie. Entre le 3614 et le 3615 il obtenait même les cours des céréales sur un peu tous les marchés, le service Guillaume Tell donnait des prévisions météo incroyablement fiables et précises, ce qui changeait par rapport aux vastes zones indiquées à la télé. Tous les soirs il s'amusait à calculer les rations d'aliments ou les fumures, mais surtout il était attentif aux avertissements du service de protection des végétaux concernant les attaques de ravageurs ou les soucis sanitaires. Une messagerie permettait même d'entrer en contact avec des conseillers, ce qui rendait fou le père, lui ne supportait pas l'idée qu'on fasse appel à des « conseillers », ni qu'un Minitel lui dise comment élever les bêtes alors qu'ici on le faisait depuis toujours. Mais le plus miraculeux dans tout ça, ce qui justifiait qu'Alexandre passe des heures à pianoter sur l'appareil au point de l'avoir mis dans sa chambre, c'était l'annuaire. L'annuaire et sa fonction de Recherche, soit par le nom de famille, soit par le prénom. En six mois il avait tapé des centaines de fois Constanze Lindenberg dans la petite case, il avait exploré tous les départements disponibles. Bientôt il y aurait le monde entier. Pendant tout le temps qu'il consacrait à faire ses recherches, les autres pensaient qu'il travaillait vraiment. Pour tout résultat, jusque-là il n'avait obtenu que des rangées de Constance, mais aucune Constanze. Pour ce qui est du nom de famille il essayait avec Lindenberg, ou Lidenberg, il n'était pas sûr de l'orthographe précise, chaque fois il tombait sur ce message : « Il y a plus de 200 réponses à votre demande », alors il vérifiait chaque piste, c'était une quête à rendre fou. Ce qui le fascinait plus encore, c'étaient ces flopées de messageries de rencontre qui se mettaient en place, il s'y perdait parfois, tentant de la débusquer derrière des pseudos plus ou moins germaniques. Il se souvenait qu'elle lui avait dit que son nom voulait dire « le tilleul de la montagne », ou « la montagne aux tilleuls », ou « la montagne de tilleuls », si bien qu'il guettait des pseudos ressemblant à ça, sans jamais en trouver un seul, pas plus de Tilleul de la montagne, que de Montagne aux tilleuls, il en devenait dingue... En écumant ces pseudos, parfois il se laissait distraire par des intitulés alléchants, des filles qui cherchaient à faire une rencontre, ou pourquoi pas le grand amour, ne serait-ce que pour une nuit, tout cela lui donnait à voir une sorte de monde dont il était loin, un monde qui parlait le plus souvent de rendez-vous à Paris. Toutes ces débauches envisageables l'émoustillaient rudement, mais aussitôt il s'en voulait de dévoyer sa véritable quête, de trahir quelque chose de cet amour pour la vraie Constanze, celle qui ne le quittait pas. Le pire c'est que Vincent, le facteur d'en bas, un des piliers du Paradou, lui avait dit que les pseudos qui pullulaient sur le Minitel étaient des faux, en fait il s'agissait d'employés des PTT qui se faisaient passer pour des femmes, ou des hommes, en fonction de ce qu'ils devinaient des attentes de l'abonné. Le seul objectif de tout ça c'était de faire gonfler la facture. De toute façon Vincent voyait le mal partout, personne ne le croyait jamais.

Alexandre pressentait que sa recherche était vaine, Constanze n'était pas du genre à perdre son temps sur ces messageries et il y avait de fortes chances qu'elle ne soit pas revenue en France. Si elle vivait en

Allemagne ou ailleurs, il faudrait attendre que le Minitel ait conquis le monde pour la retrouver. D'autant que cette quête avait un coût, chaque fois que la facture de téléphone tombait, c'était source de conflits interminables dans la maisonnée, Alexandre prétextait que si elle était aussi élevée, c'est parce qu'il avait passé des heures sur les pages de La Redoute, tout ça pour remplir les commandes de collants, de blouses et de soutiens-gorge de sa mère et des grands-parents en bas, sans parler des séances à promener le curseur pour leur trouver le programme télé et les alertes concernant les orages et la grêle, Alexandre était le seul à se servir du Minitel, le seul à savoir le manier, si bien qu'il devait sans cesse satisfaire les demandes des uns et des autres, donner la date et l'heure de la prochaine averse, ou le contenu du nouvel épisode de *Dallas*, et tout ça avait un coût.

Sa grande crainte c'était que Constanze ne se soit mariée, auquel cas elle aurait changé de nom, à cause de cette infâme coutume qui débaptisait les femmes le jour de leur mariage, une coutume qui n'était destinée qu'à cela, à ce qu'un ancien amour ne puisse jamais retrouver celle qu'il avait aimée en la cherchant par son nom de jeune fille.

S'il n'arrivait pas à avoir de nouvelles de Constanze, c'était aussi parce que Caroline continuait de lui faire la gueule. Elle n'avait toujours pas digéré qu'il soit sorti avec sa colocataire, et qu'en plus il ait fricoté avec la bande des activistes, et tout ça dans son dos, sans jamais lui en parler. Maintenant, quand elle venait à la ferme, tous les deux s'en tenaient aux conversations pratiques et se faisaient froidement la bise. Les parents s'inquiétaient de les voir fâchés, tout en sachant qu'il en va ainsi dans toute fratrie. Angèle elle-même était en froid avec ses sœurs. Une fois qu'on est passé dans l'âge adulte, les liens familiaux se distendent, entre frères et sœurs ça peut même virer à la rancune ou à la colère, aux empoignades, chez les Fabrier on n'en était pas encore là.

Ce qui révoltait le plus Caroline, en fait, dans tout ça, c'est qu'il ait pu s'acoquiner avec cette bande proche de l'Allemande. Après la descente de police les langues s'étaient déliées à l'appartement, les autres l'avaient mise au courant de cette histoire d'engrais, sous-entendant que son frère avait fourni des explosifs à ces extrémistes, ce qui l'avait rendue folle de rage, elle s'était même juré de lui foutre sa main dans la gueule à ce frère. De tout ça Alexandre et elle ne s'en étaient parlé qu'une seule fois mais méchamment. En tout cas il n'avait plus jamais foutu les pieds à l'appartement, elle lui avait même interdit de fréquenter le moindre de ses amis, y compris ses lointaines connaissances.

En juin 1981, trois semaines après la descente de police, les gendarmes étaient effectivement venus à la ferme. Des fermes ils en avaient visité des dizaines. À chaque fois ils trouvaient des sacs d'engrais, mais tout le monde en utilisait dans les campagnes, ils n'avaient jamais vraiment pu remonter le fil. Certaines de leurs questions avaient bien tourné autour de cette étudiante allemande liée à des activistes radicaux, le dossier était lourd car le soir du 10 mai 1981 une douzaine d'engins de chantier, à Golfech, avaient sauté, des bulldozers et des camions, d'énormes scrapers de terrassement. Tout cela n'avait pas empêché les travaux de reprendre. Le débat sur le nucléaire s'était ouvert à l'Assemblée nationale, mais les fringants députés de la vague rose s'étaient largement prononcés pour la poursuite du programme. De son côté le conseil régional avait tout fait pour que la centrale sorte de terre le plus tôt possible, si bien que les attentats suivants avaient non plus ciblé la zone de travaux trop protégée, mais carrément les locaux du parti socialiste. Pendant six mois la tension avait continué de monter autour de Golfech, petite ville rurale de six cents habitants. La journée, des engins géants massacraient la terre et arasaient les reliefs, et la nuit des centaines de gardes mobiles et des vigiles surveillaient le site avec des chiens, le tout encadré par des kilomètres de barbelés et des barrières anti-chars comme à Berlin. Dans cette campagne verdoyante, le chantier de Golfech était un véritable cancer. Les manifestations et les opérations commando s'étaient succédé jusqu'à la folle nuit du 29 novembre 1981 où une véritable bataille rangée avait éclaté, plus de huit mille manifestants venus d'un peu partout avaient balancé des bordées de cocktails Molotov sur les forces de l'ordre et mis le feu à la gendarmerie, à ces faits d'armes s'étaient ajoutés des actions bien préparées, des sabotages de pylônes et d'installations électriques qui avaient plongé la région dans le noir, plus personne ne s'y retrouvait dans ce cauchemar imprégné de poudre et de grenades au chlore, les brasiers prenaient de partout, la lutte était intense, des chiens hurlaient dans des voitures en feu, là pour le coup ce n'était plus une nuit bleue mais une nuit de feu... Mais le plus fou, c'est que dans ce tunnel de ténèbres une armée de l'ombre s'était soulevée, celle des habitants excédés et des partisans de la centrale, des tas de gars armés de haches et de manches de pioche qui d'un coup avaient épaulé les gendarmes et commencé d'eux-mêmes à tabasser les manifestants, une nuit d'apocalypse où tout le monde était allé beaucoup trop loin.

Cinq ans après on en était là. Le plus gros du bâti était fait, et le premier réacteur serait mis en service dans une poignée d'années. En marquant une pause rêveuse, Alexandre repensa à toute cette histoire qui avait saboté la sienne, son amour avait été dynamité par le nucléaire, alors il célébrait à sa façon le 24 avril. Ce jour-là, pour marquer le coup, il ne faisait rien d'autre que regarder ce paysage un peu plus longuement que d'habitude, il détaillait la rivière bordée d'arbres qui serpentait entre les prés, il suivait des yeux le petit chemin qui épousait les coteaux, tout un tableau fait de vert, de ciel et d'eau qui avait fasciné Constanze. Il revoyait l'émerveillement qu'il avait lu dans son regard le jour où elle était venue ici, ce parfait éblouissement, il le gardait en lui. Le décor qui s'était reflété dans le regard bleu de la belle blonde était toujours là, face à lui, à croire que le regard de cette fille s'était imprimé sur ces arbres, cette rivière, ces prés, qu'il vivait toujours là. En regardant cette nature Alexandre retrouvait quelque chose de Constanze. Aujourd'hui encore, c'était au travers de ses yeux à elle qu'il envisageait ce paysage tout simple de vallée, cette rivière bordée par les ormes, ces collines. À l'époque, Constanze s'était plantée là comme devant une toile de musée. Ce décor c'était elle, en tout cas il lui ressemblait, il inspirait la même liberté, la même simplicité originelle, la même fraîcheur. C'était beau ici. Sans Constanze, il ne l'aurait jamais réalisé. Si bien qu'elle ne le quittait jamais, parce qu'il y passait sa vie dans ces collines, il vivait plongé dans son regard, au cœur même de ce trésor qu'elle lui avait révélé.

Alexandre rêvassait en attendant que la tonne à eau se remplisse. Ce matin-là il pompait de l'eau dans la rivière, après quoi il en monterait dans les auges du haut, et le reste il le garderait pour le pulvérisateur. On était fin avril, mais l'eau était glaciale. Dans la matinée, il devrait aller traiter les pommes de terre du grand-père en bas avant qu'elles lèvent, ça lui éviterait de biner et de tout foutre en l'air comme l'année dernière. De toute façon, dès qu'il filait un coup de main à ses grands-parents ça se passait mal. D'autant que là, le vent se levait un peu, jusqu'ici il n'avait agité que les feuilles mais par moments maintenant les branches se mettaient à bouger, signe qu'il forcissait. Si Alexandre pulvérisait dans les courants d'air, ça en ferait encore des histoires. Ici l'usage des phytosanitaires était toujours source de conflit, soit le père disait qu'on n'en mettait pas assez, soit l'ancien disait qu'on en mettait trop, sachant que le coup d'après ce serait l'inverse. Par chance, pour désherber, le Roundup changeait un peu la donne, le Roundup on le pulvérisait, il agissait, et hop c'était fini. Ce produit-là agissait et se volatilisait, c'était magique. Au moins on ne risquait pas de le retrouver dans la rivière à la première pluie. Comme ça on aurait de nouveau des truites ou des écrevisses. Mais ce progrès-là avait un coût, là-dessus fallait être précis, plus que jamais être agriculteur supposait de savoir doser, au centilitre près, avec des pulvérisateurs au débit millimétré, tout cela devenait chirurgical.

Seul Crayssac jurait qu'il ne fallait surtout pas en user de ces chimies. Selon lui, rien ne valait la binette ou le fumier, un coup de labour à la rigueur. Tout le monde avait son idée sur le sujet, si bien que chaque fois qu'on se servait du pulvérisateur ça trouvait à redire de tous les côtés. Les campagnes sont ainsi faites, il y en a toujours qui s'opposent au progrès, se prévalant de vieux usages validés par les siècles, ces temps soi-disant bénis où les blés crevaient du charbon ou étaient bouffés par les charançons. Sans chercher à se faire sa propre religion là-dessus, Alexandre se fiait aux dizaines d'avis qu'il dénichait sur les forums du Minitel, au moins dans ces conversations-là il ne tombait pas sur de vieux paysans de l'avant-guerre qui se méfiaient de tout, au contraire, sur les forums, ça fourmillait de conseils et d'idées neuves, il y avait même lu que bien-tôt on produirait des larves capables d'aller bouffer les taupins ou les vers dans le maïs, les Soviétiques y travaillaient, histoire que les bestioles se détruisent entre elles, d'ici peu on sèmerait des graines de maïs dont l'insecticide serait déjà dedans. L'an 2000 se précisait, parce qu'un jour on planterait la graine en même temps que le traitement, au moins c'en serait fini de tous ces produits et ça mettrait fin à tout risque d'embrouilles entre les générations.

Quant à savoir ce qui se passerait quand les vaches ingéreraient ces graines intelligentes, peut-être que leur cuir refoulerait les mouches, si ça se trouve il n'y aurait plus de mouches, avec un peu d'imagination tout devenait possible. Crayssac n'avait peut-être pas tort. Ce monde, parfois, il lui faisait peur, à Alexandre.

Mardi 29 avril 1986

« L'hiver du siècle », ces derniers mois les journaux ne parlaient que de ça. Avril avait ramené la neige et des gelées pires qu'en février, partout le thermomètre était redescendu au-dessous de zéro et aux Bertranges la neige était tombée trois semaines après Pâques, avec du grésil et des vents glacials, c'était à n'y plus rien comprendre. Pour ce qui était de trouver des explications, les bulletins météo traçaient en bleu des grands courants d'air froid, à croire qu'une porte au ciel était restée grande ouverte et que le bon Dieu ou le diable ne la refermait pas. Le soir à la ferme tous regardaient vers l'ouest, observant dans quelles teintes le soleil se couchait. Pour peu d'avoir un horizon, depuis toujours on auscultait le couchant, sans trop d'illusions cependant. Ce ciel on croyait le déchiffrer, on prédisait de l'air froid face à des teintes rosées, en revanche si le soleil se couchait dans des teintes orangées on y voyait un signe de beau temps. Ce n'est jamais si évident. Le vieux baromètre fiché au mur n'avait jamais reçu autant de coups d'index, chacun tapotait dessus pour voir s'il revenait au beau. À la limite, les rhumatismes des anciens étaient bien plus parlants, mais depuis que Lucienne et Louis vivaient au bord de la rivière, des courbatures ils en avaient tout le temps.

Ce soir-là, Alexandre avait remis des bûches dans le grand poêle, il les surveillait pour contenir la braise. Une fois de plus Agathe traînait dans sa chambre, plus boudeuse que jamais. Quant au père il était dehors à réparer la porte de la grange, et la mère terminait de mixer une soupe à la cuisine avec cet énorme mixeur qui faisait un bruit de débroussailleuse. Comme souvent, Alexandre prit l'initiative de mettre la table avant qu'on le lui demande, si bien qu'il alluma la télé pile au moment du jingle du journal d'Antenne 2, toujours cette même musique de synthétiseur émise depuis un autre monde, des studios très loin d'ici. Chaque fois il goûtait ce petit dépaysement quotidien, seulement ce soir-là, dès l'annonce des titres, il y eut des mots glaçants dans la bouche du présentateur, des mots comme des coups de lame, « Accident nucléaire », « Deux mille morts », et surtout « L'URSS demande l'assistance de l'Allemagne et de la Suède... ». Entendre dire à la télé que cette URSS superpuissante demandait de l'aide aux nations ennemies était proprement inouï. Sans même oser prévenir les autres, Alexandre se posa devant le poste. Rien qu'à voir la tronche livide du présentateur on comprenait que quelque chose d'incroyablement grave était en train de se passer. Ce soir, il n'y avait aucune gaîté sur le visage de Claude Sérillon, aucun humour, aucun signe d'espoir. On ne l'avait jamais vu comme ça. Une centrale nucléaire avait donc explosé en URSS, on l'apprenait seulement mais ça faisait trois jours que le cœur du réacteur était hors de contrôle, depuis trois jours des milliers de tonnes d'eau radioactive n'en finissaient plus de bouillir et de se vaporiser en un nuage prêt à submerger l'Europe... C'étaient les Suédois qui venaient de lancer l'alerte, parce que ce nuage radioactif ils l'avaient au-dessus de leurs têtes, un nuage qui s'étalait jusqu'à la Finlande, au Danemark, et qui débordait maintenant sur la Tchécoslovaquie et l'Allemagne. Alexandre était tétanisé par l'idée qu'un nuage s'apprête à engloutir l'Allemagne, et peut-être même la ville, le quartier, l'intimité de Constanze. Si elle vivait bien toujours là-bas, ce nuage elle était en plein dedans en ce moment même.

Le présentateur avait parlé de milliers de morts, mais le plus obsédant c'était ce nuage orange qu'il désignait sur une mappemonde, un nuage certainement fatal, mortel, on ne savait pas, ou alors il n'osait pas le dire... Depuis plus de dix ans on vivait dans la hantise des pluies acides, si ce n'est que les pluies on pouvait au moins les voir, s'en protéger, alors qu'un nuage radioactif, ça ressemblait à quoi ? Pour Alexandre le choc était immense. Vivre loin de tout lui assurait depuis toujours de se tenir à distance de tous les maux du monde, aussi bien des attentats que des crises, des manifestations que des guerres, et même de ces grèves qui éclataient sans cesse en ville, au moins aux Bertranges on se savait protégé de tous les dérèglements, mais voilà que ce nuage remettait tout en cause, s'il se décidait à venir par ici, rien ne les en protégerait, pas même leur splendide isolement.

La mère et le père arrivèrent pour se mettre à table. Alexandre dut d'abord leur résumer la situation, l'explosion de la centrale nucléaire, le nuage radioactif, les deux mille morts annoncées à Tchernobyl, Tchernobyl, ça devint instantanément facile à prononcer, une ville jusque-là inconnue, dont on apprenait ce soir qu'elle existait. Mais déjà un correspondant d'Antenne 2 intervenait depuis Moscou, il dédramatisait en indiquant que les autorités soviétiques ne parlaient que de deux victimes seulement, en revanche il ne disait rien au sujet du nuage qui se baladait au-dessus de l'Europe, pour Moscou ce nuage n'existait pas, en URSS la réalité était le reflet de ce que les dirigeants voulaient qu'elle soit.

Pour les parents, ça faisait beaucoup de données à assimiler d'un coup, et plutôt que d'écouter la suite le père et la mère eurent le même réflexe, aller voir dehors, redonner un coup d'œil au ciel qu'ils avaient déjà ausculté, simplement cette fois ils ne regardaient plus vers l'ouest mais vers l'est, ils sondaient cet est que masquaient les grands arbres, ces chênes qui ne pourraient pas fuir en cas de nuage radioactif, pas plus que ces haies, ces vaches, toutes ces prairies... À l'ouest, le soleil finissait de se coucher, le ciel était bien rouge, demain ça se dégagerait, seul le vent pourrait dire si on le verrait ou pas ce nuage, sauf que du vent, il n'y en avait pas.

Un nuage radioactif qui se mettrait à rôder, ce serait pire qu'une guerre, un ennemi à ce point sournois que s'il débarquait on ne l'entendrait pas. En regardant ses parents par la fenêtre, Alexandre aurait bien voulu se moquer d'eux, mais il avait du mal à se figurer la menace réelle d'un nuage gavé de radioactivité, sur la première chaîne ils ne donnaient pas plus de détails, ou alors peut-être qu'ils savaient et qu'ils se taisaient. Pas de doute que les Soviétiques faisaient tout pour la dissimuler, cette menace, une menace par nature invisible, c'était affolant. Cinq ans après, Alexandre mesurait à quel point Constanze avait raison, finalement c'était elle la clairvoyante, finalement il avait bien fait de se compromettre avec cette bande d'activistes et de leur filer de l'ammonitrate, au moins cette fois on avait la preuve qu'une centrale pouvait bel et bien exploser, d'autant que des réacteurs nucléaires maintenant il y en avait partout, demain il y en aurait des dizaines en France, en plus de la guerre froide et des lointaines images d'Hiroshima il fallait vraiment avoir peur de cette menace-là, puisque des centrales nucléaires pouvaient effectivement exploser à tout moment, à Golfech comme partout ailleurs... Jamais depuis la guerre le monde n'avait fait aussi peur.

Pas plus avancés, les parents rentrèrent voir ce qu'ils en diraient à la météo, tout de même ils seraient bien obligés d'en parler. Seulement le bulletin météo était ce soir plus guilleret que jamais, Laurent Boussié l'ouvrit même sur ces mots « Coucou, le voilà », il dit cela en faisant les marionnettes avec ses mains, il parlait de l'anticyclone venu de l'ouest, par chance il allait refouler toutes les formations nuageuses vers l'est. Pour être plus explicite encore, il joignit le geste à la parole, d'un mouvement bien appuyé des deux mains il repoussa ces nuages qu'on voyait à l'est sur la carte, comme s'ils avaient vraiment ce pouvoir à la télé, de nous préserver de ça. Par contre il ne dit rien de ces pluies dont ils avaient parlé dans le journal, celles qui allaient redescendre de la Suède vers l'Allemagne et la Tchécoslovaquie, c'était donc qu'en France on avait de la chance à ce point-là. Alexandre sortit à son tour pour juger de la situation, c'est vrai que les nuages avaient l'air de s'évacuer vers l'Aveyron, à croire qu'ils suivaient le geste du gars d'Antenne 2, cette grisaille s'évacuait bien vers l'Orient. À l'intérieur il entendit les parents qui téléphonaient à Caroline puis à Vanessa, chaque fois ils tombèrent sur un répondeur, alors ils laissèrent un message inquiet à chacune, puis ils se désolèrent qu'Agathe soit encore dans sa chambre, toujours pas à table, comme s'ils le réalisaient uniquement maintenant.

— Agathe, bon sang, viens manger !

De toute manière Agathe était au-dessus de ça, elle s'en foutrait pas mal de savoir si ce nuage passerait ou non par là, pas plus qu'elle ne s'intéresserait à la finale de la Coupe de France que le père et Alexandre avaient prévu de regarder le lendemain, ce qui voulait dire que toute la soirée ils monopoliseraient la télé, avec ces commentateurs qui hurlent et ces bruits de stade, ce son toujours trop fort au moment des matchs.

À présent qu'il y avait six chaînes, Agathe voulait une deuxième télé parce que chaque soir c'était la guerre pour savoir quel programme on regarderait, de façon absolument pas démocratique... Depuis que Caroline était à Toulouse et Vanessa à Paris, elle rêvait de les rejoindre, surtout Vanessa, c'en devenait une obsession, Paris c'était encore plus fou que Toulouse. Si ce n'est qu'elle avait encore sa première à terminer, sa terminale ensuite, elle se sentait piégée là, prisonnière entre ses parents qui ne parlaient que de la ferme et Alexandre qui ne parlait que de racheter la maison du père Crayssac, qui s'en foutait pas mal de finir vieux garçon, des histoires qui ne l'intéressaient pas. À la limite, que ce nuage advienne ne le gênerait pas plus que ça, voilà qui mettrait un terme à tous ces désordres, toutes ces incompréhensions dont le monde l'abreuvait.

Mercredi 30 avril 1986

Le lendemain matin, le père trouva deux oiseaux morts sur le pas de la porte. N'importe qui d'autre y aurait vu une sale prémonition, sûr que le nuage du diable avait hanté la nuit. Passé un petit mouvement de dégoût, il comprit qu'il s'agissait d'un nouveau crime de Madonna, le petit chat assassin d'Agathe.

Agathe avait voulu un chat, pas un de gouttière puisqu'il y en avait déjà à la ferme, mais un comme celui du calendrier des Postes, avec une tête fine et des longs poils. Depuis que ses deux sœurs étaient parties, les parents la chouchoutaient, pire qu'une enfant unique. Elle aurait aimé que le chaton reste avec elle dans la chambre, seulement le petit fauve n'arrêtait pas de sortir. Elle l'avait appelé Madonna, bien que ce soit un mâle. Alors qu'une nature grande ouverte s'offrait à lui, il rentrait systématiquement pour aller dans sa litière, ça faisait bizarre. Qu'il sorte n'était pas un problème, sauf que ce tyran ne cessait de gnaquer des oiseaux et des mulots qu'il déposait chaque fois devant la porte. Madonna avait ce qu'il faut de Whiskas, plus un morceau de mou deux fois par semaine, mais il ne pouvait s'empêcher de tuer et de déposer la dépouille devant la porte. Les chiens reniflaient ces petits cadavres avec incompréhension. Seule Agathe avait le droit de l'engueuler, elle l'enfermait dans sa chambre, mais une demi-heure après la star s'était refait la malle. Le vétérinaire avait dit que ce chat avait l'impression d'être inutile, dans cette ferme il avait du mal à trouver sa place, entre les humains et les vaches, les poules, les chiens et les autres chats, Madonna se sentait obligé de montrer qu'il servait à quelque chose.

En fin de journée, c'est Alexandre qui enterra les deux oiseaux au fond du jardin. Dans une forme de respect il creusa même des trous profonds. Que ce chat soit un tueur était une aubaine, au moins ça permettait de remettre les choses à leur place, parce que en grandissant Agathe ne se privait plus de dire qu'il n'y avait rien de glorieux à élever des bovins, soigner des vaches pour qu'ils finissent à l'abattoir, ces derniers temps elle n'était pas loin de sous-entendre qu'elle vivait dans une famille d'assassins. Au moins comme ça, depuis qu'elle-même abritait un serial killer, elle participait à ce cercle infernal de la tuerie, à titre de complice.

Sans aller jusqu'à planter une croix, Alexandre tassa bien la terre, puis leva les yeux vers le ciel. Les nuages se faisaient de plus en plus rares, cette journée était de celles qui deviennent radieuses sur les coups de dix-huit heures. En voyant ces minuscules sépultures sous les stratus qui filaient, il repensa à ceux qui prédisaient que Golfech exploserait un jour et que, ce jour-là, on verrait mourir les arbres sur des dizaines de kilomètres à la ronde, au point qu'il faudrait fuir non pas durant quelques jours mais pendant des siècles. Eh bien, ces illuminés avaient peut-être raison, l'humanité était peut-être périssable. Ce matin à France Info ils avaient dit que la ville à côté de la centrale de Tchernobyl avait été évacuée, cinquante mille habitants venaient de quitter leur maison sans aucun espoir d'y retourner un jour. Les alarmistes disaient vrai, le nucléaire est un cauchemar. Alexandre retourna à la ferme, sa bêche sur l'épaule, jetant des regards au ciel, de tout temps à la campagne le ciel avait fait peur, mais depuis hier plus que jamais.

Les parents étaient déjà devant la télé, mais ils n'arrivaient pas à l'allumer. Les Bertranges se trouvant au bout de la ligne EDF, le courant avait parfois du mal à venir jusque-là. C'était sans doute le signe que ce soir-là, partout dans les villages et les fermes

alentour, tous avaient déjà allumé leur télé.
Alors le père demanda à Agathe d'éteindre
sa chaîne hi-fi et toutes les lumières, on tra-
qua la moindre ampoule, pompe ou moteur
jusque dans les granges, et la télé s'alluma.
Le journal commençait juste. Alexandre le
regretta presque. Parce que ce mercredi,
dans le JT d'Antenne 2 comme de TF1, tout
se révélait soudain effrayant et grave. Des
photos prises par un satellite américain montrait qu'un deuxième réacteur venait d'exploser en URSS. Depuis l'espace on distinguait
parfaitement un deuxième point rouge. La
vérité c'est que cette centrale n'en finissait
plus de brûler et qu'il n'y avait aucun moyen
de l'éteindre. Depuis quatre jours, dans le
plus grand secret, les Soviétiques bombar-
daient la centrale de sacs de sable largués
depuis des hélicoptères, mais ça n'y avait
rien fait. L'unique solution était donc d'envoyer des soldats et des pompiers au cœur
de cet enfer, cependant à force de brûlures
et de radiations ces hommes tombaient
les uns après les autres, au bout de deux
minutes ils s'écroulaient, alors il fallait vite
en envoyer d'autres, en provenance de villes
plus lointaines, car si les cuves d'uranium
et de graphite continuaient de flamber, ça
produirait d'autres nuages bien pires encore.
L'Armée rouge se sacrifiait, par bataillons
entiers, elle se jetait dans la gueule de ce
feu éternel pour colmater le volcan de gaz

radioactifs, c'était irréel et fou, et néanmoins bien là dans la télé.

Les parents et Alexandre restaient debout devant le poste, la table toujours pas mise. Pourtant il aurait fallu manger vite, ce soir il y avait la finale de la Coupe de France, Bordeaux affrontait Marseille ce n'était pas rien, seulement savoir qu'un deuxième réacteur avait explosé à Tchernobyl et que deux autres risquaient de le faire dans la foulée, ça rendait le football bien dérisoire.

L'autre source d'inquiétude c'était de ne plus voir le visage rassurant de Claude Sérillon. Le sourire de cet homme-là, sa cordiale gaîté relativisaient tout, alors que le présentateur de ce soir gardait une mine grave, signe que la catastrophe propulsait le monde dans l'inconnu. Est-ce que la Terre s'en remettrait ? Est-ce que le feu durerait des semaines et la radioactivité des mois, des années, des millénaires ? Et ce fameux nuage qui rôdait, on disait que demain il risquait de s'approcher de Monaco, de Monaco mais pas de la France... Comment un nuage plus vaste qu'un pays pouvait-il être aussi précis, atteindre la principauté monégasque sans toucher la France ? Tout ça c'était grâce à l'anticyclone des Açores, celui qu'on avait attendu pendant des semaines, il tombait à pic pour protéger le pays, mais pas Monaco.

Pour le père, ça semblait bizarre un nuage à ce point francophile...

— Il ment !

— Qui ?

— Ce gars-là, il ment, ça se voit.

— Mais c'est Bernard Rapp, papa !

— Et alors ?

Au fil des reportages on apprit que les pays nordiques recommandaient de ne pas sortir en cas de pluie, de ne pas manger de légumes non plus, en revanche les actualités russes ne disaient rien de Prypiat, la ville évacuée près de la centrale. Là-dessus le téléphone sonna, ce devait être Caroline ou Vanessa, au moins on se rassurerait en se disant que dans la famille tout le monde allait bien, autant à Toulouse qu'à Paris, même si Paris c'était tout de même sacrément au nord... Avant même que les parents et Alexandre ne réagissent, Agathe déjà avait fusé hors de sa chambre pour décrocher, trop heureuse de parler à une de ses sœurs, mais bizarrement depuis trente secondes elle se taisait, elle ne parlait pas, elle écoutait on ne sait qui, on ne sait quoi. Finalement elle émergea du couloir avec une mine indéchiffrable et dit gravement à Alexandre :

— C'est pour toi.

Mercredi 30 avril 1986

Le journal était terminé depuis une heure. Les parents et Agathe avaient fini de souper, mais Alexandre, lui, était toujours en pleine conversation téléphonique. Au début il s'était tenu debout, penché au-dessus du téléphone, le bras tétanisé à force de s'appuyer sur ce guéridon lamentable, puis il s'était assis et ensuite allongé sur le carrelage froid. Il était gêné, convaincu que les autres tendaient l'oreille, qu'ils écoutaient tout. La mère avait vite compris que c'était l'Allemande, elle l'avait glissé au père, avec moins d'espoir que de perplexité. Agathe pour le coup était tout excitée, en soi c'était un événement que son frère reste si longtemps au téléphone. Dans son bout de couloir, Alexandre tentait de s'extraire de cet environnement familial, il fermait les yeux pour se laisser envelopper par la voix de Constanze. En plus du combiné il plaquait l'écouteur sur l'autre oreille, plongé dans les intonations de la blonde Allemande, au point d'en sentir son parfum, la chaleur même de ses cheveux bouclés. Il nota qu'elle avait un peu plus d'accent qu'il y a cinq ans, il y vit la marque de leur éloignement radical, cette fois ils vivaient dans deux mondes totalement différents.

Elle était à Berlin-Ouest. En RFA tout le monde semblait bien plus inquiet qu'en France, parce que des centrales comme Tchernobyl, en RDA il y en avait plusieurs, et beaucoup plus anciennes encore, des centrales de première génération fournies par l'URSS. Constanze se sentait encerclée par ce vieux monde déréglé. À cent kilomètres à l'ouest de Berlin, la RDA était sur le point d'inaugurer une hypercentrale, la plus grande de toutes, quatre réacteurs de conception soviétique comme Tchernobyl, et contre cela il n'y avait rien à faire, aucun moyen de manifester de quelque façon que ce soit. Depuis deux jours elle avait des visions d'apocalypse, elle voyait des villes vidées de leurs habitants, des forêts d'arbres desséchés, des rivières sans vie, c'est pourquoi elle avait eu besoin d'appeler, pour elle l'univers d'Alexandre symbolisait tout le contraire, un monde fait de prairies, de collines et d'air pur, elle ne cessait d'y penser. C'est d'ailleurs la question qu'elle lui avait tout de suite posée, savoir si les prés sentaient toujours aussi bon la menthe fraîche.

Alexandre avait répondu que ce n'était pas encore la saison, il fallait attendre encore deux mois avant que la menthe fleurisse, mais oui, l'herbe poussait toujours aussi forte et gorgée de chlorophylle.

Dans la salle à manger le père suivait maintenant son match. Le stade qui hurlait, les commentateurs qui haussaient le ton, « Tigana, Giresse, entrée de Di Méco... ». Pour Alexandre ça faisait comme un para-vent derrière lequel il pouvait se réfugier. Constanze se mit à parler d'elle, depuis cinq ans elle n'avait pas vu de nature ni de grands espaces, rien de plus que des parcs. Jamais elle ne s'était de nouveau baladée au fil de chemins creux bordés de haies, jamais elle n'avait revu de collines à perte de vue. Alexandre la sentit sincèrement mar-quée par ce printemps 1981, cette virée dans la 4L, ces trois jours de plein air, de toute évidence ce souvenir ne la quittait pas. Du reste elle le lui dit clairement, ces trois jours passés ensemble, son premier vrai contact avec la nature, elle y pensait toujours.

Alexandre ne savait pas ce qu'il devait entendre derrière cette fidélité lointaine. Il se demanda même si elle n'appelait pas uni-quement pour prendre des nouvelles de la nature, et pas vraiment de lui. D'autant qu'il n'avait pas grand-chose à dire sur lui, rien n'avait changé, il s'en sentait honteux de cette stabilité, alors qu'elle, justement, c'est cela qu'elle trouvait merveilleux. Pour elle tout était bouleversé, son père travaillait maintenant aux États-Unis, elle ne le voyait plus. Par contre elle voyait souvent sa mère. Son grand-père était mort, sa grand-mère était à l'hôpital à l'Est, elle ne voulait pas quitter Leipzig, elle aurait pu pourtant. À part ça, Constanze prévoyait de travailler dans l'humanitaire, mais tout la ramenait désormais à cette foutue centrale, elle se demandait s'il fallait quitter Berlin ou pas, elle était folle d'inquiétude, convaincue que d'autres explosions allaient suivre. Son père lui avait toujours dit que le nucléaire était une énergie sûre, elle avait toujours refusé de le croire, même si au fond elle lui faisait confiance, mais maintenant qu'elle savait qu'il s'était trompé, elle ne savait plus qui croire ni quoi penser de tout ça, elle était perdue.

Vers dix heures, le père enjamba Alexandre dans le couloir pour aller dans sa chambre, visiblement ce match ne l'intéressait pas, il s'était endormi devant comme chaque fois. Ils n'échangèrent pas un regard. La mère était passée sur une autre chaîne, quelque chose de plus calme. En fermant les yeux, Alexandre se replongea dans cette voix venue d'Allemagne, le pays sous le grand nuage, il avait envie de la sentir là, Constanze, d'enlacer son corps, de la serrer tout contre lui, alors qu'elle était tout à l'autre bout de ce fil, à des centaines de kilomètres de là. Elle dit n'avoir jamais eu de nouvelles de Caroline, et qu'Anton et les trois autres avaient fait de la prison, là-dessus Alexandre fut pris d'une bouffée d'angoisse rétrospective. Ce qui était sûr, c'est qu'ils n'avaient jamais rien dit à propos de l'engrais. En parlant d'Anton, Constanze retrouva un peu de gaîté, depuis sa remise en liberté il avait rejoint une bande de hippies très terre à terre, des anciens militants du Larzac qui avaient repris une ferme près de Saint-Affrique, quelque part en Aveyron. Au départ Anton y était allé pour se faire oublier, et puis il s'était habitué à cette vie, au point de vouloir rester là-bas. Constanze était de nouveau gaie, ça la remplissait de joie de savoir que le projet de vie de ce pur Berlinois était de vivre en pleine campagne, de faire des fromages, de les vendre au marché, elle l'enviait un peu. Alexandre n'en revenait pas, tout en l'écoutant il réalisait que Crayssac était, sans s'en rendre compte, un avant-gardiste, le modèle de tous ces exaltés de la nouvelle heure.

— Dis, tu pourrais venir ?

— Où ça ?

— Me voir.

— Non, toi.

— Non, toi.

À son tour la mère enjamba Alexandre, elle était en robe de chambre et allait se coucher. Dix heures et demie du soir, ici c'était tard.

Seule la musique d'Agathe donnait encore un peu de vie aux pièces plongées dans le noir. Alexandre ne savait pas quoi répondre à l'invitation de Constanze. Ce serait toute une histoire d'aller à Berlin, d'autant qu'il s'était bien juré de ne jamais prendre l'avion, il lui faudrait partir une semaine et se faire remplacer, ou attendre l'hiver, est-ce qu'il avait vraiment envie de se perdre dans une ville où tout le dépasserait, là-bas il serait complètement largué, la seule idée de devoir y aller le tourmenterait pendant des mois, sur quoi dans ce couloir de silence il entendit le père donner trois coups sur le mur de la chambre d'Agathe pour qu'elle mette sa musique moins fort, si bien qu'il dut baisser la voix encore plus, si ce foutu fil torsadé avait fait dix mètres de plus il aurait pu se retirer dans la cuisine ou même dehors, ne plus se sentir épié de toutes parts...

— Ou alors, cet été, je pourrais peut-être venir voir Anton, et comme ça tu pourrais nous rejoindre, c'est loin de chez toi ?

— Non, s'il est vers Saint-Affrique c'est pas loin, pas loin du tout.

Pour Alexandre tout s'éclaira. Voilà qui serait plus naturel, qu'il la retrouve dans l'Aveyron. Mais aussitôt il ravala son enthousiasme, dans trois mois est-ce qu'elle viendrait vraiment, et surtout était-ce une bonne idée de revoir ces types, Anton et surtout le Basque, pas dit qu'ils se soient réellement calmés. D'ailleurs peut-être qu'ils lui demanderaient des comptes, s'ils avaient fait de la taule c'était bien un peu à cause de lui. De nouveau tout se compliquait.

Agathe avait dû mettre son casque pour faire moins de bruit, pourtant on entendait encore un peu sa musique, parce qu'elle poussait le volume à fond, c'était du nerveux ce qu'elle écoutait, depuis quelques semaines elle s'envoyait du U2 en boucle, des Irlandais hypertendus, une musique de gars d'un pays en guerre.

Avant de raccrocher, Alexandre attendit que Constanze dise le dernier mot, il savait qu'en raccrochant d'un coup tout lui reviendrait : Tchernobyl, ce couloir froid, la ferme plongée dans l'obscurité, le silence total qui régnait au-dehors. Quand il raccrocherait il ne resterait plus un milligramme de cette voix. Ils hésitèrent tous deux un bon moment, et alors que Constanze allait reposer le combiné il eut *in extremis* le réflexe de lui demander son numéro, ce fameux numéro qu'il avait cherché pendant des mois sans jamais le trouver… Alors cette combinaison de chiffres inestimable, il la nota dans le noir sur le vieux calepin qui était toujours sur le guéridon, par chance il trouva aussi un stylo qui marchait, comme quoi ça avait du bon que les parents soient organisés.

Finalement c'est elle qui raccrocha la première. En reposant le combiné, Alexandre avait l'oreille bouillante, le tympan qui bourdonnait. Ce coup de fil relançait mille espoirs en lui, et mille doutes. C'était miraculeux qu'elle ait appelé, et en même temps ça aurait été mille fois plus simple qu'elle ne le fasse jamais.

Lundi 23 juin 1986

— Mon frère, c'est vraiment un homme des bois ! Quand on était môme, il était tout le temps fourré dans les arbres, il a l'air sauvage comme ça, mais c'est un type super, tu verras...

Alexandre n'aurait jamais imaginé qu'une de ses sœurs puisse réellement penser du bien de lui. Depuis qu'elle vivait à Paris, Vanessa était d'une assurance étonnante, encore plus communicative que jamais. On ne lui en voulait même pas de cette distance radicale qu'elle avait prise avec la ferme.

Elle était venue avec le photographe pour lequel elle travaillait depuis un an, il avait une grande agence à Paris et une autre à l'étranger apparemment, au début ce ne devait être qu'un stage mais il l'avait embauchée, avec un vrai salaire. Le gars avait une cinquantaine d'années, c'était une référence, paraît-il, dans le domaine de la publicité, à l'évidence ça devait marcher fort pour lui, ne serait-ce qu'à en juger par sa voiture, une vieille Jaguar type E incroyable, un bijou tout en chromes et peinture vernie. De voir cette Jaguar dans la cour, face à la grange, produisait un sacré effet. Le plus drôle c'est que son antiquité avait pris un sacré coup en remontant le chemin creux, les pneus avaient propulsé des cailloux dans le bas de caisse, pas de doute que le carter avait dû racler le sol, mais le grand Édouard ne semblait pas plus inquiet que ça.

Ce devait être un cador dans sa profession, déjà parce qu'il s'appelait Édouard Revel de Montchamin, ce qui n'était tout de même pas rien, et surtout parce qu'il avait fait les photos de pubs qu'on voyait partout, dans les journaux, sur les affiches, pour DIM, Yoplait, Vittel et plein d'autres encore, avec des mannequins. Seulement, quand il s'agissait de préparer le matériel et de trouver le bon décor, c'était Vanessa qui s'en chargeait, à croire que c'était elle qui lui disait ce qu'il fallait faire, où poser les spots, où brancher les fils et installer les réflecteurs, quel objectif sortir du grand coffret noir, et quel boîtier utiliser.

Pour cette grande occasion la mère avait préparé un poulet. C'était cocasse de manger du poulet alors que deux jours plus tôt Montchamin avait fait livrer une énorme glacière remplie de dizaines de paquets de jambon, des belles tranches prédécoupées emballées dans des coques de plastique transparent.

Le père n'en revenait toujours pas d'être payé uniquement pour qu'on puisse photographier des tranches de jambon dans ses prés.

— Voyons, c'est normal qu'on vous rémunère, votre ferme est un décor, et croyez-moi que ça vaut cher, un décor, moi quand je loue un studio pour une séance c'est jamais en dessous de deux mille francs par jour, et encore, pour un film c'est le double...

Tout en mangeant avidement la salade de betterave et le céleri rave que la mère avait servis en entrée, le grand Édouard expliqua que le type de l'agence de pub qui était venu la semaine précédente était le directeur artistique, et qu'au moment de tout valider, il avait même dit à la directrice de production qu'il ne fallait pas hésiter à mettre le prix, il tenait vraiment à ce que tout se passe bien. Sans que ce soit encore officiel, Montchamin laissa entendre qu'ils avaient l'intention de venir tourner le film ici même, cet automne, un spot de trente secondes.

— Ne vous tracassez pas, ils vous paieront, dans la pub l'argent coule à flots, eh oui, l'achat d'espace c'est une mine d'or !

— Tant mieux pour vous. Mais tout de même, c'est bizarre de venir chez nous pour faire des photos de jambon !

— Et pourquoi ça ?

— Parce qu'on n'a jamais fait de porc par ici, dans la région vous trouverez pas le moindre élevage de cochons à deux cents kilomètres à la ronde...

— Parce que ça pue ?

— Non, mais comme les porcs sont nourris avec des farines de poisson et du soja américain, c'est logique que les élevages soient près de la mer !

— Tant mieux, ça tombe bien. Quand on fait une pub pour le jambon, il faut surtout pas montrer de cochons, sinon les consommateurs prendraient peur. Les consommateurs c'est pas avec du réel qu'on les fait rêver, le réel ils sont dedans tous les jours, le chômage, l'inflation, Tchernobyl, le sida, l'explosion de Challenger, le réel c'est tout ce qui nous pète à la gueule...

— Et donc, pour vendre des yaourts faut pas montrer de vaches ?

— Exact ! Jamais de vaches pour les yaourts, mais par contre faut montrer la laitière, une belle blonde aux joues bien rouges, et des fleurs dans les prés, de l'herbe, un ruisseau, du ciel bleu, mais surtout pas de paille ni de mamelles... La publicité c'est fait pour vendre du rêve, pas des vaches. Et encore moins des cochons.

Ce grand bonhomme avait sa vision des choses. Ses manières, sa façon de parler étaient un peu snobs, mais avec ses grosses rangers et ses vêtements militaires, attifé comme un gars qui travaillerait réellement dehors, il semblait proche, sympathique. En plus il était bon prince, parce qu'il précisa que c'était grâce aux photos de Vanessa que lui était venue l'idée de faire des photos ici, aux Bertranges. Depuis que Vanessa était gamine, la campagne alentour elle l'avait prise sous tous les angles, ses albums étaient remplis de photos de la rivière, des prairies, des grands arbres et des travaux des champs, et quand il avait vu son travail, il s'était juré de travailler un jour dans ce coin.

— Quoi qu'il en soit, monsieur Fabrier, ne vous inquiétez pas, sur les affiches on ne verra pas que c'est votre pré.

— Ah bon ?

— Oui, la star c'est le produit, dans le nouveau packaging rose et blanc avec la nouvelle typo. Tout le reste, la campagne, les belles prairies, ce sera au second plan.

— Un peu comme l'affiche de Mitterrand.

— Voilà, « la force tranquille », mais le jambon je vais le cadrer un peu plus serré que Mitterrand, et avec un peu plus de lumière, de verdure, vous vous doutez bien qu'on ne vend pas un jambon comme un président. Et puis on fera une autre série en bas près de la rivière, et une autre encore le long de vos petits chemins, pour les argumentaires de vente, le matériel business to business, parce que votre coin, c'est le paradis.

— Si vous le dites.

Montchamin reprit du poulet pour la seconde fois. Il avait un cochon entier dans sa glacière, mais il préférait le poulet. Il reprit aussi des pommes de terre sautées et de la sauce.

— Avec ce soleil, pourquoi vous ne mangez pas dehors ?

— Dehors y a des guêpes, des mouches, des poules et des moineaux, même les vaches ne le comprendraient pas...

— Vous plaisantez ?

— Ici on n'a jamais mangé dehors.

La mère ne se montrait pas vraiment cordiale avec Édouard, quelque chose la gênait chez ce grand type à la voiture trop longue. Elle le soupçonnait d'avoir une histoire avec Vanessa, de fricoter avec elle, à cinquante balais ce n'était pas souhaitable. C'est pourquoi, mine de rien, elle lança :

— Et ce soir, vous dormez où ?

— Moi, dans ma chambre, dit Vanessa. Et Édouard pourra dormir dans celle de Caroline.

— Ah ça non, moi je vais à l'hôtel, c'est prévu comme ça. J'adore l'hôtel et puis j'ai besoin d'une baignoire...

— Au château de Mercuès ?

— Exact !

— Mais c'est à quarante bornes, lui rétorqua la mère. Restez donc dormir ici.

— Certainement pas.

Bizarrement, la mère prit assez mal son refus catégorique, à croire que la ferme n'était pas assez chic, qu'il se pensait trop bien pour y dormir. Si bien qu'au moment de servir la tarte aux pommes elle dit à Montchamin qu'elle lui préparerait un lit pour ce soir, puisqu'il avait prévu de passer trois jours ici pour ses photos de jambon, autant qu'il dorme sur place.

— De toute façon vous n'avez pas la voiture qu'il faut pour rouler sur ces routes, elle est trop longue pour les virages, et le soir c'est rempli de sangliers par ici, votre bagnole, vous allez la plier.

En entendant cela, Montchamin sembla se tasser sur sa chaise, imaginant le cauchemar que ce serait de tomber en rade dans le coin, avec le premier garage Jaguar à une heure d'avion.

— Non merci, vraiment, j'ai mes rites, je me couche tard, et le soir j'aime bien lire dans le bain, répondit-il pourtant.

— Une baignoire y en a une toute neuve chez les grands-parents en bas, elle a jamais servi.

— Écoutez, on verra ça plus tard, on va d'abord travailler...

— Édouard, une petite goutte avec le café ?

— Pourquoi pas.

Lundi 23 juin 1986

Après le déjeuner, la mère sortit la GS. Elle aimait la conduire. Quand elle s'en servait ce n'était jamais pour faire des virées extraordinaires, soit elle allait voir sa mère dans son petit appartement de Gourdon, soit elle se rendait chez le coiffeur à Souillac. Cet après-midi-là elle avait rendez-vous à la banque à Cahors. Le temps pendant lequel elle conduisait faisait partie des rares moments où elle se retrouvait seule, parfaitement tranquille, et surtout assise.

Son conseiller était le même depuis dix ans, une fois de plus il lui dit que c'était le moment d'emprunter, les taux d'intérêt avaient encore baissé, « Moins de 10 %, vous vous rendez compte ? », de son côté elle trouvait cela énorme. Puis, en la raccompagnant à la porte, il lui demanda s'ils avaient pensé à la donation-partage, au cas où les trois sœurs réclameraient un jour de l'argent à leur frère.

— Comment ça ?

— Ben oui, si un jour elles réclament leur part...

— Mais mes filles ne réclameront rien !

— Tant que les familles s'entendent, tout va bien, mais quand les enfants grandissent et commencent à avoir des dettes, il faut se préparer à tout.

Angèle lui dit froidement au revoir, elle ne savait pas en quoi le conseil de ce bonhomme était intéressé, si c'était l'homme qui avait parlé, ou le banquier. Tout ce qu'elle savait c'est qu'il n'y aurait pas de questions d'argent entre Alexandre et ses sœurs, jamais.

Cependant, cette histoire de donation-partage l'avait troublée, et sur le chemin du retour elle ne cessa d'y penser. Elle décida de passer par Cénevières et s'arrêta au Paradou pour se changer les idées. Elle s'appliquait toujours à aller au café-épicerie pour bien faire sentir à la mère Suzanne que le Mammouth n'avait pas tout balayé des vieilles habitudes. Il y avait chaque fois les deux mêmes clients au comptoir, Raymond et André, parfois ça montait jusqu'à quatre ou cinq, mais en salle il n'y avait plus jamais personne, et rarement dans la boutique attenante qui faisait dépôt de pain et épicerie. Il y flottait toujours la même odeur indéfinissable mais fraîche, un parfum de beurre mélangé aux senteurs de bananes trop mûres. La longue rangée de bocaux à confiseries devenait de plus en plus désolée, il n'y avait plus de mômes par ici.

Histoire de faire sa B.A., Angèle acheta deux paquets de biscottes et une boîte de Ricoré à dix-huit francs, elle ajouta deux boîtes de thon et des sardines, bien chères elles aussi, puis elle passa côté bar pour commander un café et faire un brin de causette avec la mère Suzanne.

Un troisième client entra. C'était le père Crayssac, le bruit de sa mobylette pétaradante l'avait devancé. Angèle avait une affection lointaine pour le vieux chevrier, pourtant elle savait qu'il les maudissait, pour lui les Fabrier n'étaient pas des paysans mais des exploitants. Elle n'était pas trop à l'aise quand il était là.

Il s'assit au comptoir et commanda un blanc. La mère Suzanne mettait toujours un temps fou à servir. Toute commande était précédée d'un tas de bruits, celui de la bouteille qu'elle entrechoquait en la sortant du frigo, le coup sec qu'elle assenait au porte-filtre pour déloger le marc usagé. Angèle se posa à l'autre bout du bar, près de la caisse, et pour éviter de se mêler à la conversation elle prit le journal et se mit à le feuilleter.

Autour d'elle la discussion reprit, ils se lamentaient sur tout, la crise, la météo, l'inflation qui hantait les jours comme un mauvais cholestérol, là-dessus au moins ils étaient d'accord, demain l'argent ne

288

vaudrait plus rien, comme en Allemagne dans les années 20, sans compter que le prix du pétrole ne redescendait pas, les pays de l'OPEP voulaient mettre l'Occident à genoux. Et en plus de tout ça, désormais c'était l'Europe qui décidait de tout, déjà que les gens de Paris ne comprenaient rien aux paysans, mais les cravatés de Bruxelles c'était encore pire.

— Là-haut ils ne savent pas ce que c'est que de faire une heure à mobylette pour trouver une boule de pain.

— Oui, acquiesça Crayssac. Et maintenant qu'il n'y a plus de communistes au gouvernement, ils se foutent pas mal du peuple !

— Tu parles, les communistes on a vu ce que ça donne, rouges dehors et mous en dedans, c'est comme les tomates...

— Qu'est-ce que t'y connais, toi, aux tomates, t'en as jamais fait !

Angèle était bien contente de se soustraire à ce genre de conversations. Cela dit, elle tendit l'oreille quand ils se mirent à parler de l'autoroute, un projet qui réapparaissait sans cesse depuis vingt ans, un peu comme le monstre du Loch Ness, mais à présent que Chirac était Premier ministre, il voudrait désenclaver la Corrèze.

— Chirac c'est un grand dadais, dans trois mois il démissionne, comme en 1976 !

— Eh bien tant mieux, répondit Crayssac, suspectant l'épicier de secrètement rêver que cette autoroute passe un jour dans le coin, croyant sans doute qu'elle relancerait son foutu commerce.

Dans le canton il y en avait beaucoup pour la souhaiter cette autoroute, histoire de vendre leurs terres à la société concessionnaire, et à bon prix. L'ouest du Massif central était encore vierge de grands axes routiers, pour certains cet isolement était une chance, mais d'autres le voyaient comme une damnation.

Angèle les regarda. Ils avaient tous une cigarette oubliée au coin des lèvres, elle bougeait quand ils ouvraient la bouche, ils parlaient sans que jamais elle se décroche, c'était curieux. Puis elle jeta un œil au bar, aux bouteilles de côtes-du-rhône, à la grande salle, tout cela finira dans la même obscurité que la gare juste en face. Depuis que la SNCF avait fermé la ligne, les voies étaient envahies par le chiendent et les ronces, les cheminots n'y foutant plus de Roundup, la nature avait repris le dessus, engloutissant d'abord les rails, puis le ballast, bientôt la gare tout entière. Ici c'était le monde des oubliés. Alors, qu'une autoroute enjambe un jour la rivière n'y changerait rien, sinon de faire passer des camions à cent trente kilomètres-heure là-haut sur un viaduc, ça ne rapporterait rien d'autre que du bruit et de la pollution, les gens ne s'arrêteraient pas, ça abîmerait les terres, ce serait le dernier coup de massue pour tuer la vallée.

— On va finir comme les Indiens, dit la mère Suzanne. S'ils nous foutent leur autoroute, ils nous rayent définitivement de la carte.

Vaincue par le fatalisme ambiant, Angèle se leva en sortant deux francs pour le café, sa pièce tinta au milieu de l'atmosphère confite par la fumée des gauloises sans filtre. À cet instant, elle se fit rattraper par la voix de Crayssac, lui qui ne leur avait plus parlé depuis vingt ans.

— Vous en faites pas, Angèle, moi j'ai l'arme absolue contre leur autoroute, et je vous jure qu'ils ne la construiront jamais.

Sa détermination et son emphase surprirent dans un premier temps. Puis les trois autres le contrèrent à coups de blagues.

— Ah oui, et c'est quoi, ton arme, un canon de 100 que t'as ramené du Larzac ? Des pièces d'artillerie que t'as piquées au 122e d'infanterie, c'est ça ?

Crayssac ne réagit pas à ces railleries, il resta calme et froid, avant de lancer solennellement en les regardant tous :

— Mieux que ça, croyez-moi, mieux que ça.

Lundi 23 juin 1986

La Jaguar n'ayant pas de crochet de remorquage, Alexandre embarqua tout le matériel sur son tracteur, une fois le déjeuner terminé. En plus de la glacière gavée de jambon il y avait toutes sortes de trépieds, des boîtes à lumière, des sortes de flashs géants – tout ce matériel qu'un livreur avait débarqué l'avant-veille en précisant qu'il y en avait pour de l'argent –, ainsi que trois énormes bûches qui serviraient de supports aux tranches de jambon, et deux grosses pierres comme éléments de décor. Mine de rien, ce métier était physique, c'était pour ça que Montchamin s'habillait en treillis. Alexandre n'avait pas rechigné à leur filer ce coup de main, au contraire, ce bazar le distrayait. Au moment où ils montaient sur le tracteur, Édouard lui assura qu'il serait rémunéré, qu'il aurait un cachet à titre d'« assistant de l'assistante ». Il lui parla même d'un billet de cinq cents francs, une sacrée somme, mais Alexandre répondit qu'il le faisait bénévolement, vis-à-vis de sa sœur il trouvait ça plus correct, alors même que celle-ci lui faisait les gros yeux pour qu'il accepte.

Il démarra le tracteur et ils partirent vers le versant de la combe des dames, entrèrent dans le pré orienté à l'ouest, une prairie à l'herbe bien haute. La lumière avait changé, pour le photographe ce serait parfait, il y avait la vallée au fond, la rivière bordée d'ormes en contrebas, un bout de ciel, Montchamin avait bien anticipé le coup, sinon que ce matin en repérant l'endroit il n'avait pas vu cette vache énorme, une bête impressionnante qui les regardait faire depuis le fond du pré.

— Qu'est-ce qu'elle fout là ?

— Qui ?

— Ta vache, là !

— C'est pas une vache.

— C'est quoi, alors ?

— Un taureau.

— Vous avez un taureau ?

Alexandre tenta de le rassurer :

— Le père n'aime pas trop les histoires d'insémination, les paillettes, tout ça... Édouard, c'est la nature ici !

Le photographe fixait la bête, pas convaincu par cet aspect naturel des choses.

— C'est la nature, peut-être, mais moi je veux pas d'animaux dans le champ.

— Va lui dire !

— Dans le champ de vision, je veux dire !

— Eh ben, où est le problème, on lui tourne le dos...

Subitement Édouard perdit pas mal de sa superbe. Avec Vanessa ils commencèrent tout de même de sortir le matériel, puis Vanessa posa un paquet de jambon sur les rondins de bois, tandis qu'Édouard regardait dans son appareil pour voir la photo que ça donnerait, il s'efforçait de rester concentré même si, toutes les trente secondes, il se retournait pour jeter un œil au fond du pré où Cosmos se tenait près des arbres. Vanessa avait monté une énorme source de lumière sur un trépied. C'était bien la seule à demeurer parfaitement concentrée, totalement investie dans l'image qu'il y avait à faire. Elle éclairait les tranches de jambon bien roses comme si elles relevaient de la relique sacrée. Pour ajuster la lumière, elle déplaça un réflecteur dont les reflets vinrent chatouiller la rétine de Cosmos tout là-bas, lequel semblait intrigué par le grand parapluie lumineux et ne cessait de le regarder.

— Quand même, Alexandre, ton taureau tu pourrais pas l'attacher ?

— Cosmos, c'est le père qui le domine. Moi, il ne m'écoute même pas.

— T'es sérieux ?

Avec un ton où s'entendait un soupçon de supériorité, c'est Vanessa qui calma Édouard.

— Mais t'en fais pas, il ne bougera pas.

Alors Alexandre en rajouta :

— Au pire, Édouard, s'il vous fonce dessus faut le laisser venir et, au dernier moment, choper l'anneau qu'il a dans le nez, ça le stoppera net...

Le photographe se redressa, il regarda Alexandre puis Vanessa, ces deux êtres étonnamment soudés face à lui. Eux au moins ils étaient de la campagne, pour eux ces animaux, ces prairies et ces grands arbres, tout ce décor relevait de l'environnement naturel, ils étaient dans leur élément.

Il délaissa ses tranches de jambon, fit un tour sur lui-même, inspirant à pleins poumons en ouvrant grand les bras, et soudain il se figea, comme s'il avait vu quelque chose.

— Vous entendez ?

— Non, quoi ?

— Rien. Rien justement. Ici on n'entend rien, pas une voiture, pas une mobylette, pas la moindre tondeuse ni Dieu sait quoi...

— Édouard, c'est normal, on est à vingt kilomètres de la première ville, et dans la vallée il passe dix voitures par jour, et une fois sur deux c'est l'un de nous qui la conduit.

Édouard se remit à inspirer l'air à pleins poumons en ouvrant grand les bras.

— Nom de Dieu, je me suis rarement senti aussi bien. Tu parles d'une vue. Y aurait de quoi faire un sacré beau parcours de golf, ici, un peu comme celui de Divonne-les-Bains, le mont Blanc en moins...

Alexandre lui lança un œil étonné. Ce bonhomme-là ressentait très exactement le même éblouissement que Constanze, en regardant simplement ces collines et cette vallée, il semblait découvrir le cadre de vie parfait, sans pour autant imaginer une seconde y vivre.

— Le jour de Tchernobyl j'étais à New York, et quand j'ai vu ça à la télé, sur le coup j'ai vraiment eu peur que la radioactivité crame toute l'Europe, qu'à mon retour il n'y ait plus rien... Vous savez, c'est comme une bombe qui explose dans une ville, à la télé, on a l'impression que c'est toute la ville qui a sauté... C'est pourquoi ça fait du bien de voir ça, s'il y a quelque chose sur cette Terre qui ne changera jamais, c'est bien ça.

Ils passèrent l'après-midi à photographier ces tranches de jambon posées sur des rondins de bois. Ce jambon était une star. Le plus stupéfiant, c'était le soin dont Vanessa et Édouard l'entouraient. À chaque prise de vue ils déclenchaient leurs grandes boîtes à lumière quand bien même il faisait encore jour. À force, le jambon se mit à suer dans son emballage de plastique, alors ils en prirent un nouveau paquet et jetèrent l'autre. Alexandre leur proposa de mettre de la musique, son tracteur était équipé de baffles, seulement la batterie étant légère il devait laisser tourner le moteur pour avoir du jus. Il mit la cassette de Supertramp, mais Édouard fouilla dans le stock qu'il y avait dans le vide-poche et dégota un Pat Metheny. Ce boucan raviva légèrement le taureau, de nouveau il lança de vagues regards, mais avec le détachement du mâle reproducteur qui sait le travail accompli, le mâle qui ne se cherche même plus de rival.

Vers dix-huit heures ils remirent tout sur la remorque et descendirent à la rivière refaire la même mise en scène, sinon que cette fois le jambon était posé au bord de l'eau. Là encore, Édouard voulut évoquer « les choses simples », c'était le slogan du jambon, « Les choses simples », et ça tombait bien, parce que, ici, il n'y avait que ça. Passé dix-neuf heures le ciel était toujours clair mais la lumière commença de baisser, même avec tous les flashs ça n'allait plus. Du fond de la glacière ils sortirent des bières stockées sous les tranches du jambon-star et ils trinquèrent. Édouard, intrigué, demanda à Alexandre avec un brin de condescendance si ça n'était pas trop dur de vivre là, ne serait-ce que pour sortir en boîte, se trouver une copine... Avec un sursaut d'orgueil Alexandre déclara qu'il n'avait pas besoin de se *trouver* de copine, il avait déjà quelqu'un dans sa vie, une Allemande, une blonde splendide qui vivait à Berlin.

— Ah, d'accord. Mais dis donc pour vous voir, ça doit pas être évident.

Et là, salement titillé dans son orgueil, Alexandre affirma qu'il n'y avait pas de problème, d'ailleurs il allait la retrouver bientôt, soit il irait à Berlin en juin, soit elle viendrait au mois de juillet dans les environs, c'était très simple. Vanessa douta de la belle assurance de son frère mais n'en montra rien. En même temps, depuis qu'elle ne vivait plus ici, elle ne savait pas tout, elle ignorait si la fameuse blonde était revenue ou pas. Quoi qu'il en soit, si c'était le cas, elle était heureuse pour lui, mais surtout soulagée de se dire que le frangin assurait, que lui au moins il assumait la pérennité de ces terres, sans états d'âme, car s'il lâchait l'affaire, s'il se barrait, ou s'il lui arrivait quelque chose, Vanessa ne se verrait pas revenir ici pour aider les parents. Pas plus que Caroline. Certainement pas. Alors il fallait prier pour que la belle Allemande existe toujours bien et qu'elle ait un jour l'envie de venir vivre ici…

Lundi 23 juin 1986

Le soir, la mère se crut de nouveau obligée de faire un grand repas, elle confectionna même des pommes dauphines pour accompagner la côte de bœuf. En voyant tous ces préparatifs, Édouard fut de nouveau rattrapé par un réflexe d'homme d'affaires, il leur fit promettre de le laisser payer, portefeuille en main, il tenait à régler.

— Si, si, cette fois je veux payer !

— Pas question ! Mais par contre vous pouvez mettre la table.

La repartie de la mère démobilisa le grand Édouard, de toute évidence il ne savait pas par où commencer. Agathe était fascinée par ce bonhomme. Pour elle qui voulait travailler dans la mode, ce photographe arrivait comme le messie, parce que tout de même, il avait travaillé à New York, il y avait fait des shootings avec des mannequins connues, Caroline de Monaco et Inès de La Fressange avaient même posé pour lui, c'était presque un dieu.

En attendant un jour de dessiner des robes et de les retrouver en photo dans les magazines, cet été Agathe irait travailler deux mois dans une boutique à Rodez ou à Villeneuve, peut-être même dans le nouveau magasin Benetton. Édouard lui dit connaître la famille Benetton, il pourrait la pistonner à Paris, et même à New York ou à Tokyo, même si Villeneuve ce serait déjà très bien, ajouta-t-il devant le regard que lui jetait Angèle.

À la fin du repas, le père alluma sa gitane à table. Édouard se risqua à sortir un cigare, sans oser l'allumer cependant, craignant de gêner il préférait aller le fumer dehors.

— Quelle idée !

Pour le père, quand on faisait un gueuleton, le plaisir à la fin c'était de fumer à table. Malgré cela il suivit le photographe dans la cour.

La mère partit alors vers la cuisine, et Vanessa s'approcha d'Alexandre, soulevée de curiosité.

— Et donc comme ça tu vois toujours Constance ?

— Oui, bien sûr que je la vois toujours. D'ailleurs je vais la retrouver bientôt.

— Ah oui, et où ça ?

Pour ne pas perdre la face, Alexandre aurait aimé dire à Berlin. Seulement annoncer cela

maintenant, face à Agathe et Vanessa, ce
serait s'engager à y aller un jour.

— Elle va venir cet été dans l'Aveyron,
j'irai la rejoindre chez des amis, on passera
quelques jours ensemble.

Vanessa fixait son frère, il n'avait pas l'air
de bluffer, de toute façon ce n'était pas un
menteur.

Jean et Édouard s'étaient assis sur le banc
de pierre le long du mur. Face à eux, le soleil
n'en finissait pas de se diluer dans l'orange,
un gigantesque jaune d'œuf gagnait tout
le ciel. À droite, en revanche, les collines
étaient prises par l'ombre, la vallée semblait plus profonde, emplissant de paix tout
l'espace.

— Jamais une photo ne pourrait rendre
compte de tout ça.

— Ah bon, même pas une photo avec
votre jambon ?

— J'ai l'impression que vous l'aimez pas
beaucoup, mon jambon...

— Vous savez, Édouard, je vous respecte,
grâce à vous ma fille a un vrai travail, elle
apprend beaucoup de choses et gagne sa vie,
mais vos histoires de jambon en plastique,
ça me paraît louche.

— Pourquoi donc ?

— Déjà parce qu'il est rose, votre jambon.
À moins d'élever le cochon avec du cassis,
un jambon blanc c'est pas rose. Et puis,

pour pouvoir rester des semaines comme ça dans le plastique, il doit être gavé de nitrates, de colorants et d'arômes, en fait c'est tout sauf simple, un jambon pareil, c'est tout sauf simple.

Le père était bien placé pour savoir que les choses simples en matière d'élevage, ça devenait de plus en plus compliqué, déjà parce que les petites boucheries fermaient les unes après les autres depuis que les Mammouth et les Euromarché poussaient un peu partout, et ensuite parce que les gens n'achetaient plus que de la viande préemballée en regardant le prix, sans jamais se poser la question de son origine.

— Je vais vous dire, Édouard, « les choses simples » comme vous dites, c'est bien joli mais ça n'existe plus. Les bêtes, plus personne ne sait d'où elles viennent, entre les éleveurs de la Nièvre qui envoient des charolaises de l'autre côté de la Méditerranée avant de les faire revenir une fois engraissées, les Anglais qui gonflent leurs vaches avec du soja et des farines d'Amérique du Sud, et ces tonnes de steaks congelés qui se baladent par avion, aujourd'hui un bifteck peut avoir fait vingt mille kilomètres avant de se retrouver dans votre assiette, alors ce monde-là, croyez-moi, il est tout sauf simple.

— Mais, Jean, c'est le sens de l'Histoire, faut s'ouvrir au monde, regardez vos filles, c'est en bougeant qu'elles ont trouvé du boulot, même votre fils qui est resté là, il est amoureux d'une Allemande ! Dites-vous bien que la mondialisation c'est ce qui nous rend meilleurs, pardon de vous dire ça, Jean, mais faut bouger dans la vie, faut bouger... De toute façon c'est jamais bon de rester dans son coin.

— Vous voyez mon chien, là, le roux, eh bien il a un avantage sur les trois autres.

— Ah oui, et lequel ?

— Il est sourd. Au moins il entend pas vos conneries ! Bouger, bouger, mais bon Dieu quel sens ça a de bouger, maintenant tout le monde se met à bouger...

— Disons que ça ouvre l'esprit.

— Ce qui compte c'est pas de bouger, c'est d'être là.

— Sans doute, mais l'un n'empêche pas l'autre.

— Je vais vous dire, ce décor, eh bien j'en connais tout. Tout. Cette campagne, j'y vis depuis toujours. Ces arbres là-bas, je les connais tous, rien qu'à les voir je sens celui qui flanche, celui qui se fait étouffer par le lierre, celui qui a soif, celui qui repousse les autres, alors si je me mettais à bouger moi aussi, tous ces arbres, ces bêtes, ces prés, ce jardin et ces chiens, ils feraient quoi sans moi, hein, ils feraient quoi ?

— Jean, je voulais juste vous dire que... enfin c'est le mouvement de l'Histoire.

— Ce monde-là, c'est moi qui le porte. Seul, il ne s'en sortirait pas.

— D'accord, mais ça n'interdit pas aux autres de voyager.

— Bon Dieu mais aujourd'hui faut que tout voyage, les céréales, les vaches, les téléviseurs, les micro-ondes qui viennent de Hongkong, les walkmans qui sont made in Taïwan, et pendant ce temps-là on vend notre lait aux Chinois, tout ça se croise dans les airs ou sur les bateaux, c'est n'importe quoi... Vous savez ce qu'elle va donner votre manie de la bougeotte, hein, vous savez ce qu'elle va m'amener à moi, comme à mes arbres, à mes poules, à mes chiens ?

— Non, je ne sais pas.

— Une autoroute.

Édouard ne comprenait pas.

— Là, oui, juste au-dessus de la vallée, le projet est dans les cartons. Et encore, ils parlent d'une autoroute, mais c'est une *camion-route* qu'on devrait dire, dix mille véhicules par jour dont six mille camions, parce que les autoroutes faut pas croire qu'ils les font pour les voitures, non, c'est pour les camions qu'ils les construisent, alors voilà où elles nous mènent vos envies de bouger, à foutre des camions et des avions partout.

— Mais enfin, Jean, ils ne feront jamais une autoroute ici ?

— C'est dans le schéma directeur, avec un viaduc là-bas à gauche, au-dessus de la vallée de la Rauze, ou peut-être même juste ici, là où on est assis...

— Je ne peux pas y croire.

— Depuis que Chirac est Premier ministre, il a ressorti le dossier, à croire que c'est urgent de relier la Corrèze à l'Espagne en bas et à l'Allemagne en haut, ce qu'ils veulent faire de la France c'est un nœud routier, un rond-point géant entre l'Angleterre, les Pays-Bas et l'Afrique, avec des beaux camions remplis de jambon en plastique qui passeront là...

Édouard ne savait plus quoi dire. Du regard il balaya tout le décor sur le point de plonger dans l'obscurité.

— Une autoroute peut-être, mais pas ici.

— Oui, *pas ici*, ils disent tous ça en ce moment, *pas ici*. C'est comme pour le nuage de Tchernobyl en avril, *là-bas mais pas ici*...

Édouard ne dit plus rien. Il ne s'était jamais figuré cela en roulant sur une autoroute, il n'avait jamais pensé aux milliers de petits désastres que ça avait dû occasionner, chaque kilomètre d'autoroute recouvrait mille drames, des fermes coupées en deux, des exploitants expulsés, des forêts déchirées en deux et des maisons sacrifiées, des chemins coupés net et des rivières détournées, des nappes phréatiques sucées... Alors il en resta là, mais surtout il ravala la réflexion qu'il s'était faite tout le long de l'interminable nationale 20, et ensuite en roulant sur ces petites routes, parce que c'était tout de même un sacré parcours de venir depuis Paris jusqu'ici, et une autoroute ça ne ferait pas de mal à la région, voilà ce qu'il s'était dit.

Samedi 19 juillet 1986

Alexandre roulait tranquillement. Son idée c'était d'arriver vers dix heures dans les environs de Saint-Affrique, mais depuis qu'il était sur zone voilà plus d'une heure qu'il tournait en rond. Ils devaient vivre dans un coin bien planqué, leur ferme n'avait pas de nom, leur lieu-dit ne figurait même pas sur la carte, et le long des routes il n'y avait pas de panneaux, pas de maisons non plus. Alors il y alla au flair, essayant de deviner les coins où il se pourrait qu'on élève des chèvres et des brebis. Il repiqua vers le sud dans une zone un peu moins rocailleuse et sur la droite il débusqua un chemin de terre qui semblait régulièrement emprunté. Il s'y engagea et, au bout d'un kilomètre, il repéra un groupe de bâtiments en contrebas. Cette fois il sentait qu'il touchait au but, à coup sûr c'était bien dans cette ferme que le petit groupe devait vivre, parfaitement planqué.

Il y avait de fortes chances en effet que ce soit le siège de leur communauté, déjà parce que dans les prés autour il y avait des brebis et des chèvres, et dans la cour une demi-douzaine de voitures pas trop en forme, et surtout parce que des vêtements de toutes les couleurs séchaient sur les fils, du linge avait passé la nuit dehors, et aucun vrai paysan n'aurait jamais fait ça. Pour un camp de base, les bâtisses avaient l'air en bon état, celle de droite seulement était en travaux. Au sujet de ces hippies paysans, il nourrissait les mêmes a priori que son père, pour travailler la terre il faut être né dedans, comme les pêcheurs de haute mer ou les Inuits sur leur banquise, pour être paysan l'environnement doit relever de l'élément naturel, sans quoi on a du mal à le deviner.

Il était plus de onze heures, Alexandre arrêta le moteur de la 4L et resta là à surplomber le hameau, comme un cow-boy observant le camp des Indiens. Il n'y avait pas âme qui vive, à part des chiens allongés dans la cour. Le plus surprenant c'était ce corps de bâtiment, à droite, avec des bâches de plastique sur le toit, une bâtisse de deux étages mais pas trop en forme. Ce devait être un ancien prieuré, ou les vestiges d'une commanderie des Templiers. Les bâtiments qui la jouxtaient comprenaient une ferme tout en longueur, ainsi que des petites granges. Il les aurait imaginés dans quelque chose de plus sommaire. En même temps Constanze lui avait bien dit qu'ils étaient une dizaine à vivre là.

Alexandre hésita à descendre, il ne se voyait pas débarquer dans une maison où tout le monde pionçait. Il n'était pas très à l'aise à l'idée de se mélanger à ce groupe, d'en revoir certains, et tout aussi inquiet de se retrouver face à Constanze. Il ne savait pas s'ils s'embrasseraient ou se feraient la bise, s'ils étaient encore amants ou pas. Il craignait même qu'elle ne soit venue avec quelqu'un. Au téléphone il avait pourtant senti qu'elle voulait le revoir. C'était tout de même bien elle qui avait redonné signe de vie. Mais une méfiance naturelle l'avait rattrapé comme toujours, il en était même arrivé à se dire que c'était peut-être un piège, si ça se trouve ils avaient de nouveau quelque chose à lui demander. En fin de compte ces gars-là le tenaient à la gorge, ils pourraient facilement le faire chanter, exiger ce qu'ils voulaient en échange de leur silence, c'était quand même à cause de son engrais qu'ils avaient fait de la taule...

Il en était sûr maintenant, en rejoignant cette tribu il allait au-devant d'un traquenard, si ce n'est que pour atteindre Constanze il lui fallait se jeter dans la gueule du loup, comme dans *La Prisonnière du désert*, il lui fallait affronter les Comanches. Sinon que ces Comanches-là étaient flemmards, à midi et quart ils n'étaient toujours pas debout.

Il se cala au mieux sur la banquette pour siester un peu, il n'avait pas pu fermer l'œil de toute la nuit. Il n'était pas un vrai cow-boy. Tant que personne n'aurait bougé là-bas, il n'y foutrait pas les pieds, jouer l'effet de surprise l'embarrasserait plus qu'autre chose.

Seulement c'est lui qui se fit surprendre. Il commençait de s'assoupir lorsqu'il perçut un bruit de moteur venu de derrière. Le chemin faisant un coude, un virage avec des bosquets, il ne voyait pas ce qui lui arrivait dessus. Il se redressa pour sortir de la voiture, le bruit ressemblait à celui d'un moteur de fourgon lancé à pleine vitesse, tout de suite il pensa aux gendarmes, mais quand le véhicule apparut il s'aperçut que c'étaient des Indiens. Un vieux Citroën type H roulait vers lui à toute blinde malgré le chemin chaotique, il était orange et vert et lâchait une sale fumée chargée d'huile. Il n'était pas certain de connaître le type au volant, par contre, malgré la moustache il reconnut Anton sur le siège passager, il repéra sans hésitation son regard d'acier, et l'autre, assis au milieu, c'était Xabi, le prénom lui revint en le voyant. Le fourgon lui fonçait dessus, le chauffeur tenait fermement le volant, l'air concentré, Alexandre s'écarta au dernier moment, à cause de la 4L le passage était étroit et, en parvenant à sa hauteur Anton passa la tête par la portière :

— Si on s'arrête on cale... Tu nous suis !

Le fourgon continua de descendre, une sale comète pétaradante, à coup sûr Constanze n'était pas avec eux, elle devait encore dormir en bas dans une de ces maisons.

Samedi 19 juillet 1986

Ils se rejoignirent dans la cour. En fait les gars rentraient du marché. Ils avaient vendu tous leurs fromages. Deux filles du groupe, Kathleen et Lorraine, y étaient encore avec les légumes, les autres étaient à l'intérieur, ils s'étaient levés plus tard. Anton avait toujours cette poignée de main trop appuyée, pourtant Alexandre lui trouva quelque chose d'adouci dans la voix, surtout que maintenant il parlait bien français. Il n'en revenait pas que ce type ait fait deux ans de taule, tout comme Xabi, qui le salua sans chaleur. Face à eux deux, il ne savait plus quoi penser, devait-il se sentir coupable, ou pouvaient-ils lui être reconnaissants de les avoir fournis à l'époque ? Quant au gars qui était au volant il s'affairait à sortir le matériel du camion, un genre de nerveux qui faisait du boucan.

— C'est Adrien. Il te dira bonjour quand il aura le temps. Faut pas lui en vouloir, il est toujours sur la brèche.

— D'accord.

— T'as vu où on crèche maintenant, pas mal, non ?

— Ouais, pas mal... Et Constanze ?

— Quoi, Constanze ?

— Elle dort ?

— Non. Elle arrive demain.

— Ah bon, elle m'avait dit aujourd'hui.

— Ouais, mais son père a fait un saut à Toulouse, ils en ont profité pour se voir. Et puis elle connaît du monde là-bas.

Salement déçu, Alexandre leur emboîta le pas. Ils entrèrent dans la grande pièce, deux types et une fille étaient là à table, de toute évidence ils venaient juste de se réveiller.

— Je te présente Frédéric, Antoinette, et Thomas qui vient de nous rejoindre au printemps, dit Anton.

Alexandre les salua, pas trop à l'aise, avec cette dégaine un peu rustique qui le caractérisait, souvent il masquait sa gêne par de la rudesse. Il s'assit avec les autres et Xabi prépara du café.

— Tu vois, Alexandre, reprit Anton, on est comme toi maintenant, de purs paysans...

— Je vois ça.

— Tu sais, c'est un peu toi qui nous as servi de modèle !

Alexandre savait bien comment Anton s'y prenait, d'abord il vous flattait en vous complimentant, puis après vous avoir bien enrobé il vous mettait dans l'obligation de ne rien pouvoir lui refuser.

Au bout d'un quart d'heure, Alexandre avait perçu l'aisance avec laquelle Anton évoluait au milieu du groupe. Sans doute influençables, les autres le tenaient un peu pour leur chef, un genre de gourou. Xabi était devenu plus sombre et ne parlait carrément plus. Adrien, le gars du fourgon, et Kathleen, sa copine anglaise, étaient les deux pionniers de la ferme, ils vivaient là depuis dix ans, ils avaient été rejoints par Frédéric et Antoinette qui eux élevaient des moutons. Le reste de la bande n'était venu que plus tard et semblait modulable.

Pour Alexandre, ça faisait beaucoup de nouvelles données à assimiler, mais quand Adrien comprit qu'il avait aussi une ferme, il tint à lui faire visiter les lieux. Ici ils n'avaient pas le téléphone ni l'eau courante, mais l'électricité. L'eau venait de trois réserves et d'une petite source à cent mètres de là. Avec leurs chèvres, apparemment, ils sortaient trois cents fromages par mois, quant au lait de brebis ils le faisaient collecter pour l'instant, mais bientôt ils feraient eux-mêmes de la tomme, de la féta et un genre de Roquefort 100 % naturel sans Penicillium qu'ils appelleraient le Roquedoux. Le problème, c'est qu'ils n'avaient pas de cave, ils devraient donc en louer une plus à l'est, pour se rapprocher de Roquefort. Alexandre acquiesçait à tout. Après quoi Adrien lui montra le potager, Alexandre n'en dit rien mais la terre était bien sèche, caillouteuse, les haricots avaient soif et les feuilles des patates étaient prises par les doryphores, les fraisiers bouffés, il n'avait jamais vu un potager aussi peu en forme. La terre avait dû être rapportée d'un fond de vallée parce que, ici, c'était du calcaire, Adrien était tout fier de tirer autant d'un sol si peu généreux. Il y avait de quoi nourrir le groupe et vendre le surplus sur les marchés, enfin, rien qu'une fois par semaine.

— Alors, t'en dis quoi ?

— Pas mal.

— Et tout ça, mon gars, c'est propre !

— Comment ça, c'est propre ?

— Propre, je veux dire c'est naturel, ici pas de chimie, rien…

— Je comprends mieux…

— Tu vois, Alexandre, je ne sais pas comment tu t'y prends avec tes bêtes, mais le respect de la terre, c'est par là que tout commence. Regarde ces fraisiers, je laisse faire les limaces, d'habitude on n'en a pas mais cette année, avec les retours de lune, c'en est plein. Eh ben tant pis, c'est la nature qui décide, on mangera moins de fraises, mais jamais je mettrai du cuivre ou une de ces saloperies… Les bébêtes, ça ne se tue pas !

Ce gars-là avait des idées bien arrêtées sur les produits phytosanitaires, ce n'était pas la peine de se lancer dans la discussion, alors Alexandre opta pour l'humour.

— De toute façon, si t'as des limaces ici, à mon avis c'est parce que t'arroses.

— Encore heureux que j'arrose.

— Eh ben arrête d'arroser, comme ça tu n'auras plus de limaces.

— Ben oui, mais y aura pas de fraises non plus.

— Tout juste, donc t'en seras au même point qu'aujourd'hui...

Alexandre sentit qu'Adrien prenait tout au premier degré, il affichait l'air fermé de ceux qui se sentent pris pour des cons.

— Oh, c'était pour rire, maintenant si tu repiques des fraisiers pour ne pas manger de fraises, autant ne pas en planter...

— Moi ça me fait pas rire. Tu sais que cette année ils font des essais de maïs transgénique dans le Lot-et-Garonne, c'est bien par chez toi ?

— Pas loin.

— Ouais, n'empêche que demain je suis sûr que vous vous y mettrez tous...

Plutôt que de se détendre Adrien embraya sur les semences, de tout temps les agriculteurs avaient fait ce qu'ils voulaient de leurs graines, mais depuis que la Cour suprême des États-Unis venait de décréter qu'on pouvait breveter des organismes vivants, les semences étaient cadenassées.

— Tu te rends compte, on peut même plus resemer après une récolte, ce monde est fou, tu veux pas le voir mais moi je le vois...

Alexandre repensa à Crayssac, sans même que celui-ci le sache sa relève était assurée. En tout cas, pour se fondre dans le groupe, mieux vaudrait qu'il fasse profil bas, qu'il soit d'accord sur tout.

Il partit alors filer un coup de main à Anton pour refaire ce muret de pierre sèche sur lequel celui-ci butait depuis des semaines. Après quoi il aida à rassembler les bêtes pour la traite, là ce n'étaient que des chèvres mais ça prit un temps fou, il était bien content de n'avoir jamais été dans le lait parce que ces histoires de traite à heure fixe, c'était une véritable aliénation. Il n'avait rien à voir avec ces paysans-là, mais il avait trouvé facilement sa place parmi eux, et surtout il était sensible à cette forme de respect dans lequel ils le tenaient, au seul titre qu'il était un paysan.

Sans attendre le soir Antoinette et Kathleen lui demandèrent où il voudrait dormir cette nuit, est-ce qu'il préférerait s'installer dans un recoin de la ferme, ou bien être peinard dans la grande bâtisse en travaux, le rez-de-chaussée était habitable, il y avait un bon matelas posé au sol, et de toute façon les nuits étaient douces. Alexandre choisit la grande bâtisse, au moins il serait à l'écart.

Quand arriva l'heure du dîner, Alexandre comprit vite que l'usage c'était de mettre la main à la pâte. Alors il lava les trois salades, les essora à l'ancienne, avec un panier en métal, parce que les essoreuses en plastique étaient toxiques. Puis il commença de couper des tranches d'un beau jambon de pays, il y alla franchement avec un bon couteau aiguisé au fusil, mais là, Antoinette et Frédéric lui tombèrent dessus, lui disant qu'il fallait faire des tranches fines, vraiment fines, comme du papier à cigarettes. Ce qui voulait dire que là, pour neuf personnes, des tranches il faudrait en couper au moins trente…

— Non, répondit Kathleen, pas pour neuf, Frédéric, Antoinette et moi, on ne mange pas de viande. Et Lorraine non plus.

— Donc j'en coupe pour cinq.

Ils dînèrent sur la grande table installée dehors. Alexandre était dépaysé, ce causse était sacrément sec, la chaleur émanait de tout le calcaire, et le soir la température était aussi élevée qu'en plein jour. S'il se sentait largué, c'est aussi que par moments certains se mettaient à parler en anglais, ou à faire tourner des joints qu'il n'osait pas refuser.

Adrien et Frédéric voulaient sans cesse revenir sur le sujet de l'agriculture, signe qu'Alexandre les intriguait, qu'il élève dans une vallée presque cent bêtes sur plus de cinquante hectares, ça faisait de lui un gros paysan.

— Aujourd'hui les naisseurs sont obligés de préciser qu'ils élèvent leurs veaux au lait de vache, comme s'ils pouvaient être nourris au lait d'autre chose...

— C'est qu'y en a qui rajoutent des œufs ou du sucre, dit Frédéric.

— Et des farines animales, précisa Adrien.

— Ouais, y en a qui le font.

Depuis le début de la discussion, Kathleen prenait sur elle, mais elle avait du mal à voir Alexandre comme un allié, alors elle trancha définitivement le débat en lâchant froidement :

— Il y a deux mois, dans mon pays, une vache a attrapé la tremblante du mouton, voilà où on en est avec vos élevages à la con, les vaches chopent la tremblante du mouton !

— Ce qui se passe en Angleterre moi j'en sais rien, rétorqua Alexandre. Maintenant la tremblante, c'est pas comme une grippe, ça se refile pas, une vache ne peut pas choper le virus du mouton.

— Si.

— En lui faisant la bise ?

— Non, en le bouffant. Les moutons crevés, ils en font de la farine, puis ils nourrissent les veaux avec...

— En Angleterre oui, mais pas en France.

Pour clore le débat, Anton demanda à Frédéric de jouer de la guitare, puis tous se dirigèrent vers le grand chêne sous lequel étaient disposés des vestiges de canapés. Kathleen et Antoinette allumèrent des bougies un peu partout, dans la nuit noire ça produisit un bel effet. Alexandre fuma comme il le faisait rarement, le plus simple c'était de s'abstraire de tout ça, de se fondre dans le mouvement, d'autant qu'ils avaient l'air de sacrément se défoncer. Il vit bien que les deux filles qui étaient parties un moment à l'intérieur avaient les pupilles dilatées, sans doute qu'elles avaient fumé du manali ou de l'opium ou autre chose, il ne voulait pas savoir. Régulièrement Anton le regardait pour s'assurer que tout allait bien. Même Xabi lui concéda deux clins d'œil, summum de la cordialité chez lui. Ces deux-là devaient le considérer comme un ancien compagnon de lutte. Alexandre n'osait pas en parler. Ces derniers temps il y avait de nouveau eu des attentats, aussi bien à la tour Eiffel que sur les Champs-Élysées, puis dans un TGV Paris-Lyon lancé à pleine vitesse, même sans eux les bombes pleuvaient toujours sur la France... Il redoutait d'autant plus d'aborder le sujet qu'il ne savait pas comment on se comporte avec des gars qui ont fait de la taule, est-ce qu'il fallait leur en parler ou pas, leur demander comment ça s'est passé ? Pourtant, Anton le regardait bizarrement, Alexandre sentait qu'il avait quelque chose à lui dire, qu'il attendait le bon moment.

Vers deux heures du matin c'est Kathleen et Antoinette qui l'accompagnèrent jusqu'au « château ». Au rez-de-chaussée de la bâtisse il y avait de grandes pièces sans porte, et parfois sans plafond. Elles lui donnèrent un briquet et une bougie, pour se laver ce serait dans la cour. Alexandre se laissa tomber sur le vieux matelas posé à même le sol, réalisant qu'il avait trop fumé de leur résine, un truc artisanal qu'Antoinette avait ramené de l'Himachal Pradesh, elle disait que c'était un genre d'Aveyron mais en Inde, là-bas les paysans récoltaient ces trucs à l'ancienne, mélangés au tabac mielleux des Camel, ça lui avait explosé la tête et coupé les jambes. Une fois allongé, il n'arriva plus à bouger. D'autant qu'il se savait salement épié, en tant que nouveau venu, et surtout en tant que paysan *moderne*. Ou au contraire en tant que paysan *à l'ancienne*. Là pour le coup il ne savait plus. Mais au moins demain Constanze serait là. Tout serait plus simple. Ou encore plus inconfortable.

Dimanche 20 juillet 1986

Alexandre regarda sa montre à deux fois. Il était bien deux heures de l'après-midi et il venait de se réveiller. Ça ne lui était jamais arrivé. À voir le soleil éclatant qui régnait dehors, la chaleur, il comprit qu'il avait été éjecté de l'espace-temps. Au moment de se lever, il se sentit dans les vapes, le sang lui cognait fort dans les tempes, sa gorge était sèche.

Il sortit sans penser tomber sur qui que ce soit mais, à sa grande surprise, il les découvrit tous sous le grand arbre. Ils avaient déplacé la table pour déjeuner à l'ombre. Et là, en plus du soleil qui le foudroyait, en plus du malaise d'être pris en flagrant délit de grasse matinée, il eut cette vision improbable, cette blondeur qui lui sauta aux yeux, Constanze était là avec eux, assise en tailleur sur le banc. Tous se retournèrent en lui faisant signe de les rejoindre, mais Alexandre ne voyait qu'elle. Malgré tout, il aurait préféré des retrouvailles discrètes, à l'abri des regards et du soleil, des cigales et de ces chiens qui aboyaient autour de lui...

Constanze se leva, elle marcha vers lui, s'avança comme une vision de plus, une chimère himalayenne, pourtant c'était bien son parfum, elle le prit dans ses bras, sans l'embrasser elle le serra plus fort encore, puis d'un coup elle se détacha et dans un immense sourire mais du bout des lèvres elle lui dit quelque chose de doux en allemand, dont Alexandre ne comprit pas le moindre mot. Elle passa au français : voulait-il un café ou bien embrayer directement sur le repas dont les restes s'étalaient sur la table ? Des fromages, une part de tarte aux feuilles de blettes ou aux épinards. Tout de même, il fallait qu'il émerge, alors, en faisant l'effort de paraître naturel, il demanda à Constanze :

— Tu es arrivée quand ?

— Hier. Hier midi.

— Quoi ?

Là ils partirent tous d'un grand rire. Alexandre était sincèrement prêt à croire qu'il avait dormi quarante-huit heures, quatre fois le tour du cadran...

C'est là qu'elle lui dit avec une affection troublante :

— Prends d'abord un café.

Durant les trois heures qui suivirent, Constanze se sentit obligée de rester avec le groupe, de discuter avec Anton et les autres. C'est seulement vers dix-sept heures qu'elle parvint à s'en extraire. Avec Alexandre ils partirent alors faire un grand tour à pied, et aussitôt elle lui prit la main. Ayant tellement de choses à se dire, ils se turent un moment, ne sachant par où commencer. Il avait tant de questions à lui poser, au sujet des cinq années passées et de ce qu'elle projetait dans l'avenir. Elle lui apprit qu'elle aurait dû partir en Inde l'année dernière, mais après avoir compris que sa grand-mère était bizarrement soignée à l'Est, dans des conditions désastreuses, elle avait préféré rester à Berlin pour éclaircir tout ça...

— Alexandre, je peux te dire quelque chose que je ne dirai qu'à toi ?

— Oui, bien sûr...

Sans le montrer, il était réjoui à l'idée qu'elle lui confie un secret, quel qu'il soit, cela les lierait à jamais, comme un pacte, ce serait une façon de se souder au plus intime, de devenir indissociable. Seulement elle demeurait en suspens, hésitante. Et puis :

— En fait, si j'ai voulu que mon père me rejoigne à Toulouse, c'est parce qu'il connaît bien les groupes pharmaceutiques comme Bayer, mais en fait, eh bien je n'ai pas osé lui en parler... De toute manière je ne suis sûre de rien.

Alexandre ne saisissait pas où elle voulait en venir, alors elle lui dit clairement qu'elle pensait que les laboratoires pharmaceutiques de l'Ouest faisaient des essais de médicaments sur les malades de l'Est, et que c'est ce qui s'était passé pour sa grand-mère.

— Et qu'est-ce que ça changerait si tu en avais la preuve ?

— Mais j'en ai la preuve ! Oh pardon, je t'embête avec ces histoires...

— Mais non, au contraire.

— Non, on ne s'est pas vus depuis cinq ans, et moi je... Pardon, tout ça c'est bien trop lourd, bien trop grave. Serre-moi contre toi.

Et elle replongea dans ses bras, il n'y avait plus qu'eux dans ce décor, ils avaient marché loin, on entendait par instants des tintements de cloches lointaines, celles des brebis, ils étaient dans le cadre le plus intemporel qui soit, il n'y avait plus de jour, plus d'année, même plus de siècle, rien d'autre qu'un causse infini et des brebis au loin, le cadre même du berceau de l'humanité.

Pendant le dîner, Alexandre eut le sentiment de séjourner dans une tribu très en retrait du monde, un repaire depuis lequel on portait un regard horrifié sur la société moderne. Tous en parlaient comme d'une sphère oppressive, uniquement concentrée sur le profit, prête à exploser. À les entendre, toutes les nouvelles étaient atroces. Un peu plus concrète dans ses critiques, Constanze regrettait le fabuleux parcours de l'Allemagne de l'Ouest à la Coupe du Monde de football le mois dernier, parce que cette suprématie de l'Ouest rabaissait encore la RDA, cela humiliait tout l'Est en fait, ce monde soviétique dont on savait depuis Tchernobyl qu'il n'était pas si fort que ça, et donc qu'il était plus risqué que jamais de l'humilier. Kathleen évoqua les trente-cinq députés d'extrême droite qui venaient d'être élus en France, ajoutés à la montée des nationalismes en Yougoslavie, ça ne présageait rien de bon pour l'avenir, d'autant que Thatcher était regonflée à bloc depuis qu'elle avait réchappé à son attentat, quant à Mitterrand noyé dans la cohabitation, ce vieil éléphant était définitivement sorti de l'Histoire...

— Vous voyez, dit Kathleen, que Mitterrand soit hors jeu alors que le thatchérisme est devenu le nouveau dogme, voir que Tonton est cuit alors que cette vieille bique tiendra peut-être encore vingt ans, ça me donne des envies de meurtre...

— Attends, rétorqua Frédéric, tu ne vas pas nous dire que t'es devenue mitterrandienne, toi, maintenant, il nous a trahis sur le nucléaire !

— Peut-être, mais entre la Dame de fer et lui, on sait quelle tête faudrait faire sauter, lâcha Xabi... D'ailleurs, ils l'ont ratée de peu.

— Le thatchérisme va conquérir l'Europe, c'est clair, mais de là à plastiquer un hôtel et faire cinq morts, putain *cinq morts*, je trouve ça dégueulasse...

Adrien avait glissé sa remarque, sans relever la tête et en ne regardant personne, mais d'un ton ferme. Avec Xabi ils devaient souvent se prendre le bec, ce dernier avait la provocation facile. Avec une sincère conviction, Kathleen ne put s'empêcher d'ajouter :

— Maintenant, en tant que Britannique je ne suis pas dupe, entre les Irlandais de Vincennes et le *Rainbow Warrior*, je suis bien placée pour savoir que Mitterrand n'est pas non plus un ange.

Là Adrien se leva pour déclarer sèchement :

— Faut pas oublier que sans lui, ici, ce serait un camp militaire, et ce soir c'est pas des grillons qu'on entendrait mais des tirs de blindés... Et puis vous tous là, avec vos délires antinucléaires à l'époque, avec vos manifs et vos bombes, c'est vous qui avez pourri les têtes, c'est vous qui avez semé la peur, comme Cousteau qui délirait en jurant que des tonnes de plutonium avaient disparu au Niger, qu'il y avait de quoi faire sauter une ville comme New York, vous avez foutu les jetons à tout le monde avec vos conneries, et c'est jamais bon de semer la peur... Résultat des courses, cinq ans après les écolos ont zéro député et le Front national trente-cinq...

— Et Tchernobyl, t'en as entendu parler ?

— Putain mais c'est pas vrai, et vous recommencez, vous regardez le doigt et pas la lune, le problème de Tchernobyl c'est pas le nucléaire, c'est les Russes... Vous voyez pas qu'à tous vous acharner contre le nucléaire, on ne parle jamais des vrais problèmes, les pluies acides, la couche d'ozone, les gaz à effet de serre qui réchauffent la planète, les crevasses sur la banquise et le rapport Meadows, bon sang ça fait vingt-cinq ans qu'on sait que la société de consommation est le principal péril de la planète, le Club de Rome ça vous parle pas non plus ? Faut pas avoir la mémoire courte, les gars...

Alexandre regarda Anton, surpris qu'il n'intervienne pas, sans doute qu'il se retenait de répondre quoi que ce soit, que mille remarques se bousculaient dans sa tête, mille colères ou mille remords, mais il se taisait. Chaque fois que leurs regards se croisaient, Alexandre trouvait qu'Anton le fixait d'un air entendu, comme s'il lui disait, Maintenant que tu es revenu, je te tiens...

La conversation s'obstina sur la politique. Ce qui les mettait tous d'accord, c'était l'idée de révolution. Alexandre resta silencieux durant tout le repas. Par moments ils se lançaient un coup d'œil avec Constanze, tous deux se sentaient à part, animés par un tout autre enjeu, angoissés à l'idée de se retrouver seuls plus tard, dans un lit.

Une fois encore l'assemblée se coucha tard, pourtant le lendemain il faudrait qu'il y en ait au moins deux qui mettent le réveil à six heures pour la traite. Constanze prit la main d'Alexandre et ils se dirigèrent vers le château. Ses bagages avaient pourtant été déposés dans la ferme mais elle voulait dormir là-bas avec lui. Tout cela se fit le plus naturellement du monde.

Dans la grande pièce, Alexandre n'alluma pas la bougie, il n'y avait aucune clarté, mais il comprit que Constanze se déshabillait, puis qu'elle se glissait sous les draps. Il la rejoignit et ils basculèrent instantanément dans la nuit, dans l'oubli total du temps et de l'endroit, ils décollèrent de cette pièce sans porte et sans décor pour tournoyer dans la sphère irréelle du corps-à-corps. Alexandre n'y croyait pas, pendant cinq ans il avait pensé à elle, sans le moindre espoir de la revoir, sans aucune illusion, et maintenant ils s'embrassaient. Constanze était bien là, il respirait ses cheveux et sentait sa peau mais, là encore, dans le noir complet, il ne la voyait pas, comme au long de ces cinq années, c'était à devenir fou. Heureusement que son parfum était là, il retrouvait la sève d'or de sa fragrance boisée, chaude, profonde, il avait envie de s'y perdre définitivement, que cet instant soit le point culminant de sa vie, qu'à partir de là plus rien ne soit jamais comparable à ce désir qui les soulevait tous deux. Ils roulèrent hors du matelas dans un même mouvement et se reprirent plus ardemment encore, il n'y avait plus rien entre leurs corps, et leur chaleur ne faisait qu'une, Alexandre se sentait plus fort encore de savoir son sexe si dur, dans ses bras, absente à elle-même, Constance ondulait comme si la chambre était faite d'eau, puis d'un coup elle se releva, elle avala de l'air comme à l'approche d'un drame, et elle se figea, Alexandre comprit qu'elle cherchait son regard, elle essayait de le voir bien en face.

— Alexandre, on ne peut pas...

— Comment ça ?

— Pardon, je ne sais pas comment dire, mais... tu as des préservatifs ?

Lundi 21 juillet 1986

Se réveiller à côté d'elle, la regarder pendant qu'elle dort dans la lumière du matin, mille fois il en avait rêvé de cette scène-là, mais maintenant qu'il la vivait il pataugeait dans les regrets. Constanze avait peut-être eu raison de les arrêter net. Pour sa part, le préservatif n'était pas le premier réflexe qui lui venait en songeant à l'amour, jusque-là il pensait que le sida c'était une maladie des villes, des grandes villes même, mais certaienement pas de la campagne. Et si les infos en parlaient tous les jours, s'il y avait maintenant ces pubs Durex à la télé, celle des lapins qui font l'amour dans un terrier, jamais il n'avait cru que ce virus puisse le concerner un jour.

Depuis qu'il savait qu'il allait revoir Constanze, pas une seconde il n'avait pensé aux préservatifs, d'ailleurs s'il avait eu la présence d'esprit d'en prévoir, par superstition il ne les aurait pas apportés. Et puis pour en acheter il aurait fallu trouver une pharmacie où on ne le connaissait pas, une pharmacie où on ne lui disait pas bonjour dès l'entrée et où on ne l'appelait pas par son prénom.

Au-delà d'aimer une fille sans la voir pendant cinq ans, au-delà de l'incroyable secousse de la rejoindre enfin, il aurait dû songer à dix grammes de latex, c'était un manque total de romantisme. Cet oubli l'avait fait salement redescendre sur terre. Constanze gardait la tête posée sur son épaule, il n'osait pas bouger. Il avait envisagé tous les stratagèmes pour s'en procurer. Constanze lui avait dit de demander à quelqu'un du groupe, elle, elle ne pouvait pas, ça la gênerait. De son côté Alexandre ne se voyait pas non plus poser la question à Adrien, ni à Anton, encore moins à Frédéric ou aux filles, ça aurait supposé une complicité qu'ils n'avaient pas. Et surtout ça l'aurait fait passer pour un con, un imprévoyant, mais le pire, ç'aurait été de devenir leur obligé. S'ils lui avaient filé un préservatif, il leur aurait été redevable d'avoir pu faire l'amour. Et d'ailleurs, pourquoi un seul ? S'il en avait demandé plusieurs, deux ou quatre, ou cinq, ça leur aurait fourni une indication bien précise... Ce réveil béni devint atroce, pire encore quand il réalisa que c'était lundi. Par ici, en temps normal on ne devait pas trouver une pharmacie à moins d'une heure de route, alors un lundi il ne fallait même pas y compter... Le lundi, dans ces campagnes, tout était fermé, il faudrait attendre demain, et même demain soir avant de s'aimer, seulement demain il devait repartir !

D'avance il sut que cette pensée lui polluerait la tête toute la journée. En retrouvant le groupe, il se dit que c'était trop tôt pour poser la question, quémander un préservatif, ce n'était pas le genre de sujet qu'on abordait au petit déjeuner. Le pire c'est que, les uns après les autres, ils lui demandèrent s'il avait besoin de quelque chose, s'il voulait plus de café, de confiture, s'il souhaitait plus de pain, de beurre, un joint... Chaque fois il répondait que non, il n'avait besoin de rien. Constanze s'amusait de la situation et lui passait la main sur la tête d'un geste affectueux mais un peu vexant.

Au fil de la matinée il eut plusieurs occasions de rejoindre tel ou tel à l'écart afin de pouvoir s'ouvrir sur sa quête. Il commença avec Adrien qui travaillait au potager, mais ne sut pas comment aborder l'affaire, d'autant qu'Adrien avait une sacrée envie de polémiquer, d'emblée il l'attaqua sur ces saloperies que les paysans répandaient, se sentant visé Alexandre n'osa pas parler de préservatifs.

— Ici la terre est dure, même les mauvaises herbes ont du mal à pousser, alors que dans les plaines je les vois faire, ils foutent de l'engrais avant de semer, et dès qu'ils sèment y a tellement d'engrais que les mauvaises herbes poussent avant les graines, du coup ils mettent de l'herbicide pour tuer les mauvaises herbes, et dix jours après les pucerons se jettent sur les pousses, eh oui, puisque les mauvaises herbes ont crevé, les pucerons ne peuvent pas se fourrer ailleurs, alors ils sortent l'insecticide, c'est sans fin leur histoire...

Alexandre ne répondit rien mais il n'avait aucune envie de devoir à ce type de pouvoir faire l'amour. Il retourna dans la maison et là se trouva seul avec Lorraine, il lui demanda innocemment s'il y avait une pharmacie de garde dans le coin, ou s'ils avaient un pote pharmacien.

— T'as mal quelque part ?

— Si on veut.

— Va voir Kathleen, avec ses plantes elle soigne tout.

Il ne pensait pas avoir plus de succès avec Frédéric, et encore moins avec Xabi, alors en désespoir de cause il alla trouver Anton, malgré la chaleur celui-ci s'était remis à retaper son muret de pierre sèche.

— Dis-moi, Anton, je peux te demander quelque chose ?

— Je savais que t'allais m'en parler.

Anton avait répondu du tac au tac, sans lâcher la grosse pierre qu'il tentait de caler entre deux autres.

— Te parler de quoi ?

Et là Anton laissa retomber la pierre, il s'envoya une grande gorgée d'eau, réfléchit un temps, puis se lança dans une sorte de confession à propos des explosifs, de toutes ces histoires, il disait que Tchernobyl était venu cinq ans trop tard, il y a cinq ans cet accident aurait été béni pour le combat, pour le coup toute la France aurait embrayé sur la lutte, alors que maintenant c'était trop tard, les peuples s'étaient habitués au nucléaire, à l'idée qu'une centrale ça explose, il s'en voulait d'avoir flingué trois ans de sa vie et mêlé Alexandre à tout ça. En cinq ans il avait eu le temps de gamberger, en taule évidemment, et surtout depuis qu'il était là, au calme, au grand air.

— La violence ne fait qu'attiser les peurs, et plus les peurs enflent, plus elles gonflent le camp des inquiets, et au final c'est l'extrême droite qui ramasse...

Alexandre était embarrassé par la solennité de son discours. Face à une telle confidence, il n'imaginait pas ramener sur le tapis son problème de capotes anglaises. Anton continua de parler, Alexandre songea que demain matin il reprendrait la route, il aurait bien revu Constanze, ils auraient eu quatre jours pour eux, mais sans faire l'amour. À moins de passer outre ce soir, il était prêt à le faire, en tout cas il savait très bien que dans la folie de l'instant ce serait possible, ce soir, cette nuit, pour peu de se prendre fougueusement, de s'enlacer en se foutant de cette histoire de virus, de cette mort au bout du baiser... Sauf que faire l'amour sans capote, ce serait tout abîmer, mais est-ce qu'il vaut mieux s'aimer sans baiser ou baiser en abîmant tout ? Pendant qu'il se torturait l'esprit, Anton expliquait que lutter contre la société c'était exister en fonction d'elle, et donc s'y soumettre, s'y assujettir, c'était lui faire ce trop beau cadeau.

— J'avais envie de me battre mais pas de changer le monde. La lutte faut la mener sans se désigner d'ennemi, agir autour de soi en retapant un vieux mur, par exemple.

Alexandre se baissa pour l'aider à fixer enfin cette foutue pierre.

— Tu sais, Anton, tu ferais mieux d'y mettre un peu de ciment, le ciment ce n'est pas interdit tout de même.

Mais Anton ne voulait pas, il tenait à ce que son muret soit vierge, propre.

— Nature : tu comprends ?

— Comme tu voudras, Anton, comme tu voudras.

Et là Anton se planta face à Alexandre, il le regarda bien en face.

— Par contre, Alexandre, j'ai pas oublié, et dis-toi que si un jour je peux te rendre service, si un jour t'as une lutte à mener, je serai là.

— Quelle lutte ?

— On ne sait jamais, Alexandre... T'es exposé, tu sais, avec ton boulot t'es exposé.

Mardi 22 juillet 1986

Alexandre repartirait ce soir, le plus tard possible. En roulant de nuit il pourrait passer un dernier après-midi avec Constanze. Cette fille il y pensait depuis cinq ans, et depuis trois jours il se retenait de lui poser trop de questions. Pourtant il brûlait de savoir ce qu'elle pensait de lui, s'ils étaient ensemble d'une façon ou d'une autre. Mais poser ce genre de questions ç'aurait été passer pour un naïf, un puéril, après tout il voyait bien qu'elle tenait à lui, elle lui avait même dit qu'elle pensait souvent à lui et que si elle n'avait pas appelé avant, c'était pour ne pas tout compliquer. Mais Alexandre ne se satisfaisait pas de ça, avant de se quitter de nouveau il pensait qu'il faudrait se fixer des rendez-vous pour être sûr de ne pas se perdre.

Ils déjeunèrent tous ensemble autour de la grande table. Adrien avait cuit un gigot, Lorraine et Kathleen n'approuvaient pas, rien que l'odeur les écœurait. Alexandre se sentit très terrien d'un coup, beaucoup moins léger qu'eux tous. Tout en mangeant il se demandait ce qu'ils seraient devenus dans cinq ans, dans dix ans de ça, lesquels seraient encore là dans cette ferme, lesquels seraient partis. Il avait l'impression de pouvoir le deviner déjà. Anton, par exemple, avec ses chaussures de cuir à semelles souples, son pantalon de tergal, tout comme Xabi avec ses tee-shirts noirs malgré le soleil, c'était clair que la ville ne les avait pas complètement quittés, qu'un jour ou l'autre elle les rattraperait. Quant à Constanze, son avenir était le plus lisible de tous, après-demain elle remonterait dans l'avion pour Berlin, elle ne parlait que de sauver le monde, de secourir l'Inde.

Pour passer le reste de l'après-midi seuls, à l'écart des autres, Alexandre et elle partirent vers le Trou aux fées, une source soi-disant nichée dans un bouquet d'herbes hautes et d'arbustes. Alexandre ne regretta pas d'avoir pris la 4L parce qu'il était loin, ce havre de paix, en plus le chemin était étroit et plein d'ornières, il aboutissait à un mince canyon, au fond duquel un ruisseau faisait vivre une belle nature. Il n'y avait pas assez d'eau pour se baigner, c'est pour cela qu'il n'y avait personne, les vacanciers préféraient aller au bord des rivières et des lacs. Les petites sources comme ça, c'était comme des planètes originelles, soulagées de la présence humaine.

Ils se posèrent là. Alexandre s'étonna de la spontanéité avec laquelle Constanze se retrouva nue. Dans un même mouvement elle avait tout enlevé. Il était obligé de faire comme elle, mais il n'y arrivait pas. Voilà trois nuits qu'ils partageaient le même lit, certes chastes mais déshabillés, et pourtant se mettre à poil là, au grand air, devant elle, ça lui semblait extravagant.

— Qu'est-ce que tu es français, lui dit-elle, avant de le prendre par la main et de l'entraîner vers une grande flaque, le petit bassin de rétention que formait la résurgence avant de s'engager mollement dans la pente.

Alexandre se laissa faire, il enleva son jean, ses chaussures et son tee-shirt, mais pas son caleçon, avant de la suivre dans l'eau.

— Tu te rends compte que c'est de l'eau pure, venue du plus profond de la terre, c'est pas croyable...

Constanze s'émerveillait de ce point d'eau comme d'une oasis en plein désert, ce qui fit dire à Alexandre qu'elle n'avait pas dû en voir souvent des sources...

— Si, j'en ai déjà vu plein, les bains Széchenyi à Budapest, Baden-Baden, mais c'est pas comme ça, en pleine nature... *Komm, meine Liebe.*

Pour elle ils étaient seuls au monde. Alors qu'Alexandre ressentait la présence des arbustes, des herbes hautes, des oiseaux et autres bestioles qui étaient là tout autour, comme cette buse bien haut dans le ciel, il sentait sur lui le regard de tout cet environnement sauvage et il avait un mal fou à l'enlever, ce caleçon, comme au rugby, il n'avait jamais eu la décontraction de ceux qui se foutaient à poil sans l'ombre d'une hésitation. Mais en voyant Constanze qui s'allongeait de tout son long dans cette flaque de vingt centimètres de profondeur, qui se roulait dedans comme on le fait en lisière de plage, il eut une envie folle de la rejoindre. Sa peau de miel, une fois mouillée, avait encore plus d'éclat, tentante comme un pain d'épice, à partir de là il n'y eut plus d'interdit, plus de limite, plus de frontière, Alexandre se laissa déborder par son corps qui ne réfléchissait plus, il la retrouva dans l'infime étang. L'eau était froide mais le soleil ardent, ils s'enlacèrent et sombrèrent instantanément dans un vertige fulgurant, de l'eau se mélangeait à chaque bouffée d'air qu'ils reprenaient, leurs mains n'en finissaient pas de se chercher, ils se touchaient sans plus se parler, prise par le jeu Constanze se mit à rire, Alexandre ne riait pas, il se donnait à corps perdu à cette grande roulade, par moments une pierre lui faisait mal, mais le soleil tout de suite effaçait la douleur, l'eau fraîche ragaillardissait la peau, la nature reprenait le dessus. Chaque fois qu'il tentait de tenir Constanze fort dans ses bras, elle lui échappait, fluide comme un poisson, elle lui offrait sa bouche par instants, il attrapait ses seins, puis ses fesses, mais lorsqu'il glissa sa main entre ses cuisses, une fois encore c'est elle qui l'arrêta net, elle se redressa, le haut du corps en appui sur ses deux bras.

— Alexandre, pardon, je ne peux pas.

Et là, pour se justifier sans doute, elle lui dit qu'à Berlin elle avait eu plusieurs aventures, aucune relation sérieuse mais des aventures, et avec le recul ça la terrorisait. Le sexe lui faisait peur à présent. L'amour lui faisait peur, à croire que la liberté de coucher comme ça, pour un soir, était redevenue condamnable. Ce monde qu'ils avaient réussi un temps à oublier leur retombait dessus, elle lui raconta ces histoires que lui avait rapportées sa mère, ces médicaments qu'on testait sur les malades, le silence gêné des infirmières, les laboratoires pharmaceutiques de l'Ouest qui testaient de nouvelles molécules sur les malades de RDA, depuis qu'elle retournait souvent à l'Est la peur rôdait en elle comme une obsession, si bien qu'elle se méfiait de tout, des médicaments, de la maladie, de la médecine, du sexe, de ce monde en lequel elle n'avait plus aucune confiance…

L'Histoire, on s'en tient à distance, alors qu'elle est toujours là à vous tenir en joue. L'époque vous rattrape toujours. En retournant à la ferme communautaire Alexandre se mit à les envier eux tous, ils avaient fait le choix de sortir de l'Histoire, ils se croyaient dégagés de tout, visant une sorte d'autarcie heureuse, sans hypermarchés, sans normes, sans contrôle, du moins pour l'instant.

Ce soir-là, avant qu'Alexandre ne parte, Constanze lui répéta plusieurs fois qu'ils se reverraient bientôt, qu'elle ne manquerait pas de l'appeler, qu'elle l'appellerait tout le temps.

Vendredi 24 décembre 1999

Depuis une semaine la radio parlait de la marée noire provoquée par l'*Erika*, ce pétrolier échoué au large de la Bretagne à cause de la tempête. Et ce matin-là ils parlaient de nouveaux coups de vent à venir, peut-être plus forts encore. Au fil des flashs météo les prévisions se précisaient, évoquant des vents violents comme on en voit rarement.

Depuis l'éclipse totale du mois d'août, on sentait la nature plus déréglée que jamais. Alexandre se souvint que pour voir ce soleil noir, il y a cinq mois, ils étaient tous montés à la ferme. Depuis que les parents vivaient en bas, c'était la première fois qu'ils se retrouvaient tous là, aux Bertranges, quatre générations réunies. Parce que Lucienne aussi avait voulu voir ça, cette lune qui avale le soleil, ça n'arrive qu'une fois dans une vie. Quant aux gamins de Caroline et Vanessa, ils avaient été intenables, leurs mères n'avaient qu'une peur, qu'ils n'enlèvent leurs lunettes anti-rayons infrarouges au moment de l'éclipse. Mais les plus nerveux c'étaient bien Angèle et Jean. L'idée que le soleil puisse disparaître, ne serait-ce que quelques minutes, selon eux ce n'était pas bon signe. Ils n'allaient pas jusqu'à croire tous ces illuminés qui parlaient de la fin du monde, ceux qui prédisaient que la station Mir s'écraserait sur le Gers pile à ce moment-là, d'autant que le Gers c'était à cent kilomètres d'ici, mais tout de même, pour eux cette éclipse ça ne valait rien de bon. Le père disait avoir vu la veille plein de sangliers et de chevreuils descendre de la forêt, à croire que les animaux fuyaient les bois de peur que les arbres ne leur tombent dessus, il n'avait encore jamais vu ça.

Quand le vent était au nord comme ce soir, on entendait les travaux. Ce chantier c'était l'enfer, treize millions de mètres cubes de terre déplacés, des milliers d'hectares d'exploitations agricoles dévastés, la création de centaines de talus, de tunnels et de ponts, sans parler de toutes les bêtes sauvages qui, à cause de l'autoroute, ne pourraient plus sortir des forêts le soir pour aller vers les prairies et les points d'eau, tout ça pour que Toulouse et Paris communiquent avec Barcelone, La Haye et Londres. Encore une fois il fallait accepter que les villes dictent leur loi, qu'elles sabotent les campagnes pour assouvir leur désir de libre-échange, qu'elles communiquent, soient visitées les unes et les autres, commercent, c'était d'un égocentrisme écœurant.

Alexandre vérifia les mortiers de 75, avant de les tirer il faudrait les enterrer à moitié afin qu'ils soient bien stables. Xabi avait bricolé une fusée dont il avait triplé la charge d'éclatement. Alexandre suivrait scrupuleusement son plan, et l'effet serait garanti. Le père Crayssac n'était plus de ce monde et, depuis, Alexandre se sentait marcher sur ses pas.

Il prit une douche avant de rejoindre toute la famille en bas. Pourtant il n'avait aucune envie de subir ce réveillon. À France Info ils évoquaient maintenant la dépression qui se creusait sur l'océan Atlantique, les courants ascendants qui arriveraient par les côtes bretonnes, occasionnant de forts vents de sud-ouest. Ce n'était pas de chance, les secours ne pourraient pas pomper les cuves de l'*Erika* à cause de vagues de plus de six mètres. Décidément, ce siècle finissait dans un naufrage.

1991

Lundi 4 mars 1991

Maintenant qu'il avait vendu ses chèvres, Crayssac ne retirait plus rien de cette nature qui l'avait toujours fait vivre. À cause de ses hanches, il avait dû arrêter le potager en plus des fromages, il avait renoncé à toute cueillette, et à la chasse évidemment. Cette nature qui l'avait toujours nourri, elle ne lui donnait guère plus que des champignons. Pour le reste, l'épicier ambulant faisait l'affaire. Tant que la camionnette blanche ferait le détour et secouerait sa camelote pour monter jusqu'ici, il s'y ravitaillerait.

Depuis le nuage de Tchernobyl, tout le monde disait qu'il ne fallait plus toucher aux champignons. Les cèpes, les girolles et les coulemelles seraient contaminés au césium 137, viciés jusqu'à la nuit des temps. Cela n'empêchait pas Crayssac de continuer de les ramasser. Fort de son expérience, il connaissait les bons coins, il en ramenait des sacs pleins. Sur tout le canton il n'y avait plus que lui pour en cueillir, et la nature étant bien faite, les champignons ne pèsent pas lourd, il pouvait en rapporter des kilos.

— À mon âge, crois-moi que je m'en fous pas mal de leur césium 137, tout comme du 138, et du 139... Faut pas écouter tout ce bla-bla qu'on nous raconte à la radio.

Par moments, ce vieux fou le désespérait. Alexandre était bien le seul à aller le voir dans sa fermette. Certains disaient qu'il lorgnait ses terres, voilà pourquoi il rendait visite à l'ancêtre, alors qu'Alexandre s'en foutait pas mal de tous ses prés à cailloux. Chez les Fabrier personne n'en aurait voulu de ces hectares-là. Simplement, à travers ce bonhomme, il avait le sentiment de trouver l'inspirateur de tous les contestataires qu'il avait rencontrés, aussi bien les activistes antinucléaires que les révolutionnaires généralistes de Toulouse, ou la bande d'Anton, ces fermiers hippies du Larzac chez lesquels il était retourné l'été dernier. À travers Crayssac, il trouvait une sorte de filiation, une lignée d'esprits libres dans laquelle il lui plaisait d'inscrire Constanze, Anton et Adrien, ou même le Kevin Costner de *Danse avec les loups*. Mine de rien Crayssac était le précurseur de tous ceux qui avaient fait un pas de côté, qui s'extrayaient de cette société de consommation qu'on présentait toujours comme le seul avenir possible. Maintenant que le mur de Berlin était tombé, le libéralisme restait le seul modèle valablement organisé et achalandé, le seul schéma de civilisation offrant ce qu'il faut de succursales et de points de vente un peu partout dans le monde, un monde où toute marchandise était commercialisable à l'infini.

En revanche, la chute du Mur n'avait rien changé à son histoire avec Constanze. Au début, il avait cru que tout serait plus simple, qu'ils se verraient plus souvent, que ça les rapprocherait d'une certaine façon. Mais rien de tout ça ne s'était produit. Ils s'en tenaient toujours à ce rite, aux quelques jours d'été passés ensemble chez Anton, une semaine où ils avaient du mal à s'isoler et ne se promettaient pas tant de choses, finalement. Alexandre était allé une fois à Berlin pour les fêtes, deux jours de train pour l'aller, plus deux autres pour le retour. Et de ces six jours là-bas il avait retenu le soleil qui se couchait à seize heures, et deux ou trois mots d'allemand qu'il n'arrivait jamais à prononcer correctement, Constanze l'avait présenté à des tas d'amis, il aurait dû le prendre comme une marque d'amour, mais il l'avait vécu comme une corvée à cause de la langue, seules les nuits étaient magiques, dans ce vieil hôtel rococo près du Kurfürstendamm, une chambre avec des grands rideaux rouges qui tombaient d'un très haut plafond et traçaient les contours d'un monde à eux, rien qu'à eux...

— Eh oh, tu m'écoutes ?

— Oui.

— Alors vas-y, pourquoi ce sont les champignons qui en attrapent le plus ?

— De quoi ?

— Eh bien du césium 137 !

— Je ne sais pas.

— C'est parce que les champignons, c'est des nettoyeurs, c'est eux qui dépolluent les sols, ils absorbent tout ce qu'est mauvais pour la terre, ils le pompent et le restituent dans leur chair...

— C'est bien pour ça qu'il ne faut pas en manger !

— Mais des minéraux, bien sûr qu'il en faut, arrête donc d'écouter ta télé...

Alexandre ne vérifiait jamais ce que lui disait ce vieux fou mais plus d'une fois il avait noté qu'il disait vrai. Ainsi, ces fameux poteaux téléphoniques traités à l'arsenic, c'était vrai que depuis vingt-cinq ans ils n'étaient toujours pas moisis ni attaqués par les vers, signe que ces troncs-là étaient bien insensibles à tout, qu'ils devaient être imbibés d'un tas de saloperies chimiques qui avaient dû se répandre dans les sols. Le père Crayssac était un vieil illuminé, mais qui disait vrai. C'est pour ça qu'Alexandre était venu le voir ce matin-là. France Info venait d'annoncer un premier cas de « vache folle » en Bretagne, sans attendre ils avaient abattu tout le troupeau, à la moindre vache malade dans un élevage, la nouvelle consigne était de les abattre toutes pour ne pas risquer l'épidémie.

— Tu sais, gamin, j'aimerais pas être à ta place. Quand ce chat est mort en Angleterre il y a deux ans, je t'avais dit que ça finirait mal, eh ben tu verras, un jour les humains finiront par la choper la vache folle, un peu comme on se refile un rhume, et ce jour-là je te prie de croire que ce sera la panique...

Crayssac avait beau toujours tout critiquer, dire que le monde ne tournait pas rond, il devenait de plus en plus difficile de lui dire qu'il avait tort.

— Quand ce chat a crevé, ils ont interdit les farines animales, et aujourd'hui on dépiste des bêtes malades nées après l'interdiction, ça veut bien dire que l'Europe ferme les yeux, on laisse les Anglais nous refourguer leurs saloperies, histoire de leur faire avaler le Marché unique, sans quoi ils se barreraient, les British... Je vais te dire, tout ce que les Anglais savent d'une vache, c'est que ça a quatre pattes, sinon ils n'y connaissent rien, à part que ça se vend au poids... Et chez eux, une livre ça vaut aussi bien pour le poids que pour le pognon, c'est pour ça qu'ils mélangent tout !

Chez les anciens, prophétiser le pire est souvent un stratagème de naufragé, déclarer que le monde est sur le point de se saborder

leur permet de ne pas avoir à le regretter.
Alexandre regarda sa montre et se leva d'un
bond.

— Tu vas au comité, c'est ça ?

— On peut rien vous cacher.

Le père Crayssac se souleva avec difficulté
de sa chaise, puis il rejoignit Alexandre qui
était déjà sur le pas de la porte.

— À toi je peux te l'assurer, parce que
les autres me prennent pour un fou, mais
crois-moi que l'autoroute ils ne la feront
jamais passer par ici, même si l'État le
demande, ils ne pourront pas...

— Et au nom de quoi ?

— Parce que j'ai mon trésor.

Quand le vieux devenait délirant, Alexandre
préférait en rester là, quitte même à faire
semblant de ne plus l'entendre. Seulement,
une fois dehors, le vieux le rappela sur
un ton étonnamment doux, si bien qu'il
se retourna, plutôt surpris de cet accès de
bienveillance.

— Tu sais, Alexandre, ce trésor tu l'as
toi aussi au bout de ton champ, mais tu ne
le sais pas encore. Un jour je te dirai. Pas
maintenant. Je vous laisse vous dépatouiller
avec ça, je vous laisse dans vos réunions et
vos bla-bla...

— Joseph, qu'est-ce que vous voulez me
faire croire au juste ?

— T'en fais pas, au bon moment je te
dirai.

Lundi 4 mars 1991

Alexandre reprit la 4L pour descendre à Cénevières. La réunion avait sûrement dû commencer. En longeant les champs maintenant en friche de Crayssac, il se demanda quel genre d'idées le vieux chevrier avait en tête, et même si le vieux délirait il savait qu'il ne parlait jamais dans le vide, il y avait toujours un fond de vérité dans ses élucubrations. Pourtant, pas une seconde on ne pouvait croire que ce fouillis de ronces, de genévriers et d'herbes folles puisse receler un quelconque trésor, pas même de l'eau, et encore moins de l'or ou du pétrole, ça se serait su depuis longtemps.

Le Paradou ne faisait plus épicerie. Il ne faisait plus vraiment bistrot non plus, seules les consommations au bar étaient possibles, quant à la mère Suzanne elle restait assise en salle, ne se levant que rarement, la plupart du temps c'était aux clients eux-mêmes d'aller se servir. Pour le café il valait mieux savoir utiliser le vieux percolateur, trouver l'astuce pour enclencher la poignée-dose. Sinon, tout le monde savait décapsuler une bouteille ou remplir le bouchon-doseur de Ricard. Par contre, pour encaisser, la mère Suzanne se levait, elle avait confiance en l'humanité mais ce tiroir, elle seule avait le droit d'y fouiller.

L'Europe des Douze avait l'intention de s'élargir, et la France était vouée à devenir le rond-point de ce continent uni, le cœur battant de l'Europe tout entière, d'autant que la Grande-Bretagne serait bientôt reliée par un tunnel et que demain on mettrait moins de temps pour faire Londres-Paris que Rodez-Decazeville. Seulement, pour être la plaque tournante entre le Nord et le Sud, entre l'Est et l'Ouest, la France manquait d'autoroutes. C'est pourquoi le projet de l'A20 était lancé pour de vrai cette fois.

Depuis que cette autoroute était inscrite au schéma directeur, que l'État était bien décidé à la construire, le Paradou était donc devenu le point de rendez-vous des comités. Le café n'avait jamais été aussi plein, une bonne cinquantaine de personnes étaient présentes à chaque réunion. Alors même que le vieux bistrot n'en finissait plus de crever, l'ironie du sort en avait fait un lieu vital pour le territoire, son rayonnement s'étendait désormais bien au-delà du bourg et du canton.

Les mairies étant trop petites et trop disséminées, c'est au Paradou aussi que se tenaient les réunions d'information des villages environnants, du moins ceux qui se mobilisaient pour éviter que cette bande de bitume ne leur passe dessus. Depuis le début de l'année tout s'était accéléré, le projet n'en était qu'au stade des études préliminaires mais cette autoroute hantait déjà les esprits. Les plus bavards dans ces réunions, les plus habiles dans la prise de parole, c'étaient toujours les mêmes, c'est-à-dire les élus. Ils se succédaient, illustrant leurs propos à grand renfort de dessins, un paperboard ne quittait plus le fond du café, ajoutant au décor une odeur d'alcool supplémentaire, celle des feutres.

— Oh mais ça peut encore durer, pour l'instant ils étudient plusieurs couloirs de passage sur une zone large de trente kilomètres, l'autoroute pourrait tout aussi bien passer à l'est, vers Assier, qu'à l'ouest, de l'autre côté de la Bouriane, mais l'hypothèse qui a leur faveur, c'est de la faire passer juste là, au-dessus de la vallée.

— Quand est-ce qu'on saura ?

— À la fin de la première phase d'études ils affineront le tir, ils détermineront une zone d'un kilomètre de large seulement, et après ça une zone de trois cents mètres, et là les choses sérieuses pourront commencer.

— Les choses sérieuses, ça veut dire quoi ? Les travaux ?

— Oui, une fois qu'ils auront défini la bande de trois cents mètres, plus rien ne les arrêtera.

— Qui ça, ils ?

— L'État !

Ce soir, pour leur expliquer la situation en détail, le député en personne s'était déplacé. Le grand Bernard tout le monde lui faisait confiance, déjà parce qu'il avait l'accent, et puis parce qu'il vendait du matériel agricole. Lui, ces terres, il les connaissait, il y était né, pour autant il n'était pas opposé à cette autoroute, loin de là.

— Alors, ce qu'il faut bien vous mettre en tête, c'est qu'une construction d'autoroute répond à l'intérêt public, je dirai même à l'intérêt public général, et à ce titre il est donc prioritaire par rapport à nos petits intérêts particuliers, vous comprenez. Eh oui, c'est ça la démocratie, car il y a une chose qu'il faut garder présent à l'esprit : on n'est pas seuls sur terre...

— Ici, si.

— Eh bien, pas autant que vous croyez.

Ça par contre, pour le maire de Cénevières ça ne passait pas. Ces terres, ces villages, ces petites routes étaient délaissés depuis des années, les gares fermaient les unes après les autres, les bistrots commençaient à faire pareil, ici ce fameux intérêt public général n'accouchait que de fermetures, celles de la poste, de l'épicerie, du bistrot bientôt. Ces économies pour satisfaire l'intérêt public général, elles faisaient que les gens se retrouvaient de plus en plus isolés, de plus en plus loin de tout, et voilà que tout d'un coup, au nom de ce même intérêt public général, il faudrait accepter qu'une autoroute défigure la vallée... Alors non, pour lui ça ne passait pas.

Malgré les broncas qui secouaient l'assemblée, le député rappela que son boulot était autant de défendre les intérêts des gens d'ici auprès de l'État, que de défendre l'intérêt de l'État auprès des gens d'ici.

— Donc, on va être clair : contrarier le passage d'une autoroute, c'est comme empêcher les voitures de l'emprunter une fois que l'autoroute est construite, vous me comprenez ?

— Non.

— Eh bien, empêcher une autoroute d'être construite, c'est comme en bloquer une qui existerait déjà, autrement dit c'est interdit, in-ter-dit...

— Mais cette autoroute on ne veut pas la bloquer, on veut juste qu'elle passe ailleurs... À l'est, sur le causse, là-bas y a que des genévriers, tout le monde s'en fout des genévriers, tandis qu'ici dans la vallée y a des bonnes terres, c'est pourtant simple à comprendre.

— Mais avec des gens comme vous, on n'aurait jamais construit de lignes ferroviaires au XIXᵉ siècle, vous vous rendez compte, à l'époque c'était bien pire, des voies ferrées on en a construit des dizaines de milliers de kilomètres, les mêmes que vous pleurez aujourd'hui, alors que plus aucun d'entre vous ne prend le train.

— Évidemment qu'on ne prend plus le train, t'as vu ce qu'il en reste de tes chemins de fer...

— Qu'importe, personne n'a le droit de s'opposer à l'intérêt public général, ou sinon c'est de l'égoïsme...

Alexandre regarda son père. Ils écoutaient sans intervenir, parce que en dedans ils étaient noués. Tout le monde se foutait pas mal d'eux, tout comme du père Crayssac, leur avis n'avait aucune importance. D'ailleurs, sans le dire, beaucoup le pensaient, le plus simple ce serait de la faire passer là-haut, cette autoroute, chez les Fabrier. D'autant que cette solution arrangerait les propriétaires qui avaient des terres dans l'axe, au nord comme au sud, tous ceux qui n'attendaient que ça, que la société concessionnaire leur rachète leurs terres pour la faire, cette autoroute, en dehors de quoi leurs terres ils ne les revendraient jamais, dans le coin elles ne seraient jamais constructibles et demain il n'y aurait plus de paysans pour prendre la suite, elles leur resteraient sur les bras. Le père Taillade était même prêt à céder dix hectares à l'ASF pour qu'ils ouvrent une carrière, car il en faut des cailloux pour construire une autoroute, comme ça sur place ils auraient tout, leurs remblais ils les feraient avec de la caillasse locale, ils pourraient même construire une centrale à béton, ce serait tout bénéfice et tout le monde y trouverait son compte...

— Je vais être franc avec vous, déclara le père Taillade, on sait tous que d'ici l'an 2000 le nombre d'exploitations agricoles sera divisé par deux. Ici il n'y aura plus que des friches et des arbres sauvages, alors plutôt que de geler des terres qui ne rapportent rien, moi je vais vous le dire, je préfère encore vendre à un bon prix à l'autoroute, et on n'en parle plus...

Alexandre et son père se retrouvaient salement isolés. Ils découvraient qu'autour d'eux la plupart était prêt à vendre. Ils ne voulaient pas se mettre en colère avant d'en être sûrs, pourtant ce serait un drame si cette autoroute passait au-dessus de la vallée, parce que, en plus de couper les terres et de faire un boucan du diable, elle nécessiterait la construction d'un viaduc de quatre-vingts mètres de haut pour enjamber la vallée, ce qui entraînerait des années de préparation et de travaux, sans parler de la pollution et des nuisances à n'en plus finir, si bien que le père se décida à prendre la parole puisque le député était là, lui disant que franchir la vallée n'avait pas de sens, le plus simple serait quand même de bâtir cette autoroute à plat, en passant par l'est...

— Non, vous faites erreur, passer par l'est ajouterait des kilomètres, pour eux le plus simple c'est bien d'enjamber la vallée, ça leur permet d'être pile dans l'axe Brive-Cahors, en ligne droite.

— Mais enfin, un viaduc, ça coûte une fortune !

— Pour l'ASF c'est pas le problème. Au contraire, plus une autoroute leur coûte cher, plus elle leur rapportera.

Le père en resta sans voix. Alexandre n'intervint pas mais intérieurement il se jura que jamais un viaduc ne se dresserait à côté des Bertranges, jamais il ne laisserait défigurer ce paysage. S'il le fallait il demanderait de l'aide à Anton, Xabi et toute la bande, et même à Crayssac et à tous les anciens de la lutte, histoire d'apprendre à fédérer une résistance, pour l'heure il ne savait pas encore comment il ferait, mais en tout cas jamais de bulldozers ne ravageraient les champs de menthe sauvage, ni ne défigureraient le tableau de Constanze.

Assise au milieu de la salle, la mère Suzanne suivait ces débats sans jamais prendre parti, dans le fond, ce qui la comblait, c'était de voir autant de monde dans son café. Sinon, à ce qu'elle en avait compris, la grande dif-férence entre le train et la voiture c'est que les trains ramenaient du monde par ici, alors que les voitures leur permettaient de partir. D'ailleurs, une fois la réunion finie, les trente bagnoles au moins qu'il y avait là devant le bistrot s'envolèrent toutes, presque en même temps. Ne restèrent plus que les trois mêmes accoudés qui pour une fois ne refirent pas le monde mais l'autoroute. Le tic-tac de l'hor-loge redevint audible, il emplit de nouveau toute la pièce, et le souffle de la chaudière se remit à rythmer l'ennui.

Vendredi 15 mars 1991

Vanessa avait rapporté un *cordless phone* AT&T des États-Unis, un téléphone blanc sans fil, mais avec une grande antenne téléscopique comme celle de la voiture. Grâce à sa sœur, Alexandre pouvait enfin parler longtemps sans avoir à rester planté dans le couloir. En dépliant l'antenne au maximum il pouvait même aller dehors.

Avec Constanze ils s'appelaient au moins une fois tous les quinze jours, en général c'est elle qui téléphonait depuis son travail. Alexandre pouvait la joindre quand il voulait, à condition de le faire aux heures de bureau et en PCV. Mais il trouvait humiliant de devoir passer par une opératrice et d'attendre que sa correspondante accepte ou pas la communication. Cela dit il le faisait, d'autant qu'avec Constanze ils se parlaient parfois longtemps, et s'il avait dû prendre à sa charge toutes ces communications, ça aurait coûté une fortune.

Cette fille lui ouvrait une perspective inouïe, et qu'elle vive loin lui permettait de se sentir lui-même un peu ailleurs. À travers elle il participait à distance à ces villes, à ce monde, à tout cet univers qui lui échappait. Et puis quand même, il avait visité Berlin, ce n'était pas rien, un sacré grand voyage qu'il avait envie de refaire un jour ou l'autre, avec plus d'assurance cette fois, mais pour revoir Constanze, pas la ville. De son côté, Constanze trouvait en Alexandre un homme originel et simple, le supposant libre parce qu'il vivait en pleine nature, il était son seul point fixe et fiable, surtout depuis que sa grand-mère était morte, la chute du Mur n'avait pas suffi à la guérir, et du fait de tous les chamboulements que cela avait entraînés, sa mère perdait carrément la tête. Tous ses repères disparaissaient, tout bougeait sans cesse, son père qui écumait le monde pour Airbus, son pays qui s'était réunifié tout en restant coupé en deux, et elle-même qui travaillait à présent dans une ONG pour laquelle elle voyagerait de plus en plus.

Alexandre ne faisait que constater ce besoin de bouger qui les prenait toutes, aussi bien ses sœurs que Constanze. Les pays s'ouvraient les uns aux autres, le monde semblait s'apaiser, les grandes puissances parlaient maintenant de désarmement, dans cette grande sphère calme et prospère les êtres comme les marchandises ne connaissaient plus de frontières, la mondialisation heureuse jetait des millions de gens dans les avions. Chaque nuit il en voyait de plus en plus là-haut, dans le ciel, il en était écœuré. Cette grande accessibilité à la planète entière concernait tout le monde, même Alexandre, avec son grand téléphone blanc à antenne, chaque fois que Constanze l'appelait il avait la tête à Berlin, il se sentait un peu là-bas. En tout cas le rituel était pris. Deux vendredis par mois elle restait plus tard le soir à son travail et elle l'appelait à la ferme. Replié dans sa chambre Alexandre entendait les parents qui depuis la salle à manger lui disaient de venir à table, que ça allait refroidir, c'était plus fort qu'eux. Il avait maintenant trente ans, mais ils continuaient de lui parler comme à un môme.

Ce soir-là Alexandre arriva à table à vingt et une heures passées. La télé était éteinte, ce qui disait bien que l'humeur n'était pas au divertissement. L'air las, la mère rapporta un steak froid de la cuisine, une salade et des pommes sautées, froides elles aussi.

— Te casse pas la tête, je peux très bien manger dans la cuisine.

— Assieds-toi.

Alexandre comprit tout de suite que les parents voulaient parler. Une fois de plus le cours du bœuf avait baissé. Les parents lui dirent ça comme s'ils l'en tenaient un peu pour responsable, en tout cas c'était bien depuis la chute du Mur que les projets d'importation de viandes de l'Est foutaient la trouille à tout le monde, c'était comme s'il était à l'origine de la conversion des anciens pays communistes à l'économie de marché, comme si le fait d'aimer une Allemande faisait de lui un complice de ces changements. Comme à chaque fois il répondit que la solution serait d'augmenter encore plus les parcelles de maïs pour dégager plus de revenus, mais pour ça il faudrait acheter un nouveau tracteur, Massey venait justement d'en sortir un de 170 chevaux, on devrait se taper des traites de dix mille francs par an mais c'était jouable... Seulement ce coup-ci il y avait plus grave, le père était inquiet, le nouveau directeur de l'hypermarché lui avait fait lire un rapport, un document plein de tableaux et de photos qui montrait que la chair des vaches élevées en plein air était d'un moins beau rouge que celle des vaches qui passaient leur vie sans bouger. Malgré l'éclairage bien pensé des grandes surfaces, une belle viande riche en pH était moins brillante qu'un morceau de vache amorphe, si bien que des bêtes de pleine nature comme les leurs, des bêtes vivant au grand air dans des vastes prairies, des bêtes avec du muscle bien persillé, eh bien elles produisaient une viande qui, une fois sous blister, offrait un rouge moins vendeur, plus sombre. Cette viande était pourtant cent fois meilleure mais, une fois en barquette sous les néons, elle se vendait moins bien. Et le père, ça le rendait fou.

Dimanche 14 juillet 1991

En les voyant tous dans la cour, Angèle
repensa à cette intuition lointaine qu'elle
avait eue, cette crainte qu'un jour sa famille
ne finisse comme les autres, éparpillée aux
quatre coins de la France ou du monde, ne se
réunissant que pour les grandes occasions,
jour de l'an, vacances, mariages et enter-
rements. Elle était d'autant plus triste que
là encore la famille n'était pas au complet
puisqu'il manquait Agathe. Elle aurait dû
être là, seulement depuis qu'elle s'était mis
en tête d'ouvrir une boutique en franchise à
Rodez, on ne savait pas bien ce qu'elle faisait de sa vie, on avait juste compris qu'elle
s'était associée pour trouver de l'argent, et
elle semblait bien jeune pour s'encombrer
d'autant de dettes.

Le plus désolant pour la mère, c'était de
voir à quel point ses filles s'étaient totalement
détachées de la ferme, plus rien ne montrait
qu'elles avaient vécu dans ces murs jusqu'à

leur majorité. Quand elles venaient, elles n'allaient même pas voir les prés ni les vaches, elles ne partaient pas par les chemins humer quelque chose de l'enfance. Elles caressaient à peine les chiens, sans réelle fraternité, sans se souvenir que ces bêtes étaient issues des mêmes décors qu'elles, du même air.

Depuis que Caroline était maman, elle se comportait plus que jamais en aînée. Et depuis qu'elle enseignait à des élèves de collège, elle irradiait plus que jamais d'autorité. Pour le déjeuner elle avait pris les choses en main, après les fortes chaleurs de ces derniers jours elle voulait profiter de cette belle journée et mettre la table dehors, mais les parents avaient tenu bon, surtout que Lucienne et Louis seraient du repas, jamais on ne leur imposerait le supplice de manger au milieu des guêpes.

— Cette petite Chloé, c'est tout le portrait de sa grand-mère...

— Non, de son arrière-grand-mère, regarde, les mêmes yeux noisette.

— Ah bon, t'avais les cheveux frisés, toi, quand t'étais petite...

— Et toi, Alexandre, qu'est-ce que t'en dis ?

Alexandre avait du mal avec sa nièce. Depuis que cette gamine était née, les conversations tournaient toujours autour de sa frimousse, de ses cheveux, de ses dents, de sa petite robe ou de sa nouvelle poupée.

Pourtant aux Bertranges on n'avait jamais à ce point bêtifié au sujet des mômes, jamais on n'avait été aussi niais avec un gosse, à croire que ce nouveau-né relevait du miracle, alors que dans cette ferme ça grouillait de vie, des naissances il y en avait à longueur d'année, plus de trente veaux par an, sans compter les brassées de chatons et de poussins, les chiots par pleines portées, des tas de bêtes domestiques auxquelles il fallait ajouter les faisans qui nichaient dans les haies, les sangliers et les chevreuils qui gîtaient dans le coin, et puis les couples de palombes dans les grands noyers d'en face, dans cette ferme ça naissait de partout, ça n'en finissait pas d'éclore, une vraie fabrique de vies, sans parler de tout ce qui poussait comme légumes et céréales par hectares entiers, et pourtant la venue sur terre de cette gamine semblait mille fois plus extraordinaire que tout ça… Cette tablée abêtissante foutait Alexandre en rogne.

Heureusement qu'il y avait Vanessa. En Parisienne assumée elle jouait son rôle de tata avec un enthousiasme mesuré. Parfois Alexandre tentait de ramener la conversation sur le sujet de la ferme, de l'autoroute qui cette fois se profilait vraiment à l'horizon, mais il ne trouvait guère d'écho à ses angoisses. Caroline posait mine de rien des questions sur les indemnités en cas de vente, sur le prix auquel la société concessionnaire proposait de racheter les hectares de terre dont elle aurait besoin, quant à Vanessa, elle aussi la voyait d'un œil favorable cette autoroute, convaincue qu'elle amènerait de l'activité, qu'elle réveillerait la région. Alexandre ne savait plus à qui se confier. Les parents de leur côté étaient bien trop fatalistes, bien trop respectueux de l'ordre pour songer à s'opposer à un projet de l'État. Les parents comme les grands-parents, c'étaient des citoyens dociles, leur ligne de conduite dans la vie aura toujours été de ne pas faire de vagues.

À la fin du déjeuner, les parents acceptèrent qu'on sorte les chaises pour prendre le café dehors, Alexandre en profita pour remettre le sujet de l'autoroute sur le tapis, mais, une fois de plus, le père et la mère ne réagirent pas, tandis que Caroline le rabrouait sèchement, il y avait tout de même d'autres sujets de préoccupation, et autrement plus graves, dans une Europe où les balles sifflaient du côté de la Yougoslavie, dans un monde où George Bush et Saddam Hussein risquaient de mettre le feu à tout le Moyen-Orient, on allait pas faire tout un drame d'une autoroute…

— Ils ne vont quand même pas la faire passer au milieu de la maison !

— Qu'est-ce que t'en sais ?

Caroline n'essaya même pas de se montrer compatissante, tout ce qu'elle voulait c'était qu'Alexandre ne leur gâche pas le 14 Juillet avec cette histoire, comme il l'avait déjà fait à Noël dernier.

Le seul qui semblait sincèrement à l'écoute, c'était Philippe. En tant que mari de Caroline il veillait toutefois à ne pas la contredire, mais en tant que prof d'histoire il avait une vision plutôt panoramique des choses, en tout cas il concevait que d'avoir une deux fois deux voies dans la vallée, ce serait une calamité, et chercha à en savoir plus.

— Mais au pire elle passerait où, à cent mètres d'ici, à deux cents mètres ? Et d'abord, est-ce qu'on entend une autoroute à deux cents mètres de distance ?

— Ça nous ferait perdre entre cinq et dix hectares de nos terres, mais le pire ce serait le viaduc, on s'en prendrait pour des années de travaux et après ça ferait un boucan de dingue, même s'ils le mettaient à cinq cents mètres de la ferme on l'entendrait, c'est pas pensable de vivre avec ça à côté de chez soi...

Remettre ce sujet sur la table, c'était aussi une façon pour Alexandre de savoir où en étaient ses sœurs par rapport à la ferme. Un soir, à cause de ce business un peu douteux qu'elle montait avec son mec, Agathe avait appelé les parents en demandant carrément à récupérer sa part à l'avance, sa part dans l'exploitation. Depuis ce coup-là, Alexandre redoutait qu'elles ne se mettent toutes à lui demander des comptes, quand bien même elles étaient parties, elles pourraient exiger de savoir s'il avait signé un bail de fermage avec les parents, ou bien s'il était déjà propriétaire, rien que des choses qui ne les regardaient pas puisque cette exploitation elles l'avaient lâchée. Mais pour les sœurs, la question se poserait un jour ou l'autre, au nom de quoi Alexandre serait-il le seul à bénéficier de ce patrimoine, sachant qu'en prime il y vivait et en tirait un salaire ? Il en venait à se sentir coupable vis-à-vis d'elles trois, alors que de son côté il ne se serait jamais permis de demander à Caroline ou à Philippe combien ils gagnaient en tant que profs et où ils en étaient de leur crédit.

Il faisait chaud mais au lieu de traîner à l'ombre Alexandre voulut aller voir si les vaches avaient toujours assez d'eau. Philippe proposa de l'accompagner. Après un printemps pluvieux et frais, un franc soleil régnait depuis trois semaines. Les prairies étaient hautes et l'herbe généreuse, d'un vert quasi normand. C'était rare de voir ça à la mi-juillet. Philippe n'était pas très à l'aise sur le tracteur, il avait du mal à se tenir assis, secoué comme il l'était, mais Alexandre sentait que son beau-frère se régalait, il avait un fond de rusticité enfouie, et n'ayant jamais eu de contact avec la nature et encore moins avec une ferme, il goûtait là à la saveur d'une expérience inédite.

Pour donner à boire aux vaches il fallait remplir la tonne à la source, mais le débit n'étant pas suffisant, Alexandre décida d'aller pomper de l'eau à la rivière. Philippe se cramponnait aux montants du tracteur, avec la sensation d'être dans un western.

— Dans le fond t'es un peu un cow-boy...

— Tu trouves ?

— Ben oui, ta vie c'est les vaches, le grand air, la rivière... et y a même des Indiens !

Alexandre pensa que Philippe voulait parler de ses sœurs, à titre d'ennemis ou d'Indiens, mais en fait celui-ci songeait aux promoteurs de l'autoroute. Pour mieux se faire une idée, il demanda à Alexandre de lui montrer où se situerait ce viaduc s'ils devaient le construire.

— Le plus logique pour eux, ce serait de le faire passer juste au-dessus, en surplomb de la vallée, dans l'axe nord-sud.

Alexandre brancha le tuyau dans la citerne et mit la pompe en marche. Philippe contempla ce beau panorama, et en levant la tête il essaya de se figurer la chose, un pont à quatre-vingts mètres de hauteur.

— Mais il faut que vous organisiez un comité de défense, faut créer des actions, enfin il faut que vous vous y mettiez tous...

— Qui ça, tous ?

— Eh bien tous ceux qui sont concernés.

Alexandre lui expliqua la situation, les terres d'en haut n'intéressaient plus personne, la plupart des fermes s'étaient arrêtées les unes après les autres, à part aux Bertranges les paysans ne faisaient plus rien de leurs terres, et beaucoup voyaient d'un bon œil l'opportunité de les revendre au concessionnaire de l'autoroute.

La pompe s'arrêta d'un coup. Philippe laissa Alexandre remettre le moteur en route et partit marcher le long de la rivière, tout de même ça paraissait fou, imaginer qu'au beau milieu de cette nature s'élèverait un pont de bitume, drainant un flux incessant de bagnoles et de camions, ça semblait extravagant. Il ne comprenait pas que Caroline ne soit pas plus choquée que cela. En se retournant il vit Alexandre se démener pour redémarrer la pompe. Ce beau-frère apparemment costaud, en fin de compte il était fragile, mille fois plus fragile qu'il n'en avait l'air, et totalement seul, jamais il ne ferait le poids face à des centaines de tonnes de béton et de bitume, il ne pèserait rien face à l'État, un État qui décide de là où il fait passer ses routes, un État impitoyable sur ces questions-là, expropriant à tour de bras et sans réserve aucune, derrière toute autoroute il y avait des milliers de drames, de regrets et d'histoires d'expropriations. Ce cow-boy n'était qu'un fétu de paille face à l'attaque conjuguée de la société concessionnaire, du schéma directeur routier et des ingénieurs des ponts et chaussées, alors

Philippe se jura d'étudier un peu l'affaire, sans en parler à personne, même si d'avance il craignait qu'on ne puisse rien contre le processus qui aboutit à ce qu'un jour l'État décide de construire une autoroute sur vos terres, juste devant votre maison.

Il rejoignit Alexandre et ils remontèrent le chemin vers la prairie. La tonne était bien pleine et lourde, ils avaient largement de quoi remplir les trois auges.

— Ben dis donc, ça consomme !

— Quand le soleil cogne faut faire gaffe, une vache peut boire plus de cent litres, surtout les miennes, elles mangent salé !

Philippe découvrait cette réalité, sans réel intérêt pour lui, mais avec la même curiosité qui l'avait amené à faire de longues études, à décrypter le monde à travers les livres plutôt que sur le terrain. Ce genre d'expériences lui plaisait bien, là où il ne voyait que des brins d'herbe Alexandre lui parlait de fétuque, de trèfle ou de ray-grass.

— Et vous faites du lait ?

— Du lait ? T'es fou... J'aurais jamais pu faire ça.

— Ah bon, pourtant ça reste des vaches.

— Les laitières, il faut leur pomper le pis matin et soir, elles ont tout le temps quelqu'un sur le dos, alors que celles-ci, tu le vois bien, elles sont libres, elles font ce qu'elles veulent, elles sont enquiquinées par personne.

Ils rentrèrent dans un pré et Alexandre manœuvra le tracteur pour s'aligner le long d'une auge et la remplir. Depuis l'autre bout du pré, des vaches commencèrent à s'avancer mollement.

— Tu sais, Alexandre, l'histoire c'est comme la nature, il s'agit moins de tout comprendre que de savoir tirer des leçons, et ce que j'ai retenu des luttes, c'est qu'il faut qu'elles soient organisées.

— Pourquoi tu me dis ça ?

— Pour l'autoroute, tu me sembles bien seul sur le coup, surtout que tes parents ne m'ont pas l'air de vouloir se battre...

Philippe observa le panorama qui les encerclait, vide de toute présence, puis il s'approcha d'Alexandre en veillant à baisser la voix.

— Tu sais, un jour ta sœur m'a vaguement parlé de tes histoires il y a longtemps, si j'ai bien compris t'as un peu donné dans l'activisme ?

Alexandre en eut des palpitations, cette remarque le choqua profondément, mais il ne voulut rien en montrer. Comment sa sœur pouvait-elle penser cela de lui, qu'il avait pour de vrai été un activiste, et pourquoi pas un extrémiste, ou un poseur de bombes... Il se retint de toute réaction.

— Alors ?

— Alors rien. En tout cas j'ai pas l'âme d'un révolté.

— Dommage pour toi.

Alexandre coupa l'eau et remonta sur le tracteur, il attendit à peine que Philippe soit remonté pour redémarrer en direction du champ d'après. Et là mille choses lui passèrent par la tête, finalement il les enviait ces trois-là, Caroline, Philippe et leur gamine, à la limite il aurait tout donné pour en être là avec Constanze, vivre ces petits bonheurs tout simples des jours fériés, faire partie d'une famille qu'on a soi-même façonnée.

Pour l'heure, il savait juste qu'il la reverrait en août. Seulement cette fois elle ne resterait que deux jours chez Anton, elle devait filer ensuite en Grèce puis repartir en Inde. Elle n'était pas de ces oiseaux qui vivent en cage, mais il savait qu'un jour ou l'autre lui viendrait l'envie de se poser, de s'installer dans une vie calme. De toute façon, elle lui avait dit une fois que la famille, c'était tout ce qu'elle fuyait, qu'elle ne comprenait pas ce besoin d'habitudes, de se mettre des limites, mais elle n'aimait pas davantage le mode de vie communautaire comme celui d'Anton à la ferme, d'après elle c'était pire, une communauté c'était une sorte de famille ultra-débordante, totalement envahissante. L'essentiel pour elle c'était de demeurer libre. Un jour, alors qu'ils marchaient tous deux sur le Larzac, elle lui avait confié cela, que le couple c'était le sommet du conformisme,

Alexandre avait acquiescé pour faire bonne figure et ne surtout pas abattre ses cartes.

Philippe n'avait pas idée de tout ce que ses propos soulevaient comme questionnements chez son beau-frère, il continua de dérouler le fil de son discours, debout sur le marchepied du tracteur lancé à plus de trente kilomètres-heure, fier et fendant l'air.

— Tu sais ce que disait l'oncle Hô du temps où il se planquait encore dans les forêts du Nord-Tonkin ?

— Qui ça ?

— Hô Chi Minh !

— Non je vois pas.

— « Que celui qui a un fusil se serve de son fusil, que celui qui a un couteau se serve de son couteau », eh bien j'ajouterai : « que celui qui a un tracteur se serve de son tracteur » !

Alexandre lui jeta un regard perplexe, le beau-frère se piquait de faire l'exalté, dressé sur le marchepied du tracteur lancé dans la descente, il se rêvait à la proue d'une révolte...

— Tu sais quoi, je t'envie un peu...

— Ah bon, et pourquoi ?

— Toi, au moins, tu sais le combat que t'as à mener.

Alexandre ralentit pour que le beau-frère redescende sur terre, et lui demanda s'il ne se foutait pas un peu de lui.

— Mais non, je te promets, je t'envie...
Avec ta sœur on s'est rencontrés à l'UNEF,
à l'époque on voulait renverser le monde, le
mettre à nos pieds.

— Et alors ?

— Et alors, c'est l'inverse qui s'est passé.
Aujourd'hui, c'est pas que j'ai perdu l'envie
de me battre, mais je ne sais plus contre
qui, même le socialisme est de droite, alors
que toi, au moins, t'as identifié l'ennemi, je
t'assure, tu ne sais pas la chance que tu as,
crois-moi, tu devrais te remobiliser comme
dans le temps, à l'époque où tu filais le coup
de main aux poseurs de bombes...

Samedi 3 août 1991

En la retrouvant à la gare d'Albi, Alexandre sentit quelque chose de changé, ne serait-ce que dans cette façon un peu gênée qu'ils eurent de se prendre dans les bras. Pour une fois, leurs retrouvailles s'encombrèrent du regard des autres, ces estivants qu'il y avait dans la gare. Ce n'était pas comme avant. Ils restèrent un moment à se tenir l'un contre l'autre, sans se parler, sans même se regarder. Alexandre sentait que Constanze le serrait fort, elle l'étreignait sans un mot, comme elle l'aurait fait avec quelqu'un qu'il se serait agi de consoler.

Ils avaient eu un mal fou à convenir de l'endroit où se rejoindre, deux semaines à étudier toutes les hypothèses, sachant que Constanze devait d'abord passer par Paris. Seulement, pour venir de la capitale jusque chez Anton, ce n'était plus aussi simple qu'avant, là, également, les choses avaient changé, d'une part parce qu'il y avait moins de trains, d'autre part parce que Rodez était loin des Bertranges et Millau de plus en plus mal desservi, à moins d'avoir envie d'attendre deux heures au moment de la correspondance et de se taper un trajet de près de onze heures en tout, si bien que Constanze avait pris un avion très tôt à Orly pour Toulouse, puis le train de Toulouse jusqu'à Albi où elle était arrivée à midi. Dans ce monde qui ne cessait de s'ouvrir, les contreforts du Massif central devenaient de plus en plus difficiles à rallier, les lignes étaient moins fournies, les gares fermaient, à croire que tout était fait pour que Constanze ait de plus en plus de mal à venir le voir.

Plutôt que d'aller tout de suite à Saint-Affrique rejoindre la petite communauté, Constanze voulut d'abord faire un détour par le Rougier de Camarès, elle tenait absolument à voir ces grandes étendues de terre rouge ceintes de collines vertes, on lui en avait souvent parlé comme d'un coin de France qui ressemblait à l'Afrique ou à l'Inde. C'était surtout un prétexte pour être en tête à tête avec Alexandre, elle n'avait pas follement envie de retrouver toute la bande si vite, Anton, Xabi, Adrien et tous les autres, ce groupe dont elle se détachait peu à peu au fil des années.

Alexandre accueillit avec méfiance ce soudain besoin qu'elle avait d'être seule avec lui, redoutant qu'elle n'ait quelque chose à lui dire, qu'elle ne veuille lui parler de leur relation bien trop distendue, peut-être qu'elle n'y tenait plus.

Ils partirent par les petites routes baignées de lumière, les arbres étaient tendus vers le soleil, leurs ombres collaient aux troncs. Les fenêtres de la 4L étaient grandes ouvertes, avec la vitesse il devint dur de se parler. Constanze appuya sur la cassette qu'Alexandre avait déjà engagée, sans le savoir elle fit jaillir *Cowboys and Angels*, Alexandre fut gêné d'être surpris à écouter George Michael, il n'avait pas anticipé cela, sans quoi il aurait mis une cassette de Bowie ou de Nirvana. Constanze posa sa main sur son genou, en lui lançant un regard qui semblait dire, Tout est bien.

Pour aller se perdre dans les fameuses terres couleur de sang, il fallait remonter au nord sur cinquante kilomètres. À un moment ils traversèrent un petit village où Constanze remarqua un restaurant au bord de la place, le nom lui plut, l'hôtel des Voyageurs. Sur la terrasse il y avait une ardoise qui affichait en lettres blanches « Ici menu VRP ».

— Ça veut dire quoi « menu VRP » ?

— Ça veut dire qu'ils font un menu pour les représentants, les voyageurs représentants.

— Et le « P » ?

— Je ne sais pas, Constanze.

— Tu veux pas qu'on s'arrête là, j'ai faim, pas toi ?

Dès qu'elle revenait dans ces contrées reculées, Constanze se faisait chaque fois rattraper par cette sensation de temps arrêté, trouvant cela exotique et reposant. En rentrant dans la salle de l'auberge elle détailla, tout comme on le fait dans un musée, les tables en formica, le carrelage délavé, le papier peint au motif mille fois répété, une ferme avec un paysage, une scène colorée sur fond blanc. Elle passa la main sur le gros radiateur en fonte à la peinture blanche, sa masse était bien fraîche, ça faisait du bien. Cette ambiance désuète l'apaisa et immédiatement elle se sentit bien. Malgré la chaleur ils s'installèrent finalement en terrasse, et sans même réfléchir ils optèrent pour le menu du jour, entrée plat dessert.

Constanze s'émerveillait de tout, de la petite place devant eux, du vieux pont qui surplombait une rivière apparemment très encaissée, des maisons aux couleurs chaudes dont les toits de lauze se confondaient avec les collines. Sans rien vouloir contredire de son enthousiasme, Alexandre pour sa part avait l'image de ce que serait ce village dans trois mois, quand cette terrasse serait fermée, que le torrent en crue rudoierait les piles du vieux pont, que le brouillard épaulerait le froid et que les pierres des maisons sembleraient noires. Elle lui demanda des nouvelles de la ferme, et il lui parla de cette histoire d'autoroute qu'ils voulaient construire au-dessus de la vallée, des cours qui s'effondraient, il s'en voulut de noircir le tableau, mais c'était la vérité, alors pour nuancer il lui dit que cette année les fleurs de menthe sauvage sentaient bon comme jamais, qu'il y en avait des milliers, marcher dans le grand pré sur la colline d'en face, c'était comme de plonger dans une mer de menthe fraîche.

La serveuse apporta les cuisses de grenouilles dans un plat en inox. Cette femme à la belle cinquantaine portait une jupe bleu marine et un petit tablier blanc, comme si elle officiait dans un grand restaurant plein de monde. Pendant qu'elle les servait, Constanze lui demanda ce que voulait dire VRP, en guise de réponse la femme lui confia que des VRP il n'y en avait plus beaucoup, de nos jours ils n'avaient plus le temps de s'arrêter, ou alors ils prenaient l'avion,

— Et les vacanciers c'est pareil, les gens maintenant veulent partir loin, remarquez je les comprends, avec le Club Med ils ont le sentiment d'être milliardaires, là-bas ils ont tout, buffet à volonté et ski nautique gratuit, alors qu'au camping de Camarès il n'y a que deux douches pour tout le camping...

Constanze ne savait toujours pas ce que signifiait ce P. Elle observa Alexandre qui remplissait leurs verres de vin et d'eau fraîche, retrouvant cette façon qu'il avait d'être solidement assis sur sa chaise, bien droit face à son assiette, le coude gauche posé sur la table pour équilibrer son grand corps. Alors elle ressentit le besoin de lui livrer une confidence, d'évoquer le moment précis de leur rencontre comme on revient des années après sur un événement déterminant.

— Tu sais, à l'époque où on s'est rencontrés, je sortais avec Anton.

— Ah bon ?

Alexandre n'en revenait pas, il ne l'avait pas noté à l'époque, par contre par la suite il l'avait souvent redouté, parce que Anton était un type rayonnant que tout le monde écoutait, une forte personnalité, un leader.

— Eh bien tu vois, le plus drôle c'est que c'est lui qui m'a parlé de toi. Juste après que vous vous étiez rencontrés dans la cuisine, il m'a dit : « Je viens de rencontrer un mec bien, un type clair », je me souviens très bien qu'il a dit ça, un type clair, *ein klarer Kerl*, et ça m'avait intriguée... En fait c'est un peu grâce à lui qu'on est partis ensemble pour les tracts.

À partir de là, Alexandre fut convaincu qu'elle avait quelque chose à lui dire. Cette fois ils ne se voyaient pas dans cette parfaite intemporalité qui les enrobait d'irréel depuis dix ans, cette fois tout semblait ancré dans le concret, il se dit que c'était peut-être un effet de l'âge, ils venaient de quitter la vingtaine pour entrer dans la trentaine. Cependant, en ce qui le concernait, ça lui aurait bien été de durer encore comme ça, de se voir peu, de s'aimer fort, et de se téléphoner le reste du temps. Mais c'est là qu'elle se mit à lui parler plus gravement. En l'écoutant, il lui reconnut au moins ce courage, cette intention de vouloir éclaircir les choses, tandis que lui de son côté ne souhaitait rien remettre en cause de leur relation hautement diluée, cette situation lui allait, il était prêt à vivre encore dix ans comme ça.

— Mais Alexandre, dans huit ans c'est l'an 2000, tu te rends compte !

— Et alors ?

— Et alors, le temps file, et moi je ne veux pas te dire de m'attendre encore pendant des années, je ne veux pas te bloquer dans ta vie, on a trente ans maintenant, tu comprends, trente ans c'est un âge où normalement on a posé les bases, c'est l'âge où l'on se met en couple, alors que tu vois, nous deux, on continue à vivre comme deux ados qui ne se voient qu'aux grandes vacances et qui, à chaque mois d'août, se disent à l'année prochaine, ça ne te gêne pas ?

Alexandre n'avait pas envie d'acquiescer bêtement, ni de nier. Elle avait peut-être raison, quelque part elle le bloquait dans sa vie, mais de toute façon sa vie était déjà bloquée, par nature elle était limitée à un espace éloigné de tout, et pourtant ça ne le gênait pas.

— Constanze, c'est toi-même un jour qui m'as dit que l'idée de vivre avec quelqu'un te faisait peur, l'idée même de couple te foutait le cafard, c'est vrai ou pas ?

— Oui, et je le pense toujours.

— Eh ben, rien ne nous empêche de continuer comme ça, toi et moi on est tout sauf un couple, on ne vit pas ensemble, ça devrait te combler !

Constanze se taisait, elle semblait mal à l'aise, encombrée. La serveuse leur apporta les tranches de gigot accompagnées de haricots verts et de tomates. Même à l'ombre sur cette terrasse il faisait de plus en plus chaud.

— Alexandre, tu ne veux pas qu'on reste là ?

— Où donc ?

— Ici. Je n'ai pas envie de voir les autres, pas maintenant, pas ce soir, on pourrait passer la nuit ici, prendre une chambre et dormir là ce soir.

— Comme deux VRP ?

— Non, comme un couple.

Samedi 3 août 1991

Ce matin-là le père remarqua une vache qui boitait. Plutôt que d'y voir une malédiction de cette dalle enterrée à des mètres de profondeur dans le champ, fou de rage il sortit le tracteur et profita de ce qu'Alexandre n'était pas là pour atteler le gyrobroyeur. Cette fois il était bien décidé à aller faucher ces hectares en friche que Crayssac laissait proliférer depuis qu'il n'avait plus de bêtes. Cette mer d'herbes hautes, pour Jean ça devenait une hantise, il savait que cette jungle abritait des tas de bestioles, au premier rang desquelles des vipères et des renards, auxquelles s'ajoutaient sûrement des blaireaux et des sangliers par lignées entières, cette brousse débordante accouchait sans cesse d'un véritable bestiaire de l'enfer. Depuis trois ans, cent fois le père avait demandé à Alexandre d'aller faucher ce maquis mais, par respect pour Crayssac, Alexandre ne l'avait jamais fait, il en parlait vaguement au Rouge quand il lui rendait visite, mais le paysan tenait à ce que tout reste comme ça. Après tout c'était son droit de laisser ses parcelles à l'abandon, ses bois livrés à eux-mêmes, d'autant qu'il avait beaucoup de terres, tout un pan du causse d'ici jusqu'aux falaises au-dessus de Cénevières. Seulement aujourd'hui le père avait trouvé un œdème à une bête, et même si l'on dit que les vipères ne tuent pas les vaches il avait le souvenir d'une génisse qui s'était fait mordre à la bouche quand il était môme, ce jour-là Louis n'avait pas appelé le véto parce qu'il aurait mis des heures avant de venir, et la pauvre bête avait crevé dans d'atroces douleurs. Depuis l'enfance le père gardait cette image en tête comme une hantise, parce que ç'avait été horrible à voir, cette énorme limousine au beau cuir rouge qui n'arrivait plus à respirer, Louis lui avait montré les traces de morsure, une vipère venait bien de la tuer.

Jean fonça à travers champs, jurant que les terres du père Crayssac ne seraient plus un refuge à reptiles, sans parler des nids de guêpes qui y pullulaient. Assis près de sa radio, le vieux paysan aperçut le grand tracteur tout là-bas qui s'engouffrait dans son pré. D'abord il se dit qu'il faudrait nettoyer les carreaux, on y voyait mal au travers de cette fenêtre qu'il maintenait fermée pour conserver de la fraîcheur à l'intérieur. Mais quand il se rendit compte que l'engin allait et venait dans son champ, que l'énorme gyrobroyeur s'activait à lui faucher son pré, il se leva aussi vite qu'il le put et s'apprêta à sortir malgré sa hanche qui ne le portait plus. En ouvrant sa porte il fut saisi par la chaleur qu'il faisait dehors, puis il se retourna vers la huche sous laquelle était planqué son fusil, il évalua si ça valait le coup de le prendre pour faire déguerpir ce grand con, mais en repensant aux gendarmes, à toutes ces vieilles histoires, il y renonça. Dans l'émotion il en laissa tomber sa canne, et comme il n'était pas arrivé à se baisser pour la ramasser, il marcha comme ça, sans bâton ni arme, sans rien, il marcha mains nues au-devant du tracteur.

En voyant l'ermite émerger de sa cahute et boiter dans sa direction, Jean en eut un pincement au cœur, il ne savait pas que Crayssac avait autant de mal à marcher, surtout là dans les broussailles. Ce pauvre vieux, c'était l'emblème du paysan intemporel, de ceux qui depuis toujours auront vécu sur ces terres sans autre arrière-pensée que de s'en nourrir. Sauf qu'il n'en pouvait plus de ce bordel, d'un coup d'accélérateur il relança les 70 chevaux du Massey, fonçant au milieu de ces arbustes et de toute cette brousse qui se déchiquetaient sous l'effet des couteaux de son attelage. En virant au bout du pré il distingua le vieux à deux cents mètres à gauche, de plus en plus bancal, il avançait mal dans le maquis d'herbes hautes et de ronces, mais il continuait de venir vers lui. Jean préféra détourner le regard. Plutôt que de discuter ou de s'engueuler avec lui, plutôt que de tenter de lui faire peur, le mieux c'était de finir de faucher tout le champ et qu'on n'en parle plus. Il jeta de nouveau un coup d'œil à gauche, et là il ne le vit plus. Le vieux avait dû se prendre les pattes là-dedans, piégé par son propre maquis. Jean leva le pied, histoire de faire moins de boucan, un peu honteux il chercha Crayssac des yeux, regarda tout autour des fois que le vieux réapparaisse, puis il arrêta le tracteur en débrayant la prise de force, mais il avait dû y aller un peu fort avec le broyeur parce que la pédale ne débrayait plus, les lames continuaient de tourner avec le moteur, l'engin infernal ne s'arrêtait plus. Il se mit debout afin de dominer le panorama et il gueula à tue-tête :

— Joseph ! Oh, Joseph… !

Le gyrobroyeur faisait un tel vacarme que Jean ne pouvait même pas savoir si le vieux lui répondait ou pas, alors sans plus essayer de débrayer il coupa le contact. Par contraste, ce silence lui apparut encore plus profond qu'il n'était.

— Oh ! Joseph…

N'obtenant pas de réponse, Jean commença de marcher dans ce guêpier, les jambes entravées par les ronces et les épines. Avec cette chaleur il était en short et les ronciers lui agrippaient les mollets, ça lui faisait un mal fou d'avancer dans ce fouillis. Le vieux devait s'être effondré quelque part là-dedans, et à l'idée que ce soit à cause de son tracteur, Jean en eut un haut-le-cœur. Si ça se trouve il l'avait tué. Il s'engueulait en dedans, Bon Dieu la colère, la colère ce n'est jamais bon. Maintenant c'était lui qui redoutait de se prendre une morsure de serpent ou des tiques, à chaque pas il ne savait pas sur quoi il posait le pied, c'était un vrai calvaire.

C'est derrière un genévrier qu'il découvrit le bonhomme, écroulé dans les herbes, le pied dans un trou, il restait là, allongé sur le dos, aussi inerte qu'une pierre, les yeux grands ouverts vers le ciel.

— Bon sang, tu pouvais pas répondre ?

Jean avait tellement eu peur qu'il était de nouveau saisi par la colère, seulement le vieux n'arrivait plus du tout à bouger, on aurait dit que sa hanche avait cédé pour de bon.

— Tu m'as pété la jambe !

— Non, je t'ai même pas touché...

Jean se baissa pour le redresser mais le bonhomme souffrait et pesait son quintal. Avec une prudence d'infirmière, Jean lui passa une main dans le dos, de l'autre il lui attrapa la ceinture, puis il l'empoigna comme une bête morte. Le vieux se releva enfin et pour Jean ce fut comme si cette nature, ces cigales, ces oiseaux, cette buse haut dans le ciel, tout se remettait soudain à vivre, de nouveau il les entendait, à croire que pendant deux minutes le temps s'était suspendu et que tout repartait.

— Tu m'as pété la jambe.

Jean ne répondit pas. Il n'était pas médecin. Ce qu'il visait à présent c'était de ramener Crayssac à l'ombre, de le poser chez lui comme on remet un santon dans sa crèche, rien de plus, sans même chercher d'explications.

Tandis qu'ils progressaient doucement, sans un mot, Crayssac, le visage tordu de douleur, se mit malgré tout à parler, avec autant de souffrance que de véhémence.

— Ah là tu fais le mariole, hein, avec ton tracteur, tu te crois le plus fort... Par contre quand il s'agit de l'ouvrir aux réunions, là t'es moins fier.

— Qu'est-ce que vous racontez ?

Crayssac avait son bras autour de la nuque de son secouriste, il força un grand coup pour tourner le visage de Jean face à lui et le regarder droit dans les yeux.

— L'autoroute, t'en meurs de trouille, pas vrai ? Mais quand il s'agit de te défendre au comité, il paraît que tu dis rien. T'es comme ton père, et ton grand-père avant, vous l'avez toujours tous joué solitaires, c'est bien beau d'être solitaire, sauf que quand il t'arrive une tuile, tu sais même pas te battre et t'as personne sur qui compter, pas vrai ?

Jean lui lança un regard interloqué. Il était en nage, chamboulé de voir le vieux si mal en point, de le sentir si lourd dans ses bras, c'était la première fois qu'il le touchait ce bonhomme. Ils arrivèrent devant la maison mais le blessé ne put poser le pied à terre. Jean le fit s'asseoir sur le banc près de la porte, à l'ombre, puis, salement encombré par la situation, il alla chercher un verre d'eau à l'intérieur.

— Vous m'emmerdez depuis des lustres avec vos tracteurs, vos poteaux, vos antennes, vos bagnoles, et voilà que maintenant tu viens me faucher mes friches ! Non mais t'es dingue ou quoi ?

Jean lui tendit le verre.

— De l'eau ? Tu te fous de ma gueule ?

— Joseph, vous n'avez pas le droit de garder vos terres comme ça, ça ne se fait pas.

— Laisse faire la nature.

Jean observa le pied du vieux, sa cheville avait plus que doublé de volume, sa peau cyanosée virait au bleu marbré de gris, il devait y avoir une vieille blessure là-dessous, un genre d'ulcère avec du pus.

— Faut voir le toubib.

— Jamais !

— Joseph, faut y aller.

— Salaud ! Tu veux me foutre à l'hôpital, c'est ça, tu veux qu'ils me balancent à l'hospice de Saint-Sauveur, c'est ça, tu veux que je dégage...

— Mais votre jambe là c'est pas possible, ça date pas d'aujourd'hui ce truc-là, ça part en gangrène.

Jean examinait ça avec effroi, ça lui rappelait la patte de la vache flinguée par une vipère, elle était devenue bleue comme ça.

— Et alors, si je crevais ? Tu vas pas me dire que ça t'emmerderait, ça fait quarante ans que tu me parles plus !

— Je vais chercher la voiture.

Joseph rattrapa Jean par le poignet, il serra fort, à lui en faire mal.

— Crois-moi que c'est pas dans ta bagnole que je partirai d'ici, tu m'entends, ni dans celle de personne, personne m'enlèvera d'ici, même pas le toubib, ni les pompiers...

Jean ne réagit pas.

— Si je dois crever, je crèverai ici. Pas dans un hospice, tu peux le comprendre ça ?

Le vieux relâcha sa prise. Jean se tint là un instant, en silence, après quoi il tourna les talons et repartit par le champ, jambes nues dans les ronces. Joseph le regarda s'éloigner, ne doutant pas que l'autre avait compris la leçon. Peut-être qu'il s'en irait comme ça, sans demander son reste, qu'il ferait demi-tour et remballerait son tracteur. Il s'amusa de le voir souffrir dans les broussailles, puis il le vit tout là-bas qui fouillait dans son tracteur, mais sans le remettre en route, puis qui revenait, de nouveau il traçait à travers les ronciers, les jambes en sang, tenant une petite mallette blanche.

— T'y connais quoi en secours ?

— J'ai soigné plus de vaches que vous avez trait de chèvres...

Joseph ne le reprit pas cette fois. Jean arrosa un grand bout de coton d'alcool à 90 °, et le passa sur la cheville violette, apparemment Joseph ne sentait rien, il ne disait rien, à partir de là il se laissa faire, comme le font les chevreuils blessés, toutes les bêtes amochées qui s'abandonnent et s'en remettent au soigneur, sans même un regard méfiant, sans même l'idée de fuir ni de leur en vouloir. C'était trop jaune pour être du pus, seulement en pressant un peu sur la plaie il en sortait un liquide douteux. Absorbé par sa manipulation, Jean veillait à bien faire, mais surtout à identifier quelque chose de déterminant, il fallait au moins qu'il sache si le vieux avait de la fièvre, déjà il évaluait les stratagèmes pour aller lui acheter des antibiotiques, mais pour ça faudrait pousser jusqu'à la pharmacie de Villefranche, ou attendre l'avis du vétérinaire, il devait venir jeudi pour les contrôles, oui, il attendrait le vétérinaire...

— Tu sais, je t'ai vu quand tu creusais.

Jean n'écoutait pas, il était totalement affolé par cette peau qui partait en lambeaux chaque fois qu'il soulevait le coton, et par l'odeur de pus qui en émanait.

— Tu te souviens pas ? Avec ta vieille pelleteuse...

À ces mots Jean tiqua un peu, sa vieille pelleteuse il n'y avait pas touché depuis des lustres.

— Ah bon, mais quand ça ?

— Que tu creusais ? Il y a dix ans, dix ans pile.

Ce coup-là Jean s'arrêta, plutôt surpris que le vieux l'ait vu faire ce jour-là, qu'il l'ait observé, planqué on ne sait où.

— Oui, et alors ?

— Ce jour-là t'aurais dû continuer, tu serais arrivé jusque chez moi, dans mon pré, et en continuant plus encore t'aurais débouché à l'autre bout à droite, dans les fourrés du bois de Vielmanay, ma jungle comme vous dites.

Jean regarda Joseph. Il n'en revenait pas. Il lui parlait bien de cette dalle de grès qu'il avait trouvée à deux mètres sous terre, il parlait bien de cette conduite soudée au mortier, tout le bazar qu'il avait pris pour une tombe ou une source morte...

— J'ai jamais rien dit à ton fils parce que c'est encore un môme et que j'ai pas confiance. Mais toi je suis sûr que tu sauras te taire, puisque tu parles à personne, je sais que tu diras rien.

— Mais dire quoi ?

— Tu vois ton engin là-bas,

— La débroussailleuse ?

— Eh bien le jour où il m'arrivera quelque chose, t'iras pousser ta machine jusqu'au fond du bois de Vielmanay, t'iras débroussailler ce maquis d'acacias et de ronciers, et là tu comprendras

— Je comprendrai quoi ?

— Tu préviendras le maire qui préviendra le préfet.

— D'accord, mais je comprendrai quoi ?

— Pourquoi ils ne feront jamais une autoroute par ici.

Dimanche 4 août 1991

C'était leur premier vrai petit déjeuner en tête à tête, comme ça autour d'une table, après une vraie nuit dans une vraie chambre, seul à seul, en couple. Sans même le savoir ils vivaient là une sorte d'échantillon de la vie à deux. Si ce n'est que cette parcelle de quotidien, cet ordinaire que vit tout un chacun au jour le jour relevait pour eux de l'extraordinaire. Ils avaient spontanément eu la même envie de prendre le petit déjeuner dans la salle et non pas dans la chambre, d'instinct ils étaient d'accord sur tout. Pour Constanze ce n'était pas rien. Il n'y avait pas d'autres clients qu'eux dans la salle, ou alors ils étaient levés depuis longtemps.

— Alexandre, tu rêves d'une vie comment ?

— Qu'est-ce que tu veux dire ?

— Autour de moi je vois de plus en plus de gens qui ne rêvent plus, je ne retrouve rien de la folie des années 1970, on est passé de Pink Floyd à Enigma, de Roxy Music à

Nirvana... Maintenant ceux qui rêvent, eh bien ils rêvent d'avoir une vie comme tout le monde...

— Moi de toute façon, une vie comme tout le monde, j'y arriverai pas. C'est pas pour moi.

— À cause de la ferme ?

— Oui. Et puis parce que j'en ai pas envie.

— Tu es sincère là ?

— Oui.

Et là il joua la franchise plutôt que la séduction, lui avouant que sa seule vraie préoccupation c'était la santé de ses bêtes, de ses parents, puis celle de ses terres, qu'en permanence il était hanté par le calcul des indemnités compensatoires, les bordereaux à remplir et les demandes de mise aux normes, sans parler de cette autoroute qui risquait de passer au beau milieu de ses champs, il devait sans cesse se battre pour protéger son coin de paradis, il était en permanence réquisitionné par l'angoisse, comme s'il n'était pas seulement responsable de son bout de territoire mais de la Terre tout entière...

— Veiller sur des dizaines d'hectares de coteaux, de prairies et de bords de rivière, c'est veiller sur un monde en soi.

Constanze ne disait plus rien. Elle tenait à deux mains un grand verre de jus d'orange fraîchement pressée, elle le humait comme si c'était un nectar rarissime, songeant qu'elle voulait sauver le monde, et lui le sien. Il sentait bien qu'elle le regardait fixement par-dessus son verre, comme si elle essayait de lire dans ses pensées, mais il avait déjà préparé sa réponse, si elle lui demandait « À quoi tu penses », il lui répondrait « À rien »...

Il n'y avait qu'avec elle qu'il ressentait ce genre de parenthèse, quand il était sorti avec Aline il y a deux ans, la fille de la mutuelle, il n'avait pas éprouvé ça, déjà parce que Aline ne parlait pas, et puis parce qu'elle ne rêvait de rien, pas même d'aller au restau, simplement de regarder la télé le soir. Par contre Véronique avec qui il sortait plus ou moins depuis l'hiver, c'était tout le contraire d'Aline, Véronique était expansive, trois fois par semaine elle allait au Metropolis ou au Sherlock, elle parlait beaucoup avec ses copines et ses collègues, mais toujours de leurs taux de rotation aux rayons confitures ou biscuits, de leurs parts de marché. À vingt-neuf ans, elle était cheffe de rayon chez Carrefour, elle ambitionnait de faire bâtir un pavillon, ses parents lui offriraient le terrain. Elle était sexy, Véronique, les mecs elle pouvait les essayer tous, de toute façon son objectif c'était d'avoir un enfant l'année de ses trente ans. Toutes ses copines trouvaient ça normal. Quant à celles qui, l'une après l'autre, ne venaient plus au bowling, c'est qu'elles s'occupaient de leur nouveau-né.

— À quoi tu penses ?

— À nous, mentit-il.

Ils remontèrent dans la chambre prendre les affaires de Constanze, et se jetèrent sur le grand lit encore défait, pour eux c'était comme un dimanche. La fenêtre était ouverte et la pièce était baignée de lumière, l'air était doux, ils s'enlacèrent en roulant sur le dos de l'un, puis de l'autre, ils se tenaient fort. Constanze vit la boîte de préservatifs posée sur la table de nuit, cela lui déplut. Pourtant, faire de nouveau l'amour ce serait une bonne façon de différer le moment de lui parler, parce qu'elle devait lui dire, à ce garçon, qu'il lui plaisait plus que tout, mais que ça ne servait à rien de continuer de se voir comme ça, de se téléphoner, ou alors il faudrait le faire autrement, sans autre arrière-pensée que de se donner des nouvelles, se parler en amis, oui en amis, mais c'était impossible, il ne pourrait pas le comprendre et garderait toujours ce genre d'illusion en tête. D'ailleurs tout cela c'était de sa faute, hier elle s'était juré qu'ils ne feraient plus l'amour, qu'elle lui parlerait avant, mais finalement elle s'était laissé emporter par cette cascade de sensations, par cet été, cette chaleur, cette chambre toute simple dans ce petit hôtel perdu, comme hors du temps.

— Alexandre, je crois que le mieux c'est qu'on ne se voie plus.

— Quoi ?

— Je veux... enfin, je vais partir travailler pour une association en Inde, et maintenant qu'on est arrivé à monter le projet, il va falloir que je m'installe là-bas pendant plusieurs années.

— Et alors, il y a des avions, des aéroports, je ne sais pas...

— Tu m'avais pas dit que tu avais peur de l'avion ?

— Non. C'est que je veux pas le prendre. Jamais.

Ils étaient allongés sur le dos, tous deux regardaient le plafond, par la fenêtre ouverte montaient les bruits rafraîchissants d'une petite ville, des bribes de conversations à la terrasse, le bruit des voitures qui passaient, de la rivière en bas qui coulait sur les rochers, au-dessus de quoi fusaient des cris d'hirondelles et d'étourneaux. Constanze parlait doucement, Alexandre l'écoutait, ses propos lui semblaient un peu lunaires, elle décrivait les méfaits de la révolution verte, ce mal que les pays occidentaux avaient fait aux pays en développement en voulant les aider à se nourrir. Depuis, les terres étaient imbibées de sel, gorgées de produits phytosanitaires, ces pays on les avait sortis de la famine pour les préserver du communisme, mais à présent que le communisme était fini, on ne les aidait pas à faire revivre leurs terres. Elle pensait peut-être adoucir Alexandre en lui disant qu'en Afrique subsaharienne 80 % de la population vivaient en milieu rural, et en Inde près des trois quarts, en quelque sorte elle le rejoignait dans les mêmes préoccupations, elle aussi elle retournait à la terre, mais une autre, très lointaine. Elle se tourna vers lui, planta son visage devant le sien.

— Je préfère qu'on soit clairs, toi et moi, maintenant, parce que moi je l'ai pas toujours été. Il y a des moments à Berlin où j'avais très envie de te rejoindre, chaque fois qu'on se téléphonait j'avais la sensation de faire un tour à la campagne, je raccrochais apaisée, comme si je vivais avec toi au milieu de la nature, j'en ai rêvé vraiment.

— Eh bien tu vois, toi non plus tu ne rêves plus !

— Si, justement, mais d'être utile, que ma vie serve à quelque chose. Le communisme, j'ai jamais pu lutter contre, le libéralisme, je ne le pourrai pas davantage, alors je veux aider les pays qui font les frais de notre avidité.

Alexandre ne se sentait pas de la contrarier, de lui demander de rester avec lui au lieu d'aller sauver le monde. C'était impossible. Il se trouvait ringard, mais surtout, il savait que s'il tentait de la dissuader, de la retenir d'une façon ou d'une autre, elle se braquerait, alors il n'osa pas. De toute manière il l'avait toujours vue comme une fille pas faite pour lui, trop intelligente, trop belle… Plus jamais il n'aurait l'occasion de rencontrer une fille comme elle, de la côtoyer, d'en être l'ami et de s'en faire aimer, c'est comme s'il était définitivement renvoyé à sa condition, à son sort de bouseux, en la perdant il perdait l'accès à un tout autre monde que le sien, c'était vertigineux de se dire ça mais il ne voulut pas le montrer. Après tout, peut-être qu'il ne faut pas essayer de sortir de son monde, que ce n'est pas souhaitable. La preuve cette fois il l'avait, il existait bien tout un pan de la société auquel il n'avait pas accès.

— Alors on y va ? demanda-t-il.

— Où ça ?

— Eh ben, chez Anton, tu ne vas quand même pas y aller à pied !

— Il doit bien y avoir un car, ou je ferai du stop, ne te casse pas la tête.

Alexandre se leva, un peu martial, il rassembla son portefeuille, sa montre, sa petite poignée d'affaires.

— Constanze, il faut que je voie Anton et Xabi.

— Ah bon, et pourquoi ?

— Tu sais, moi aussi j'ai des combats à mener et j'ai besoin d'un conseil.

— Alexandre, méfie-toi d'eux tout de même, je n'ai pas aimé la façon dont ils se sont servis de toi il y a dix ans, pour toi ça aurait pu très mal se terminer, ne l'oublie pas...

Alexandre reçut cette remarque comme un affront, comme s'il n'avait été rien d'autre qu'un pantin, et qu'à l'époque ils l'avaient manipulé avec cette histoire d'engrais. Il était d'autant plus atteint que c'était la vérité.

— Eh bien justement, cette fois c'est moi qui vais me servir d'eux, ils me doivent bien ça.

— Pour cette histoire d'autoroute ? Tu ne vas quand même pas leur demander comment se servir de l'engrais !

— Pourquoi pas ? J'ai un monde à sauver moi aussi, le mien.

1996

Mardi 18 juin 1996

Depuis que ses parents s'étaient installés dans le pavillon d'en bas, Alexandre avait la ferme pour lui tout seul. Le matin il ne se privait plus de mettre la radio aussi fort qu'il le voulait et de passer d'une station à l'autre dès qu'il y avait une pub ou que le sujet ne l'intéressait pas. Des voix, il lui fallait des voix, il glissait de RTL à France Inter, d'Europe 1 à France Info. Tous les matins ça lui faisait un cortège de voix familières qui le suivaient de la chambre à la salle de bains, après quoi il attrapait le gros poste Telefunken par la poignée et l'emmenait à la cuisine, où il se préparait un café. France Info lui allait bien parce qu'ils donnaient l'heure sans cesse et que les jingles aidaient à se réveiller, tout en rythmant des informations plus ou moins étonnantes.

Ce matin, l'Inde se disait prête à recevoir par millions les vaches que l'Angleterre devait abattre. Maintenant qu'il était prouvé que la vache folle tuait aussi des hommes, c'était la panique, rien n'affole plus les peuples que de se redécouvrir mortels, alors il faudrait abattre plus de deux millions de bêtes de l'autre côté de la Manche. Voyant là le signe de la colère des dieux, en Inde ils déclaraient vouloir recueillir ces vaches condamnées, au moins elles pourraient profiter du temps qu'il leur restait à vivre, et mourir de leur belle mort, à condition toutefois que les Britanniques leur paient le voyage, ce qui supposerait d'affréter des centaines de cargos. Le Cambodge lui aussi se proposait d'accueillir ces vaches maudites afin de les laisser pâturer paisiblement, sans la moindre intention de les manger, mais en les lâchant dans les zones toujours non déminées du pays, histoire d'enfin débarrasser les sols de ces explosifs qui continuaient de mutiler des paysans par centaines chaque année... Tout en buvant son bol de café brûlant, Alexandre regardait dehors. Plus rien de ce monde ne l'étonnait. D'avance il savait que la psychose enflerait, que tout l'élevage en souffrirait, et même s'il ne donnait que de l'herbe à ses vaches, il paierait pour les erreurs des autres.

Entendre parler de l'Inde lui fit imman-quablement penser à Constanze. Elle avait appelé il y a un mois, du Bengale justement. Depuis cinq ans elle l'appelait régulièrement. Mais en amie. Sur ce point aussi elle avait gagné. Parfois elle lui écrivait une lettre, avec laquelle elle envoyait des photos des champs dont son ONG s'occupait, sur l'une d'elles elle était en sari blanc, belle, splendide. Cette photo d'elle l'avait meurtri. Quand il lui prenait de téléphoner à Alexandre, c'était en général pour lui demander son avis, un avis d'agriculteur, alors qu'il n'y connaissait rien à ces terres gorgées d'eau salée, pas plus qu'à la culture du manioc ou du riz. Le téléphone la rendait joignable, mais inoubliable aussi, omniprésente bien que complètement absente. Souvent il repensait à l'une des dernières phrases qu'il aura entendu prononcer par le père Crayssac, à propos de la télé : « Aujourd'hui on ouvre sa porte au monde pour ne pas savoir ce qui se passe chez soi. » Il ne pouvait plus du tout bouger à cause de sa hanche et refusait de se faire opérer. Un soir Alexandre était allé le voir pour lui apporter des vivres et, chose incroyable, Crayssac lui avait parlé de son envie de s'acheter une télé. Deux jours après, le vieil insurgé se balançait dans l'au-delà avec son fusil.

À présent que les haies étaient taillées court, depuis la cour on voyait ce qui avait été le domaine de Crayssac au loin. Alexandre nota qu'il y avait une camionnette devant l'ancienne fermette. La petite maison du chevrier servait maintenant de local de rangement pour le matériel du chantier. Ce chantier de fouilles était soi-disant important, même s'ils étaient rarement plus de deux à y travailler, et que la plupart du temps il n'y avait personne. Alexandre prit la 4L pour aller les voir, il fit le tour par les chemins et tourna à droite. Le bois de Vielmanay était désormais totalement dégagé, les arbres avaient été coupés et dessouchés sur près de deux hectares, dégageant l'espace afin que les deux archéologues puissent travailler. Alexandre s'amusait à les regarder faire, ce grand dadais et cette fille en treillis, ils étaient tout le temps à quatre pattes, de loin on aurait dit deux mômes occupés à reconstituer un gigantesque puzzle. Cette terre, depuis des mois ils ne cessaient de la creuser, non pas à la pelleteuse mais à la truelle, au pinceau, à la balayette et parfois même au scalpel, et millimètre par millimètre ils avaient fait ressortir les soubassements et les sols des constructions qu'il y avait ici à une lointaine époque. Ça lui semblait fou cette histoire, encore bien plus fou et exotique que l'Inde, l'idée de se dire qu'ici même, il y a pile deux mille ans, il y avait une gigantesque villa et des maisons autour, avec des bâtiments agricoles, ainsi que des thermes et des bassins alimentés par deux aqueducs, ça paraissait insensé.

— C'est toujours votre pré qui vous inquiète !

— Non, non. Je venais juste dire bonjour.

La fille et le gars se relevèrent pour le saluer.

— Vous savez quoi, on a trouvé des pépins.

— Des pépins de quoi ?

— De raisin.

— Ah, et alors ?

— Et alors ? Eh bien ça veut dire qu'ils faisaient du vin ici, qu'il y avait des vignes tout autour, on s'en doutait mais cette fois on en a la preuve... Il devait même y avoir un chai là-bas, c'est étourdissant comme trouvaille.

Alexandre écoutait toujours leurs explications avec autant de curiosité que de méfiance. Ces deux-là lui parlaient d'un monde encore bien plus lointain que l'Inde, le Cambodge ou l'Afrique, un monde perdu à deux mille ans d'ici et qui pourtant n'en finissait pas de se révéler, juste là devant ses yeux, sous ses pieds. Sa grande inquiétude c'était qu'ils se mettent à fouiller dans ses prés à lui, dans le but de remonter l'aqueduc enterré sur toute sa longueur, auquel cas ils lui saloperaient ses cultures. Par chance ils avaient déjà beaucoup trop à faire ici, ils en auraient au moins pour deux ans. Alexandre se laissa guider dans leur zone quadrillée, ils marchaient là-dessus comme sur une tapisserie précieuse. Ils étaient tout fiers de lui montrer çà et là les vestiges d'un bassin, d'une piscine, d'une boulangerie, alors que jamais il n'aurait pensé qu'on faisait du pain il y a deux mille ans, et de part et d'autre de la zone de fouilles, une infinité de fragments de cruches, de pichets, d'amphores, y compris dans les couches plus profondes. Plus ils creusaient et plus les trouvailles étaient denses.

— Mais une fois que vous aurez dégagé tout ça, ça appartiendra à qui ?

— À l'État !

Alexandre les quitta là et repartit dans sa 4L. En passant devant la vieille ferme abandonnée, il repensa à l'ancien réfractaire. Même mort, Crayssac lui donnait une belle leçon, c'était bien grâce à son bois de Vielmanay que le tracé de l'autoroute avait été détourné. À la mort du chevrier au printemps 1992, Jean avait tenu la promesse qu'il avait faite à l'ancêtre, et avec Alexandre ils s'étaient mis à débroussailler l'impénétrable fouillis de ronces, de chablis et de lianes, une vraie jungle livrée à elle-même depuis toujours, et c'est là qu'ils étaient tombés sur ces ruines et ces maçonneries curieuses, bien enfouies dans la végétation. Sitôt prévenu de la découverte, le maire avait fait remonter l'information jusqu'au préfet. Dès lors ça avait stoppé toute idée de permis de construire, car même si la société concessionnaire de l'autoroute prévoyait d'acheter ces terrains, elle serait responsable des fouilles et devrait donc payer les archéologues, mais le pire c'est que ces recherches bloqueraient tous les travaux de terrassement pendant au moins deux ans. De sorte qu'ils avaient repoussé la « zone des trois cents mètres » à l'ouest, vers Cénevières, et s'il était dit qu'une autoroute passerait bien au-dessus de la vallée de la Rauze, ce serait au moins à deux kilomètres des Bertranges.

Ce qu'Alexandre ne savait pas, c'était le bruit que ça ferait une autoroute à deux kilomètres de chez lui, il n'avait aucun moyen de savoir si des voitures et des camions franchissant un viaduc de manière ininterrompue, ça produirait un boucan d'enfer ou un simple bruit de fond. Pour rire, le maire lui avait dit : « Comme ça au moins tu pourras prévoir le temps qu'il fera, les soirs de vent d'ouest t'entendras l'autoroute, ça annoncera de la pluie, alors que les jours de vent d'est, t'entendras rien, ce sera signe qu'il fera beau. »

En tout cas, une chose était certaine, c'était bien le vieux chevrier qui, grâce à son bois et à son sous-sol millénaire, avait réussi à repousser le viaduc, tout comme il avait participé au sauvetage du Larzac quinze ans plus tôt, cet égaré dans le monde moderne avait bel et bien le pouvoir d'agir sur le cours de choses.

Mardi 18 juin 1996

Depuis quelque temps, chaque fois qu'Alexandre débarquait chez Véronique il était pris d'un prodigieux coup de fatigue. Depuis le scandale de la vache folle il ne dormait plus. À peine chez elle, il se posait dans le grand canapé blanc, et aussitôt il se sentait inerte, épuisé, chose qui ne lui arrivait jamais avant, en tout cas jamais là-haut à la ferme, peut-être parce qu'il n'y avait pas de canapé.

Véronique gardait constamment la télé allumée. Dès qu'elle rentrait du boulot elle la mettait. Elle disait que c'était pour occuper sa gamine, même si la petite ne semblait guère intéressée par cet écran. Pourtant des tas de dessins animés hypercolorés s'y agitaient sans cesse, un poulpe bleu, des tortues jaunes, les Babalous et Iznogoud, un franc boucan de voix soutenues par des musiques nerveuses, mais cela n'empêchait pas la gamine de jouer sur son tapis dans une parfaite indifférence, elle manipulait cet horrible jeu des Hippos Gloutons, un jouet de plastique creux qui lui aussi faisait un bruit atroce.

Alexandre aurait préféré que Véronique et la petite viennent habiter à la ferme, seulement Véronique était bien trop amoureuse de son pavillon et de son jardin dans la zone résidentielle, de sa vie dans ce faux village à six kilomètres de Cahors. Depuis qu'elle avait pris du galon chez Carrefour, le soir elle finissait à dix-neuf heures. Alexandre comprenait bien que pour elle, monter jusqu'aux Bertranges après le travail, ça lui ferait beaucoup de route, d'autant qu'il y avait également la gamine à aller récupérer chez la nounou ou chez le père, la vie était déjà bien assez compliquée pour elle.

Depuis qu'ils s'étaient remis ensemble, le rythme était immuable. Alexandre venait dormir chez elle deux fois par semaine et un week-end sur deux. Souvent Véronique avait une question à propos d'un truc qui ne marchait pas, Alexandre lui disait qu'il verrait ça la prochaine fois, mais cinq minutes après il s'était relevé pour aller voir ce qu'il en était vraiment de cette panne. Véronique n'avait pourtant pas grand de terrain, mais il était équipé de tout un tas d'ustensiles qui déconnaient tout le temps, que ce soit l'arrosage automatique, l'éclairage de pelouse ou les volets à moteur, sans parler du gazon, de la haie ou des fleurs qui ne poussaient plus, avec en prime la petite piscine où on trouvait toujours une bestiole crevée dans le filtre… Dans ces huit cents mètres carrés il y avait presque autant de boulot que sur l'exploitation tout entière.

Une fois la gamine couchée, Véronique et Alexandre se mettaient à table comme un vrai couple, mais sans le son de la télé. Grâce au micro-ondes et aux plats préparés ils gagnaient un temps fou. Sans être amoureux ils s'étaient retrouvés malgré tout, le compagnon de Véronique était parti trois mois après la naissance de la gamine. Ce genre d'histoires, Alexandre en entendait souvent, le mec qui se tire une fois que l'enfant est né. Alors que lui, au contraire, il était revenu. Mais pas dans le but d'assurer le rôle du père pour autant.

Véronique était d'une énergie débordante, pour Alexandre c'était parfait, surtout qu'elle était bien la seule à s'intéresser à la ferme, à son métier, souvent elle demandait qu'il lui en parle. Seulement elle avait toujours des idées très arrêtées. Depuis qu'elle était chef de secteur elle avait une véritable assurance de femme d'affaires, et elle n'aimait rien tant que de dire à Alexandre ce qu'il devrait faire, à croire que son succès professionnel la dotait d'une forme d'expertise en tout.

Ce qu'il y a de sûr, c'est que de par son boulot elle s'y connaissait en matière d'achats et de ventes, de négociations. En matière de vaches un peu moins. Mais selon elle il fallait mener une exploitation comme un commerce, et alors qu'Alexandre était déprimé par la crise de la vache folle, à cause de laquelle les cours étaient au plus bas et la confiance du consommateur perdue, elle voyait là une opportunité de rebondir. Elle disait même que pour Alexandre c'était une aubaine, qu'au moins maintenant les gens feraient un peu plus attention à ce qu'ils achetaient, que déjà ils avaient appris la différence entre les vaches à viande et les vaches laitières.

— Je t'assure, les gens ont bien compris que le problème c'étaient les vaches laitières, pas les allaitantes, tu verras, quand le marché repartira il faudra s'adapter, que tu montes en volume, c'est normal, t'intéresses toujours bien plus le circuit quand tu lui proposes cent vaches plutôt qu'une seule...

À présent qu'elle régnait sur le secteur des produits frais chez Carrefour, elle avait des informations de première main sur la future centrale d'achat, elle serait énorme, elle disait même que l'abattoir de Murat allait être racheté par un gros groupe et qu'ils transformeraient la viande sur place, que la Sodavia, la Codéviandes allaient fusionner pour former un grand groupe qui couvrirait la France entière et s'appellerait la Coopavia.

— Tu sais, Alexandre, pour toi c'est vraiment une aubaine, dans cinq ans t'auras une autoroute juste à côté, crois-moi que les banques te prêteront facilement, pour peu que tu montes à deux cents vaches, alors là tu seras le roi !

Alexandre l'écoutait, convaincu qu'elle avait raison, mais redoutant de se lancer là-dedans, de sacrifier à ce monde-là. Pourtant il fallait bien qu'il s'y fasse, le marché était régi par les moyens de communication, les routes, aussi bien que les ports et les aéroports, le monde était un réseau.

Lorsqu'ils se couchaient, Alexandre ne s'endormait pas tout de suite, chamboulé par tous les changements qu'il devrait assumer. Quant à l'amour, ils ne le faisaient que le week-end, et encore, uniquement ceux où la petite n'était pas là. Véronique se disait bien trop perturbée par sa présence dans la chambre d'à côté. Chaque fois qu'Alexandre s'approchait d'elle, commençait de l'étreindre sous les draps en veillant à ne pas faire de bruit, dans la chambre d'à côté la gamine se réveillait et se mettait à chialer. Véronique se sentait fautive.

Ne réussissant pas à trouver le sommeil, Alexandre repensait à tout ce qu'ils s'étaient dit le soir. Finalement elle avait peut-être raison, d'ailleurs ses sœurs lui disaient la même chose, de faire plus de bêtes, de ne plus seulement les nourrir à l'herbe mais aussi aux tourteaux de soja, là-haut il y avait suffisamment de place pour élever jusqu'à deux cents vaches, à condition de bâtir des stabulations modernes et ventilées, deux bâtiments de quatre-vingts mètres de long et un local de quarantaine pour les bêtes arrivantes. Et même s'il les voyait peu, il savait ce que ses sœurs pensaient, elles n'arrêtaient pas de le dire aux parents, il fallait profiter de cette autoroute qui passerait demain dans le coin, et même souhaiter qu'elle ne passe pas trop loin, parce que cette autoroute c'était une chance à saisir, elle faciliterait les échanges et les livraisons... Alexandre se doutait que si ses sœurs le poussaient ainsi à investir, c'était aussi parce que, en raison de la donation-partage effectuée par les parents, elles toucheraient leur part une fois les travaux réalisés, or toutes trois avaient besoin d'argent.

Ses sœurs finissaient toujours par l'emporter. Rien qu'à propos de Constanze il avait fini par se laisser convaincre par Caroline et Agathe, elles lui avaient ouvert les yeux, car c'était bien de l'aveuglement que de continuer d'attendre quoi que ce soit de cette Allemande. Dans le fond cette fille se foutait pas mal de lui, sans quoi elle ne serait pas partie vivre à l'autre bout du monde.

Grâce à elles il avait au moins compris cela, que dans la vie il y a des choses qu'on ne veut pas voir, et que bien souvent ce sont les plus évidentes.

Dimanche 14 juillet 1996

Comme pour honorer la mémoire de l'oncle Pierrot et du vieux Crayssac, Alexandre avait remis des poissons rouges au fond des abreuvoirs. Aussi bien dans les antiques auges des terres d'en bas que dans les bacs d'abreuvement du coteau. Les poissons évitaient que ne prolifèrent les algues et les larves de moustiques, seulement il fallait veiller à ce que l'eau soit toujours propre et son niveau assez haut pour que les vaches ne se mettent pas à avaler les poissons. Parfois, Alexandre observait ses bêtes quand elles buvaient, elles se foutaient pas mal de ces poissons rouges qui gigotaient là-dessous, alors qu'eux semblaient toujours agités quand les vaches s'abreuvaient.

Il profitait des jours où ses sœurs étaient là, comme ce 14 Juillet, pour nettoyer le fond de toutes ces cuves. Il fit exprès de prendre tout son temps, histoire de rester le moins possible là-haut à la ferme, avec elles trois.

Pour qu'ils se retrouvent tous en même temps aux Bertranges, il fallait vraiment que la situation soit exceptionnelle. En dehors de la mort de Louis, trois ans plus tôt, il y avait bien longtemps que la fratrie ne s'était pas reconstituée dans la maison d'enfance. Depuis que les parents vivaient dans le pavillon d'en bas, la ferme était devenue le monde d'Alexandre, et déjà que les installations n'étaient pas neuves, maintenant elles faisaient carrément datées. Depuis que les parents n'y vivaient plus, la maison avait pris un sacré coup de vieux, le carrelage vert anis de la salle de bains semblait d'une teinte encore plus malade qu'avant, sans doute que les ampoules jaunes et les abat-jours mal nettoyés n'arrangeaient rien. Quant à la cuisine, elle ne servait plus, et ça se voyait, la gazinière avait le souffle court, et les portes des placards branlaient toutes.

Alexandre remonta à la ferme vers dix-neuf heures. Ils étaient tous dehors. Ayant sorti les chaises et la table, ses sœurs se comportaient ici comme si c'était toujours chez elles. Mais Alexandre ne dit rien. Il n'avait pas l'âme d'un rabat-joie et en vérité il s'en foutait pas mal que le mobilier soit dehors, la seule chose qui le gênait c'est que Caroline ou Agathe ait sorti le gros Telefunken et qu'elles laissent les gamins jouer avec. Surtout que les trois mômes n'arrêtaient pas de remettre cette foutue

Macarena pour danser dessus, depuis deux jours qu'ils étaient là c'était bien la centième fois qu'ils fourraient cette cassette horrible, depuis deux jours ils n'écoutaient que ça. Pour Alexandre, ça relevait du supplice d'entendre ce truc chaque fois qu'il remettait les pieds à la maison. À croire que les trois gosses avaient pris le pouvoir. Mais le plus douloureux, c'était que cette rumba mécanique jaillisse de son radiocassette à lui, de ce haut-parleur ami.

Plutôt que de râler, il se proposa d'aller chercher les parents et la grand-mère dans le pavillon d'en bas. Caroline tenait absolument à faire un grand dîner à la ferme afin que tout le monde soit réuni aux Bertranges, comme avant. Avec Vanessa elles avaient préparé des tartes tout l'après-midi, aux pommes de terre, au fromage, aux courgettes, des tas de bizarreries dont la cuisson soi-disant sentait moins mauvais que celle d'un gigot. Alexandre leur raconta ça en arrivant au pavillon.

— Elles ont préparé quoi, tu dis ?

— Cinq tartes !

— Mais on ne va pas manger que des desserts ?

— Mais non, mamie, je t'ai dit que c'étaient des tartes aux courgettes.

— Des courgettes au dessert... Non mais elles vont pas bien tes frangines.

Lucienne perdait un peu la tête. Depuis la mort de son mari, elle n'avait plus de repères en dehors d'Angèle et Jean. Du réveil au coucher, les parents la guidaient en tout. En attendant qu'ils soient prêts à y aller, Alexandre sortit jeter un œil à leurs cultures. Le maraîchage pour l'instant ça leur allait encore, mais à l'entrée dans le nouveau siècle ils auraient soixante-dix ans, Alexandre se doutait que son père et sa mère ne tarderaient pas à l'appeler au secours, ou alors il faudrait employer quelqu'un, c'était tout le problème de ces cultures, la terre est basse et avec l'âge il est de plus en plus dur de se baisser. Les haricots, les salades, les oignons, les fraises, le persil, tous ces aliments végétaux qui se pèsent au gramme sollicitent sacrément le corps. Sans rien en montrer, il surveillait ses parents, à leur façon de s'asseoir ou de se relever il guettait la douleur dans le bas du dos, celle que lui-même ressentait de plus en plus souvent, surtout l'hiver. D'ailleurs il s'en sentait coupable, à trente-cinq ans les douleurs commençaient déjà de le prendre parfois. Il observa longuement les fraisiers en repensant à ceux d'Adrien et d'Anton, ici au moins il n'y avait pas de limaces, les feuilles étaient intactes...

— Alors, on y va ?

Quand il se retourna il les vit tous les trois, se tenant devant leur pavillon bien carré, c'était bizarre mais quand ses parents mettaient une tenue habillée, ils prenaient un coup de vieux. Son père avec une veste, sa mère avec un chemisier et un collier, ils avaient moins l'air de parents que de grands-parents. Ce qu'ils étaient.

Dimanche 14 juillet 1996

Ce soir-là, Alexandre était encore plus spectateur de la tablée que d'habitude. Du temps où ils étaient mômes, il assistait chaque soir au spectacle de ses trois sœurs, mais maintenant il fallait y ajouter celui des deux gamines de Caroline et du môme de Vanessa. Il y avait tellement de bruit qu'on n'avait même pas allumé la télé. Le dîner du 14 Juillet était en quelque sorte un repas de fête. Agathe était arrivée en retard comme chaque fois. Très vite elle donna des nouvelles de Greg, son associé, il s'était pris une interdiction de gérer et lui avait proposé de devenir gérante de leur affaire, ce qui voudrait dire qu'elle prendrait tous les coups en cas de nouveaux problèmes. En attendant ils avaient dû vendre leur première boutique, et pour l'autre ce n'était pas mieux, Benetton voulait résilier le contrat de franchise. Pour bien montrer que rien n'était de sa faute, Agathe expliqua que le géant italien se désintéressait du vêtement et comptait investir dans les sociétés d'autoroute, les ponts et les aéroports. Elle ajouta, pour justifier ses déboires, que le secteur de la mode souffrait de cette nouvelle trouvaille du marketing, la fast fashion, les gens maintenant voulaient acheter plein de vêtements, mais pas chers afin d'en changer sans cesse. Là encore elle se faisait doubler, à commencer par Zara, les Naf Naf et autres Kookaï, des marques qui délocalisaient de plus en plus leur fabrication, bientôt tout serait fait en Asie. En tout cas à Rodez comme à Villefranche elle se retrouvait perdue en centre-ville, coincée entre des boutiques faussement haut de gamme, au merchandising bien pensé et aux beaux sacs d'emballage, alors qu'en périphérie La Halle aux vêtements et les hypermarchés proposaient des robes en jean à moins de vingt francs, elle se disait attaquée de partout. Vanessa prit le relais, pour elle ce n'était pas mieux, dans la publicité il n'y avait plus d'argent, les contrats avaient fondu, il n'était plus question qu'un photographe artiste passe des jours à photographier des tranches de jambon, les annonceurs ne faisaient plus de coûteuses campagnes comme avant, et demain le numérique rendrait les choses encore bien plus compliquées, les décors de ferme on les recréerait par ordinateur et pour trois francs six sous...

Alexandre dans tout ça ne faisait qu'écouter. La conversation était plus nourrie que
jamais, il se dit que la famille était comme
une planète dont on se délectait de l'actualité, sachant qu'il n'y avait que des problèmes, que des sources de conflit. Au milieu
de ce beau bazar, il observa Victor. Il se
reconnaissait dans son petit neveu mutique,
l'enfant que Vanessa avait eu avec un *annonceur*, comme elle disait, à croire que ce
petit-là n'était pas né d'un père, ni même
d'un homme, mais d'un annonceur. Vanessa
n'avait jamais vécu avec ce type et, bien sûr,
elle ne voulait pas lui demander un centime,
pourtant elle n'avait plus un rond, et si les
affaires ne reprenaient pas, elle serait obligée de se défaire de son studio photo, son
outil de travail, et la vie à Paris était chère.

Depuis qu'elles ne se voyaient plus que
deux fois l'an, les trois sœurs avaient mille
choses à se raconter. Alexandre entendait
tout ce qu'elles se confiaient, ses sœurs ne
craignaient pas de s'ouvrir sur n'importe
quel sujet personnel, tout juste si elles ne
vous dépliaient pas sous le nez leurs relevés
de banque ou les résultats de leurs analyses
médicales. Il n'y avait guère que Caroline
avec son Philippe qui rassuraient les parents,
leurs deux autres filles se retrouvaient dans
des vies mal menées, des vies faites un
peu en dépit du bon sens. En les écoutant,
Angèle et le père étaient effarés, se disant

que tout aurait été tellement plus simple si elles étaient restées vivre ici plutôt que de se précipiter à la ville.

À la fin de ce repas composé de tartes et de salade verte, comme l'année dernière les mômes se plaignirent que, cette fois encore, il n'y aurait pas de feu d'artifice. Et, cette fois encore, Alexandre le prit pour lui, d'autant que ses sœurs le culpabilisèrent en en rajoutant.

— C'est vrai que tonton aurait pu acheter des fusées !

— Oh oui, tonton, des fusées, des fusées !

— Votre tonton, il est pas gentil !

Alexandre se retint. Il en avait marre pourtant d'entendre les reproches de ses sœurs, sous-entendant qu'il ne s'occupait pas assez de ses neveu et nièces, qu'il ne faisait pas assez d'efforts quand ils étaient là.

— Allez, tonton, un feu d'artifice, un feu d'artifice, un feu d'artifice !

Pour clore les revendications, Alexandre se leva et lança sur un ton sévère :

— Non. Faut pas jouer avec ces trucs-là. Les feux d'artifice, c'est des explosifs, ça rigole pas.

Il sentit le regard de ses trois sœurs converger vers lui, *explosifs*, c'est lui qui avait utilisé le mot, ce parfait tabou qui leur parlait à tous les quatre uniquement. Pour le moment du moins.

Finalement, ils descendirent tous, à quatre voitures, à Cénevières pour assister à la retraite aux flambeaux. Le Paradou était fermé depuis deux ans et il n'y avait plus qu'une poignée d'habitants dans le village, alors la retraite aux flambeaux elle était maigre au regard de ce qu'elle était il y a vingt ans. Du temps où il y avait cinquante gamins et plus dans le bourg, à la rigueur c'était amusant de voir toutes ces petites flammes qui serpentaient dans le couchant, avec du monde ça avait du sens, alors que là ils n'étaient que huit dans le cortège et n'avaient même pas l'air de beaucoup s'amuser.

Lundi 15 juillet 1996

Le lendemain, les reproches reprirent de plus belle. Dès le petit déjeuner les sœurs entreprirent Alexandre, lui disant que tout de même il aurait pu faire un effort, à la limite si ce n'était qu'une histoire d'argent la prochaine fois elles lui avanceraient la somme, mais il aurait pu penser à acheter une dizaine de fusées traçantes, des queues de comète ou des pluies d'or étincelantes, des fusées à déluge d'étoiles et des fontaines crépitantes, avec des éclats bleu blanc rouge, histoire qu'il y ait quelque chose de festif pour les mômes, parce que dans le temps il y avait toujours un feu d'artifice... Alexandre encaissa sans répondre, ses sœurs devenaient abstraites, comme dématérialisées, en les écoutant il songea que le violet vient du salpêtre, que le nitrate de potassium en explosant fait des étincelles violettes, alors que le bleu viendrait plutôt du sulfate de cuivre, qui est par ailleurs un puissant pesticide, quant aux belles comètes vertes elles proviennent du chlorure de baryum et le jaune de ce nitrate de sodium qu'on met dans les charcuteries pour que le jambon soit frais et rose...

Ce qui tombait bien c'est que, le 14 juillet étant cette année un dimanche, il n'y avait pas de pont ni de jour férié qui déborde sur la semaine, de telle sorte que les sœurs ne traîneraient pas et que les parents avaient pu caler le rendez-vous chez le notaire le 15, pour relire cette proposition qu'ils avaient mis des mois à rédiger. D'autant que Caroline et Vanessa avaient manœuvré pas mal, toutes deux par téléphone, et qu'Agathe était venue plusieurs fois en douce depuis Rodez, Agathe qui depuis deux ans rendait régulièrement visite aux parents mais ne montait jamais à la ferme. D'en haut Alexandre voyait tout, sans même chercher à savoir il remarquait bien l'Austin Mini rouge de sa sœur garée devant le pavillon. Il savait bien qu'elle préparait le terrain.

Le notaire trônait au milieu de la grande table de réunion, seul avec quantité de pape- rasses étalées devant lui. La famille Fabrier au complet était installée de l'autre côté, tous les six face à lui. Alexandre observa le bonhomme, il se tenait étonnamment droit. Il était petit mais tellement raide sur sa chaise qu'une fois assis il semblait grand.

Il gagnait d'autant plus en prestige que les parents l'appelaient maître. Caroline et Agathe disaient Monsieur Loupiac, mais les parents lui donnaient du *maître* à tout bout de champ. Philippe était resté à la ferme, le beau-frère surveillait en même temps la grand-mère et les petits-enfants.

Maître Loupiac était parfait dans l'exercice, il parlait clair, un peu comme un médecin ou un curé, un médecin qui les aurait tous auscultés, ou un curé très attentionné, comme les hommes d'Église savent l'être lors des préparatifs d'un enterrement. La réunion ressemblait un peu à une telle cérémonie, sinon qu'en la circonstance on ne savait pas bien qui l'on enterrait. La ferme, les parents ou Alexandre, ou alors les frangines ? Quoi qu'il en soit, toute cette procédure venait d'elles, c'étaient elles qui avaient voulu que tout soit en ordre du vivant des parents, et grâce à la donation-partage les parents vendraient la ferme à Alexandre, de sorte qu'ils toucheraient l'argent et pourraient tout de suite reverser leur dû aux trois filles. À condition toutefois qu'Alexandre s'endette sacrément.

Jusque-là l'exploitation appartenait toujours aux parents, simplement ils la louaient à leur fils. De fait il était devenu leur fermier et leur versait chaque mois un fermage, tout était clair. Seulement, les parents prenant de l'âge, tous étaient maintenant convaincus, à force de manigances et de conversations, qu'il valait mieux préparer l'avenir, que tout soit en règle avant de basculer dans le nouveau millénaire. Mais surtout, Agathe et Vanessa pourraient sans plus attendre bénéficier de leur argent.

— Je vais vous faire une confidence, si toutefois vous le permettez.

— Bien sûr, maître !

— Eh bien je vais vous dire une chose, et croyez-moi que je ne le dis pas souvent, c'est une très belle ferme que vous avez, vraiment très belle, les terres sont bonnes et d'un seul tenant, la vue est splendide, les bâtiment sont grands, si ce n'est, vous le savez comme moi, que les installations sont à remettre aux normes, et je ne vous cache pas qu'à vos âges, les banques ne vous prêteront pas facilement, alors qu'à votre fils ce ne sera pas la même chose, je dirai même qu'au contraire, elles l'accueilleront à bras ouverts... C'est donc mieux que ce soit lui le propriétaire.

— C'est certain.

Maître Loupiac ne cessait d'aller dans le sens des frangines, à croire qu'il était leur avocat. Sous prétexte d'avenir, de progrès, toutes les cinq minutes il ne se gênait pas de redire que cette initiative découlait du pur bon sens, une fois qu'Alexandre aurait son prêt il verserait sa part à chacune de ses sœurs, soit près de cent mille francs par tête. Cependant, pour l'obtenir, ce prêt, il fallait encore qu'il fasse valider son projet, ce qui nécessitait de monter un dossier bien solide, et tout cela prendrait encore un peu de temps...

Alexandre suivrait le mouvement, de toute façon il n'avait pas le choix, les granges prenaient l'eau, les clôtures s'avachissaient et les étables n'étaient plus conformes. Sauf que, à les écouter tous ressasser ce même constat, lui venaient des sueurs froides. Il ne voulait rien montrer de ses doutes, de sa peur de se lancer dans de tels investissements, s'il faisait part de ses angoisses ils penseraient tous qu'il n'était pas à la hauteur, qu'il n'avait pas les épaules. D'autant qu'en plus d'eux tous, il y en avait une autre qui ne cessait de le pousser, Véronique. Elle maîtrisait tout des nouveaux marchés, elle connaissait tout des différentes filières et des aides de la PAC, et savait bien qu'en gonflant le cheptel il ferait sacrément grimper les primes et les subventions, plus il aurait de bêtes, et plus il toucherait d'aides...

— Eh oh, monsieur Fabrier, monsieur Fabrier fils, qu'est-ce que vous en dites ?

— De quoi ?

— Eh bien de faire durer le bail jusqu'à fin 1999, et de se fixer le 1er janvier 2000 comme objectif pour la donation, en termes de symbole c'est tout de même fort, n'est-ce pas ?

— Oui, très bien, maître, on fera comme ça.

— De toute façon il est hors de question de se précipiter, il faut que votre projet soit bien préparé, mais quand même vous pouvez remercier le ciel, dites-vous que grâce à cette autoroute vous n'aurez aucun mal à convaincre des partenaires de la grande distribution, vous pourrez vous y affilier sans aucun souci, au contraire.

— Oui, mais l'autoroute, le temps qu'ils la construisent, ce sera pas avant cinq ans.

— Eh oui, l'an 2000, je vous dis, l'an 2000, vous allez voir, pour vous le nouveau millénaire va tout changer, je ne sais pas ce qui se passera dans le monde mais je peux vous dire une chose, c'est qu'aux Bertranges, en l'an 2000, tout va changer !

Mercredi 6 novembre 1996

Ce matin-là France Info annonça que Bill Clinton venait d'être réélu président des États-Unis d'Amérique, il ferait son jogging comme si de rien n'était. Au même moment Boris Eltsine rentrait à l'hôpital pour un quintuple pontage coronarien. Alexandre était en retard mais il prit tout de même le temps de se faire un vrai café. Ce qu'il avait retenu de ce flash d'information c'est que Bill Clinton avait tout juste cinquante ans, et Boris Eltsine soixante-cinq. Ce détail l'avait marqué. Suite à tous ces questionnaires que lui avait demandés la banque ces temps-ci, il était préoccupé par l'âge, ne sachant plus si trente-cinq ans c'était encore jeune, ou plus vraiment. Il devait être dans un genre d'entre-deux. En se lançant dans un projet amortissable sur quinze ans, il se livrait pieds et poings liés jusqu'à la cinquantaine, il ne serait plus simplement attaché à cette terre qui l'entourait, il y serait lié pour de vrai, ligoté corps et âme.

Véronique avait dit qu'elle arriverait à huit heures trente avec le gars de la Coopavia. Alexandre n'avait pas pu déplacer ce rendez-vous, alors il serait obligé de faire la visite du domaine à marche forcée. Sans doute que Véronique le prendrait mal, qu'elle trouverait cela bizarre de devoir faire vite, mais il n'avait pas le choix, s'il voulait être à onze heures et demie à l'aéroport il fallait qu'il parte d'ici à dix heures au plus tard. Constanze ne l'avait prévenu que la veille qu'elle venait à Toulouse aujourd'hui, tout s'était décidé dans l'urgence et elle avait sauté dans le premier avion, ne sachant pas ce qui était vraiment arrivé à son père elle avançait dans l'inconnu. La veille en apprenant cela, Alexandre n'avait pas osé reporter le rendez-vous de ce matin, Véronique s'était donné tellement de mal pour le caler, pour que le président de la Coopavia vienne en personne, d'ailleurs pour être là à huit heures et demie la pauvre faisait sûrement l'impasse sur son petit déjeuner, en plus de devoir faire de la route et d'arriver en retard à ses réunions du matin au Carrefour.

À huit heures trente-cinq, Alexandre vit sa petite Clio rouge qui se pointait au bout du chemin, suivie par un gros 4 x 4 BMW. Le gars de la Coopavia ne se privait pas d'afficher qu'il avait de la ressource, qu'il était riche. Alexandre s'avança vers Véronique pour lui ouvrir la portière, il fut surpris qu'elle lui fasse un baiser sur la bouche devant ce bonhomme-là, après tout il n'avait pas à savoir qu'ils sortaient ensemble.

Alexandre leur proposa d'abord un café, qu'ils burent vite fait dans la salle à manger, puis il leur fit visiter les bâtiments. Jeter un œil à toutes les terres n'avait pas de sens, mais le gars de la Coopavia voulait tout de même voir les prés le long du coteau, ceux du haut comme ceux du bas. Pour cela ils montèrent tous les trois dans le gros 4 x 4 BMW, il était étonnamment propre à l'intérieur et le gars n'avait pas de bottes. En découvrant le domaine, celui-ci n'en revenait pas, les prés étaient vastes, bien distribués, abrités par des haies, mais surtout les pâtures étaient remarquablement fournies pour un mois de novembre, d'une herbe encore haute par endroits. Alexandre regardait sans arrêt sa montre. Plusieurs fois Véronique lui demanda si tout allait bien, il répondit que oui, alors qu'il n'avait qu'une envie c'était de filer à Toulouse. Il fallait pourtant poursuivre ce tour du propriétaire.

Quand le gars en eut assez vu, il proposa de remonter à la ferme pour qu'il leur montre des plans, des tas de plans des bâtiments, du système de distribution du fourrage, du paillage, des différents modèles de stabulations, des locaux de quarantaine avec des box bien isolés, mais larges surtout, le tout étant aux normes les plus modernes. Alexandre ne put refuser. Alors ils retournèrent à la ferme où le gars sortit de son coffre de grands rouleaux, qu'il étala sur la table de la salle à manger. Alexandre se sentit obligé de refaire un café. Le type préconisait de prévoir deux nouveaux bâtiments, un de quatre-vingts mètres de long pour les broutards, et un autre pour les vaches de réforme et les allaitantes pourquoi pas, tout était possible, d'après lui aux Bertranges il y avait de quoi faire un sacré beau chantier d'engraissement.

— Un chantier ?

— Oui, c'est le terme. Vous savez, avec la place que vous avez, sans parler de l'autoroute, vous pouvez carrément viser les deux cents bêtes, et peut-être même trois cents, sans problème, dans la vie faut voir grand...

Véronique allait chaque fois dans le sens du patron de la Coopavia, elle acquiesçait à tout parce que ce type-là avait l'habitude de bosser avec des hypermarchés, d'ailleurs elle travaillait déjà avec lui. Alexandre les écoutait tous les deux, ils lui donnaient des chiffres qui lui faisaient tourner la tête, à tel point qu'il se mit à prendre des notes pour être sûr de tout bien retenir, en tout cas s'il adhérait à la Coopavia celle-ci s'engagerait à lui prendre 75 % de sa production, et le tout garanti par des prix plancher, en plus de quoi il toucherait toutes les aides à l'engraissement des jeunes bovins, et comme il est dit qu'*à quelque chose malheur est bon*, grâce à la vache folle il y aurait bientôt un label rouge pour tracer les bêtes de qualité. Pour ce qui est des mâles, là aussi la Coopavia gérerait, les Français ne mangeant que des bovins femelles la Coopavia se chargerait d'expédier les taurillons en Italie à un bon prix pour les finir là-bas, là encore l'autoroute leur ferait gagner des heures et des heures, de telle sorte que les bovins perdraient moins de poids pendant le voyage et ne tomberaient pas malades.

Alexandre ne pensait qu'à une chose, surveiller l'heure. Les enjeux en cours de discussion étaient pourtant cruciaux, énormes, ils engageaient la ferme pour les trente ans à venir, seulement il était dix heures moins dix déjà et il ne pouvait pas dire à Véronique qu'il devait filer à Toulouse pour accueillir une *ex* à l'aéroport. De toute façon il ne se sentait pas de mentir, parce qu'il s'en sortait toujours mal quand il mentait, il manquait de suite dans les idées et finissait chaque fois par se trahir. Sans rien en montrer, tout ça lui foutait le cafard, ce gros type avec ses plans de bâtiments hauts comme des hangars d'avions, et sa brochure en couleur où l'on voyait des bêtes parquées par lots, des taurillons superbes, des charolais splendides, avec des étiquettes aux oreilles mais pas de prénom, c'était bien ça le pire, en élevant des bêtes sur des temps courts, pendant trois ou neuf mois, en engraissant des bovins de passage, il n'aurait même pas le temps de leur choisir un nom, dès lors plus de Caramel, de Blondie, de Trompette ou de Vénus... Ce constat l'horrifiait, mais il n'avait pas le choix, à la longue il s'y ferait. Pour que ça aille plus vite il disait oui à tout, le gars n'avait pas de contrat sur lui sans quoi il aurait signé tout de suite pour être tranquille et pouvoir filer à Toulouse.

Finalement c'est Véronique qui déclara qu'il fallait qu'elle y aille, il y avait une réunion des responsables de secteurs à dix heures et demie, elle était en retard, Alexandre en soupira d'aise. Soudain tout se bouscula, les tasses ne furent même pas entièrement bues, le gars en oublia ses plans et sa brochure sur la table de la salle à manger, ou alors il fit exprès de tout laisser là. Alexandre attrapa les clés de la CX, au départ il avait pensé prendre la 4L, pour le plaisir de se retrouver dedans avec Constanze, remuer des souvenirs et l'émouvoir un peu, mais la CX était plus rapide et il était pressé.

Le gars dit qu'il rappellerait la semaine prochaine, c'était inutile de se précipiter, l'autoroute n'était pas encore construite et le nouveau centre Coopavia serait livré en 1999, l'idéal serait que tout soit prêt pour commencer l'an 2000 avec une exploitation toute neuve.

— On fait comme ça ?

— On fait comme ça.

Mercredi 6 novembre 1996

Une fois passé Caussade la circulation était dense sur la nationale 20, tous les dix kilomètres il y avait des travaux. Alexandre n'avait jamais noté qu'il y avait autant de chantiers aux abords de Caussade, et ensuite de Montauban, toutes ces zones périphériques devenaient d'interminables successions d'hypermarchés, de magasins de sport ou de bricolage, de jardineries et de grandes surfaces d'ameublement, et pour réguler la circulation née de tous ces parkings et de ces nouvelles routes on construisait un rond-point tous les cinq cents mètres... Le paysage urbain changeait du tout au tout. Le plus fou c'est que toutes ces terres qu'ils bétonnaient, ces terres de sortie de ville, c'étaient des terres de bord de rivière ou de fond de vallée, autant dire les meilleures, c'étaient donc sur des terres agricoles de la plus haute qualité qu'on bétonnait à n'en plus finir pour y faire pousser des hypermarchés.

Il était onze heures vingt et une quand Alexandre arriva à Blagnac. Pour ne pas perdre de temps il se gara sur un stationnement interdit, puis fonça dans le hall et regarda le panneau d'affichage, naïvement il pensait que l'avion viendrait directement de Delhi, alors qu'à l'évidence Constanze avait dû faire escale à Paris, Bruxelles ou Munich, il ne savait pas, il se sentit perdu au milieu de tous ces intitulés de *provenances*, mais surtout il n'avait aucun moyen de la joindre, et c'est par pur hasard qu'il l'aperçut de dos tout au fond de l'aéroport, elle était au téléphone dans la rangée des cabines publiques, une petite valise à ses pieds. Elle raccrocha au moment où il parvenait à sa hauteur, en se retournant elle le vit et, ne pouvant contenir un grand soupir de soulagement, elle l'enlaça à pleins bras.

Mercredi 6 novembre 1996

Ils s'étaient installés à la brasserie, place du Capitole, Constanze avait envie de cela, d'une viande et surtout de frites. Elle ne pourrait pas voir son père avant demain, quand il sortirait de réanimation, mais elle était rassurée de le savoir dans un hôpital français. Alexandre la sentait complètement perdue, déjà parce qu'elle n'avait que des roupies et quelques dollars sur elle, elle n'avait pas eu le temps de passer au bureau de change et ne retrouvait pas sa carte bleue, et qu'en plus elle n'avait pas les clés du petit appartement que son père avait gardé ici, et ne voyait aucun moyen de les récupérer. Ce soir elle dormirait à l'hôtel parce qu'elle n'avait pas envie de relancer d'anciennes connaissances, de devoir leur expliquer pourquoi elle était là, elle avait juste envie de voir son père, d'être réconfortée sur son état, avant de retourner à Delhi où elle venait de planter tous les autres au boulot. Elle s'en voulait parce que depuis deux ans elle n'appelait pas souvent son père, et sa mère non plus, elle se sentait un peu coupable.

— Mais qu'est-ce qu'il a eu au juste ?

— Un quintuple pontage, c'est sa secrétaire qui m'a appelée.

Alexandre songea au flash de France Info ce matin, au joggeur réélu et à Eltsine en chirurgie. Constanze enchaîna en disant que c'était une chance que cela lui soit arrivé pendant qu'il était en France, d'après elle c'était le pays au monde où l'on soignait le mieux. Alexandre ne l'avait jamais vue dévorer son plat aussi avidement, elle engloutit son assiette de frites et s'en régala comme d'un mets rare, d'ailleurs elle héla le garçon pour en commander une deuxième. Après ces heures de vol, l'angoisse de savoir son père opéré en urgence, petit à petit elle reprenait vie. Son sourire revint. Alexandre ne pouvait s'empêcher de la regarder, notant qu'elle avait quelque chose de changé. Il se doutait qu'elle devait penser très exactement la même chose en le regardant, sauf qu'elle ne le regardait pas, son regard le fuyait tout le temps, comme si elle redoutait qu'il ne se fasse des illusions, qu'il ne se remette à y croire.

— En tout cas, merci. Merci d'être venu me chercher, de t'occuper de moi... Et de me nourrir.

— C'est normal.

Tout de même elle était forte. Elle avait sauté dans un avion en sachant son père entre la vie et la mort, traversé une bonne partie de la planète pour venir à son chevet, en plus de quoi elle n'avait pas d'argent sur elle et ne savait pas où dormir, et malgré tout elle se tenait droite face à lui et ne semblait pas si perturbée que ça, alors que n'importe qui d'autre à sa place aurait sans doute été abattu, accablé de fatigue et complètement jetlagué, à coup sûr de mauvaise humeur.

— Alexandre, ce n'est pas vraiment le moment de te dire ça mais... au début ce n'était pas sûr, et puis après je n'osais pas t'en parler, c'est pour ça que je ne t'ai pas appelé depuis l'été, mais depuis un mois c'est sûr...

— Ah oui, quoi ?

— Je suis enceinte.

Elle lui avait dit cela sans joie, le regard éteint, comme si elle s'en excusait. Alexandre était stupéfait. Tout simplement parce qu'il n'avait jamais envisagé qu'elle puisse l'être. De manière abstraite, il avait toujours secrètement pensé qu'un jour ou l'autre Constanze reviendrait ici à Toulouse, et peut-être même aux Bertranges. Même si c'était totalement inimaginable il avait gardé cette illusion en tête. Mais cette fois au moins c'était clair, surtout quand elle lui parla un peu du type, un Allemand avec qui elle travaillait dans l'association, elle l'avait rencontré là-bas à Delhi, il avait cinq ans de plus qu'elle, mais là où Alexandre se prit un deuxième coup au foie, encore plus implacable que le premier, c'est quand elle lui dit innocemment qu'il était ingénieur. Ingénieur agronome. Ce qu'Alexandre ressentit là, c'est que lui n'était qu'un agriculteur. Il ne tenait pas la comparaison avec ce type.

Histoire de ne pas s'appesantir sur le sujet, elle se mit à parler de son travail, de la mission de son association, « l'aide aux pays en voie de développement ». Alexandre n'en montrait rien mais le monde venait de s'écrouler autour de lui. La brasserie, le Capitole, tout Toulouse venait d'être aspiré par un séisme muet. Il laissa son regard se perdre dehors. Par la vitre il regarda les femmes qui passaient sur la place. À Toulouse, il y en avait plein des femmes, et pourtant il ne voyait qu'elle... Comment se faisait-il que depuis quinze ans il avait cette conviction qu'ils étaient faits l'un pour l'autre et que jamais il ne se sentirait aussi proche de qui que ce soit d'autre, aussi en intimité, aucun amour jamais, aucune liaison ne pourrait être aussi complète, aussi fusionnelle qu'avec cette fille-là. En fin de compte Constanze occultait toutes les autres femmes, elle leur faisait écran à toutes, d'ailleurs elle était assise dos à la vitre et lui masquait la vue.

— Pardon de te demander ça, mais tu crois que tu vas faire ta vie là-bas ?

— Je ne sais pas, Alexandre, en tant qu'Allemande je me sens une dette, j'ai l'impression d'être allée là-bas pour réparer les fautes de Hoechst et de tous ces grands groupes chimiques qui intoxiquent les Indiens depuis vingt ans avec de l'endosulfan, tous ces insecticides dont on les a submergés... Tu sais, là-bas les trois quarts de la population vivent de l'agriculture, seulement toutes les terres sont ravagées par les pesticides, et le gouvernement ne dit rien, au contraire, il pousse les petits agriculteurs à utiliser toujours plus de produits phytosanitaires, c'est sans fin. Au début j'y suis allée en croyant redresser les torts de la révolution verte, ces aides soi-disant généreuses qu'on leur avait offertes pendant des années, mais en fait on ne s'en sort pas...

Alexandre était profondément blessé de la voir là, en face de lui, toute dévouée à quelqu'un d'autre, à des terres autres, celles de l'Inde, ce pays tellement lointain qu'il en devenait improbable. Il ne put contenir un sale sentiment de jalousie. Alors, de peur qu'elle ne lui dise quoi que ce soit sur son mec, il fit tout pour la faire parler de l'agriculture en Inde, ce qu'on y semait, ce qui y poussait, à partir de là il ne voulut plus la voir autrement que comme une lointaine collègue, une cultivatrice d'un genre un peu différent du sien. Elle dit qu'en Inde ils étaient végétariens parce qu'ils étaient pauvres, mais demain, dès 2020, les deux tiers des classes moyennes de la planète vivraient en Inde et en Asie, et ce jour-là ils passeraient tous d'une alimentation basée sur les céréales à une alimentation basée sur les sucres, les huiles et les protéines animales.

— C'est fou, je t'assure, le monde court à sa perte, la planète finira intoxiquée par les organochlorés. C'est pourquoi de temps en temps ça me fait du bien de t'appeler, tu ne te rends pas compte, mais toi là-haut tu vis dans un éden, un vrai petit paradis sur terre...

Alexandre songea à ce matin, à Véronique avec ses talons et son tailleur, accompagnée de ce gros bonhomme sans bottes, tous deux osant à peine sortir de la BM pour mettre le pied dans les prairies du haut, puis il songea à ces plans d'immenses bâtiments, à la brochure, puis à l'autoroute opérationnelle dans cinq ans, son coin de nature...

— Et il y a toujours autant de fleurs de menthe sauvage ?

— Oui. Enfin, pas en ce moment parce qu'on est en novembre, mais l'été oui, de plus en plus même.

— Tu sais, tu devrais te lancer dans les vieilles plantes.

— Les quoi ?

— Tu me disais qu'avant vous cultiviez du safran, de la sauge, et que vous aviez plein de baies et de fruits rouges, eh bien toutes ces plantes médicinales et aromatiques ça va revenir à la mode, il va y avoir un retour à toutes ces cultures-là, toutes ces baies que tu m'avais montrées, et les tilleuls, les noix, les fruits sauvages, c'est vers ça que tu devrais aller, le passé c'est l'avenir.

Et là Alexandre fut bien obligé de lui parler de ses sœurs, des parts qu'il devrait leur verser, puis il lui parla des deux grands bâtiments qu'il ferait construire, de cet élevage plus grand que nature, de tous les investissements qu'il prévoyait pour préparer l'avenir, histoire d'aborder l'an 2000 dans un tout autre esprit que l'ancien monde, d'aller pour de bon dans le sens du progrès. Constanze ne répondit rien.

En sortant de la brasserie, ils ne surent où aller. Alexandre retira deux billets de cent francs au distributeur, puis pour la savoir en sécurité il lui proposa de pousser jusqu'à l'hôtel de l'autre côté de la rue, de l'accompagner dans le hall, rien de plus, il lui avancerait le prix de sa chambre. Constanze lui dit que c'était une bonne idée, elle ferait une sieste d'une heure ou deux afin d'atterrir un peu, de se remettre de tout ça, et ce soir elle se coucherait tôt, sans manger, pour être en forme demain. Alexandre de toute façon devait remonter à la ferme pour rentrer les vaches, il y avait deux Salers prêtes à vêler, ces vaches-là s'en sortaient très bien toutes seules, mais avec tout ce qu'il était tombé comme pluie, il ne manquerait plus qu'elles fassent leur veau dans une flaque d'eau. Parfois la nature, d'elle-même, peut tout gâcher.

Constanze avait un billet de retour pour le surlendemain. Elle dit à Alexandre qu'elle l'appellerait, pas ce soir mais demain, tout dépendrait de l'état de son père. D'avance il sut qu'elle ne rappellerait pas.

Vendredi 24 décembre 1999

« Ils en auront pour leur argent... »

Alexandre se répétait nerveusement cette phrase tout en vérifiant les caisses de mortiers. Depuis le temps que ses sœurs et les mômes le bassinaient avec leur envie de feu d'artifice, après ça au moins ils pourraient dire qu'ils en avaient vu un, et un sacré, parce que avec cent vingt mortiers de 75, sans parler de tout ce qui péterait avec, ce serait même un feu d'artifice d'enfer.

Alexandre remisa tout le matériel dans la grange. Il ferma à clé en ajoutant un cadenas, puis il rentra se changer avant de descendre chez ses parents. Pourtant il n'avait aucune envie d'endurer le réveillon de Noël, se retrouver au milieu d'eux tous dans ce semblant de fête serait pour lui un supplice. Les repas de famille étaient rares et se faisaient en bas, dans le pavillon des parents, avec les sœurs et leurs quatre mômes. Encore une fois, il n'y en aurait que pour eux, ils étaient devenus l'unique centre d'intérêt de cette famille. Pour ce soir, Alexandre les avait prévenus, il ne glisserait pas le moindre cadeau sous le sapin, par contre il leur avait promis un fameux feu d'artifice pour célébrer l'an 2000, une pyrotechnie démente qui démarrerait pile au douzième coup de minuit, le jour de l'an, histoire de bien marquer le passage au nouveau millénaire.

Dans la ferme c'était un peu le bazar. Si Caroline et sa famille dormaient en bas, Vanessa, Agathe et leurs enfants s'étaient installés en haut, mais comme il n'y avait plus de chauffage depuis tous ces travaux, ils n'y venaient que pour y passer la nuit. Même les parents ne montaient plus à la ferme, parce qu'ils détestaient les deux grands bâtiments tout juste sortis de terre, les stabulations à peine finies d'être construites et qui se dressaient comme deux halles immenses, deux cathédrales sans murs. Depuis leur pavillon, les parents les voyaient quand ils levaient le regard, et malgré la charpente en bois et les panneaux en lamellé-collé, ces nouveautés leur faisaient horreur. C'était pourtant bien eux qui avaient obligé Alexandre à racheter l'exploitation, eux qui avaient voulu que tout soit réglé de leur vivant, eux qui avaient voulu ce partage et cette soulte qu'Alexandre devrait très vite verser à ses sœurs, de fait c'était bien à cause d'eux que ces bâtiments avaient poussé, le bâtiment pour les vaches

de réforme, celui pour les broutards, six
mètres de haut au faîtage, avec en prime un
parfait local de mise en quarantaine pour les
bêtes accueillies, et deux locaux techniques,
soit cinq nouveaux bâtiments qui chambou-
laient le décor et défiguraient complètement
les Bertranges. Maintenant ça avait vraiment
l'air d'une exploitation, mais plus vraiment
d'une ferme.

Alexandre s'était laissé faire. Pendant un
an il avait enduré tous ces travaux, auxquels
s'étaient ajoutés, depuis cet été, le début du
terrassement de la future autoroute, à deux
kilomètres de là, à longueur de journée
il entendait vrombir des dizaines de bulldozers et de tractopelles, sans parler des
explosions quotidiennes pour fragmenter la
roche et du hurlement des trancheuses de
sol équipées de super-lames de trois mètres
de diamètre. Dans six mois ils commenceraient de construire le viaduc, il y en aurait
pour deux ans de ce boucan d'enfer. Alors
s'il s'était laissé faire, depuis un an il sentait
monter la colère, une rage qui n'en finissait
pas d'enfler, une rage décuplée cet automne,
après qu'il avait vendu les vaches pour faire
place nette et terminer les travaux.

Le problème c'est que cette vie-là, celle qui
l'attendait, il n'en voulait pas. Alors il s'était
juré de tout faire péter pour toucher l'assurance, comme ça au moins ils prendraient
tous leur fric, chacun aurait sa part et ils lui

foutraient la paix. Jamais il ne pourrait élever deux cents vaches qui font du surplace du matin au soir, le cahier des charges du groupement était formel, ne jamais sortir les bêtes pour tout contrôler de leur alimentation, gérer leur quarantaine, ne jamais les laisser sortir pour qu'elles ne s'abîment pas les pattes ni qu'elles chopent la douve ou on ne sait quelle maladie, les laisser en stabulation et les pailler par le dessus, les nourrir au gramme près en passant avec le distributeur mécanique, ce qui reviendrait pour lui, comme pour les bêtes, à travailler en usine. Alors, plutôt que de vivre ça, il préférait que plus rien n'existe des Bertranges, que tout soit aboli, jamais il n'engraisserait deux cents vaches comme sur une chaîne automobile.

L'idée c'était de récupérer juste assez de fric pour racheter à l'État le petit domaine planqué à côté, les prés et les bois de Crayssac, et ne rien faire d'autre que de se poser tranquille dans la vieille bicoque, d'autant que les archéologues l'avaient un peu retapée avant de quitter le camp.

Pour que tout pète comme prévu le 1er janvier 2000 à 0h00, Anton et Xabi lui avaient filé un précieux coup de main. Ils lui devaient bien ça. D'ailleurs ils n'avaient même pas bronché quand il leur avait demandé de l'aide et expliqué son plan. Leur seule exigence au départ, ç'avait été de ne surtout pas mettre les pieds aux Bertranges, histoire de ne pas s'y faire repérer par les gendarmes ou on ne sait qui. Alexandre était allé les voir à trois reprises, trois fois il avait fait l'aller-retour jusqu'à Saint-Affrique. Tout de même, par acquit de conscience, devant la précision qu'exigeait la mise en place de l'explosif pour que les assurances ne tiquent pas, Xabi était venu mardi dernier. Selon lui, le point délicat, c'était l'installation du détonateur, le détonateur qu'Alexandre avait piqué une nuit sur le chantier de l'autoroute. Pour le reste, les instructions d'Anton c'était de casser des tuiles sur le toit de la vieille grange, puis de tout mettre bien à l'abri dans le nouveau local technique, de regrouper tous les produits dans la même pièce, et ensuite d'humidifier l'engrais pour qu'il prenne de la masse, de disposer le réservoir de gasoil et les produits phytosanitaires au plus près les uns des autres pour, en quelque sorte, assembler le cocktail. Xabi avait tout préparé au millimètre près. Il avait même défini l'axe de tir de tous les mortiers du feu d'artifice qu'Alexandre déclencherait à minuit, mais surtout il avait calculé l'angle pour cette fusée qui, elle, partirait à 0 h 08, non pas en direction des astres comme les précédentes, mais à l'horizontale vers le local technique.

En bas ils seraient tous sortis devant le pavillon pour assister au spectacle, depuis le temps qu'ils voulaient voir un vrai feu d'artifice, là au moins ils ne pourraient pas se plaindre, niveau intensité ils ne seraient pas déçus, d'autant que d'après Anton, avec la masse d'ammonitrate qu'il y avait là, ça ferait une boule de feu gigantesque, tout sauterait dans un rayon de deux cents mètres, si bien que tout s'écroulerait, les nouveaux bâtiments comme les anciens, même le corps de ferme ne tiendrait pas le choc, avec la masse d'ammonitrate engagée l'explosion soufflerait aussi cette maison faite de moellons vieux de plus d'un siècle, et le toit de lauze bien épaisse.

Avant de descendre les rejoindre pour partager le chapon, Alexandre voulait se faire beau. Il prit le gros Telefunken à piles avec lui dans la salle de bains, et là il se rasa tout en prenant sa douche sans eau chaude. Ce soir il mettrait un vrai pantalon en tergal et une chemise blanche, histoire de leur clouer le bec à toutes les trois. Depuis une semaine à la radio ils ne parlaient que de l'*Erika*, de cette marée noire gigantesque en Bretagne, mais la panique gagnait de plus en plus autour du bug annoncé de l'an 2000. Un expert disait que le passage à l'an 2000 risquait d'être dramatique, un genre de fin du monde ! Alexandre en eut

463

un sourire, parce que cet an 2000 dont il entendait parler depuis qu'il était môme, cet an 2000 qu'on présentait depuis toujours comme un horizon fabuleux augurant des milliards de promesses, plus on s'en approchait et plus il faisait peur. La France avait même investi cent vingt milliards de francs pour se prémunir du bug informatique qui ferait qu'à minuit tout se détraquerait, toutes les machines tomberaient en panne, aussi bien les fours à micro-ondes que les trains, les avions et les centrales nucléaires, la planète entière se retrouverait à l'arrêt. Mais si Alexandre souriait, c'est qu'il était au moins sûr d'une chose, le bug des Bertranges serait gigantesque, leur pognon ils le verraient tous voler en éclats avant de se volatiliser en milliers de petits fragments incandescents. Une douche froide en hiver ce n'est pas ce qu'il y a de mieux, alors il s'essuya énergiquement pour se réchauffer, et comme il le faisait à chaque fois il tendit l'oreille pour écouter le bulletin météo après le jingle des pintades fermières du Gers, Joël Collado annonçait un fort coup de vent, avec des rafales de plus de cent kilomètres-heure au nord de la Loire, et encore ce n'était rien au regard de l'autre coup de vent attendu pour le surlendemain, de la puissance d'un ouragan. C'était peut-être une blague, un canular d'avant réveillon, en tout cas Alexandre ne reconnut pas la voix de ce Joël Collado qui

comptait tant pour lui, une des voix familières qui lui étaient le plus proches parce
qu'il l'écoutait religieusement tous les jours,
ou alors c'est que ce soir il avait une voix un
peu grave, curieusement étranglée.

Lundi 27 décembre 1999

Voir Paris sens dessus dessous à la télé, voir la capitale à terre, avec des arbres jetés en travers des rues, des voitures écrasées et des toits envolés, voir le bois de Boulogne et le bois de Vincennes en partie dévastés, relevait d'un spectacle à proprement parler inimaginable. Tout autour de Paris, 80 % des postes de distribution EDF étaient hors service, si bien qu'ils n'avaient plus d'électricité là-haut, cette Île-de-France favorisée devait vivre sans courant, cela dit les studios de TF1 et de France 2 marchaient toujours visiblement. Vu de la vallée, pour Vanessa c'était encore plus affolant, elle paniqua au point de se demander si l'appartement au dernier étage qu'elle louait à Montmartre était toujours bien debout. Elle se mit à appeler des gens qui chaque fois ne répondaient pas, pas plus ses voisins d'immeuble que des amis alentour, chaque fois elle tombait sur un répondeur. Pour détendre l'atmosphère,

Alexandre lui dit que si un jour Paris devait être véritablement coupé du monde, on ne le saurait même pas, puisque en France toutes les stations de radio et les chaînes de télé étaient dans le même périmètre, à Paris justement.

Bien que n'aimant pas Paris, les parents ne voyaient rien de drôle là-dedans, parce que tout de même, une tempête de cette intensité, des vents de deux cents kilomètres-heure et un black-out à trois jours de l'an 2000, ça ne valait rien de bon. À coup sûr il devait s'agir d'un signe, une sorte de mauvais présage sur le nouveau siècle à venir.

Depuis le début du 20 heures ils étaient tous plantés devant la télé, même les gamins. Chaque reportage montrait de nouvelles images incroyables, comme le parc du château de Versailles complètement à terre, avec des hectares de chênes centenaires déracinés, ainsi que des espèces rares qui étaient là depuis toujours, comme ces tulipiers plantés par Marie-Antoinette et ces pins Napoléon, preuve qu'une tempête comme celle-là n'était encore jamais arrivée jusqu'à ce jour. C'était donc bien une première. En France on n'avait jamais enduré un tel déchaînement des éléments. Un ingénieur de Météo-France évoqua un phénomène non seulement exceptionnel mais à « l'extrême du possible ». Et en effet le bilan était lourd, on parlait déjà de dizaines de morts et de milliers de blessés, de nombreux automobilistes avaient été tués par des chutes d'arbres, d'autres avaient été victimes de l'effondrement de murs, de la chute de cheminées, ou de l'écroulement de leur habitation, mais le bilan aurait pu être dix fois plus lourd, les morts se compter par centaines, si cette tempête n'avait pas eu lieu de nuit un lendemain de Noël mais en semaine, ou plus tard dans la journée. À cette heure encore, cependant, on ne connaissait pas tout de l'état du pays.

À présent Alexandre ne souriait plus. Devant le panorama de la catastrophe, pour une fois il était à l'unisson de toute la famille, ils se retrouvaient tous au même point, pétrifiés là, face à cette télé. Il songea que si ce vent de dingue avait soufflé le lendemain de Tchernobyl, pour le coup le nuage radioactif aurait vraiment été refoulé hors de la France, chassé à plus de deux cents kilomètres-heure... Cela lui fit penser à Constanze, en trois ans elle ne l'avait appelé qu'une seule fois pour lui annoncer la naissance de sa fille, elle disait craindre de l'élever là-bas en Inde, à cause de la pollution, et que la France lui manquait, la campagne surtout. Mais depuis ce jour-là, plus rien. Hier Caroline l'avait suffoqué en lui demandant s'il avait eu de ses nouvelles, comme ça, de but en blanc, presque gentiment. Alors Alexandre lui avait répondu qu'elle vivait en

Inde depuis huit ans, et que depuis trois ans il n'avait pas de nouvelles, elle n'appelait plus. Et c'est là que Caroline l'avait le plus surpris, en lui faisant cette révélation, en l'éclairant de cette hypothèse intuitive qu'il n'avait jamais envisagée : si ça se trouve, Constanze n'appelait plus parce qu'elle n'était pas heureuse et qu'elle voulait le lui cacher. Alexandre avait regardé sa sœur, masquant mal la profonde reconnaissance qu'il ressentait soudain pour elle. Il n'avait jamais pensé à cela.

Ils commencèrent tout de même à manger leur soupe qui avait eu le temps de refroidir mais ils reposèrent tous leur cuillère quand à la fin du journal Claude Sérillon refit la même tête qu'à l'époque de Tchernobyl et, d'une voix blanche, déclara qu'une nouvelle tempête allait aborder la France, un rien incrédule il annonça qu'un nouveau cyclone arrivait, au moins aussi fort que le précédent, mais plus au sud cette fois, ça avait l'air d'une blague parce que l'impensable ne peut pas se reproduire deux fois de suite, à quelques heures d'intervalle, l'extraordinaire ne se répète pas. Pourtant, un préfet en direct depuis La Rochelle disait que déjà ça soufflait fort et qu'il n'y avait plus du tout de courant, qu'il ne fallait pas sortir, la gare s'était envolée et le musée maritime aussi, les morts s'accumulaient, enfin il priait les gens ayant un téléphone portable de ne pas s'en servir et de libérer les réseaux pour les secours.

Sur la carte météo il y avait bien une nouvelle dépression sur l'Atlantique, dans la nuit elle se décalerait rapidement vers l'est et dégénérerait en tempête, vers minuit les vents deviendraient plus forts, des pointes à plus de cent cinquante kilomètres-heure seraient possibles par endroits, non pas sur les côtes mais à l'intérieur des terres. Autant dire ici... Du coup Sérillon n'eut même plus le temps de parler de l'*Erika*, l'autre désastre écologique du jour, au moment du rappel des titres, les images de sauveteurs ramassant le pétrole sur les plages se mélangèrent à celles des blindés de la gendarmerie qui déblayaient les arbres gisant sur une autoroute, le téléviseur lui-même se mit à donner des signes de fatigue, l'image à grésiller, c'est que l'antenne sur le toit devait sacrément gîter, puis l'écran n'offrit plus qu'un crépitement de points blancs. Alors chez les Fabrier on cala bien les portes et les volets, on se calfeutra à l'intérieur, on refit du café au cas où.

À vingt-deux heures, le vent commença en effet à souffler d'une façon folle. Le père et Alexandre sortirent tout de même sur le perron, depuis le fond de la vallée on ne distinguait rien mais on entendait les arbres fouettés par le vent, des arbres même pas en feuilles mais qu'on sentait s'affoler, certains craquaient déjà et des branches cédaient. C'était rarissime de voir les arbres à ce point secoués par des bourrasques alors qu'ils étaient sans frondaison. Alexandre s'avança un peu plus au-dehors, une pluie horizontale le cingla, des bouts de branches volaient comme des flèches. Face à cette furie qui s'emparait du ciel, il décida de monter à la ferme sans plus attendre. Ses parents et ses sœurs essayèrent de l'en dissuader. Alors qu'il enfilait son K-way et sa capuche et s'apprêtait à y aller, ses neveux et nièces éclatèrent en pleurs. Les bruits à présent devenaient terrorisants, les rafales hurlaient comme dans les films, le pavillon semblait être percuté par à-coups, les arbres tout autour se pliaient jusqu'à l'horizontale, pourtant il devait absolument monter là-haut, parce qu'il ne faudrait pas que cette tornade gavée de pluie s'engouffre dans le local technique, qu'elle pulvérise la porte ou le toit et que ça désorganise toute cette chimie qu'il avait préparée là-dedans, que ça dérègle tous ses plans. D'ailleurs ces nouveaux bâtiments, il ne savait pas s'ils tenaient le vent et comment ils réagissaient en cet instant même.

— De toute façon tu ne peux rien faire, qu'est-ce que tu veux monter là-haut, du moment qu'il y a pas de vaches, on s'en fout...

— Mais maman, je veux y jeter un œil, et en plus j'ai même pas fermé les volets de la maison.

Soudain, la lumière dans le pavillon chancela, et puis l'électricité se coupa net, d'un coup. Cette fois c'était le noir total. Plus de télé, plus de lumière dans aucune pièce. Le pavillon avait maintenant des allures de rafiot tabassé par la tempête, complètement à la dérive parce que piégé dans le grand courant d'air que faisait la vallée, sans électricité plus rien ne marchait ici, la chaudière s'était arrêtée, bientôt il n'y aurait plus de chauffage, tout était plongé dans le noir, avec en prime les quatre mômes qui se refilaient leur angoisse, chialant tous en chœur… Pour calmer les choses, Alexandre referma la porte et ôta ses bottes, son K-way, en le voyant reposer ses affaires, à tout le moins, les mômes arrêtèrent de pleurer. La mère sortit des bougies et la vieille lampe tempête. Dans ce pavillon il n'y avait même pas de radio à piles pour savoir ce qui se passait dehors, et ailleurs dans le monde. Alors toute la famille se retrouva là, à guetter les bruits de plus en plus violents à la lueur des bougies, comme dans le temps.

Mardi 28 décembre 1999

Le matin au réveil, rien qu'en ouvrant la fenêtre, Alexandre comprit l'ampleur du désastre. Visiblement les nouveaux bâtiments n'avaient pas tenu, en tout cas le plus grand car les autres, d'en bas il ne pouvait pas les voir. Sans même prendre le temps de boire un café, il monta à la ferme avec la 4L, mais plusieurs arbres étaient tombés le long du chemin, la route était coupée, alors il dut bifurquer à travers champs. À mi-coteau il vit que des pans entiers du bois de Noailles étaient couchés, la route au fond de la vallée devait être fermée elle aussi, de toute évidence aucune voiture ne passait.

À la ferme, les deux grands bâtiments nouvellement construits étaient par terre, et plus loin, même le toit de la vieille grange s'était en partie envolé, le local technique était décapité et tout avait pris l'eau là-dedans, tout était foutu. Seul le corps de ferme était intact, la porte s'était juste ouverte et les volets avaient été rabattus par le vent, comme fermés par la tempête, à croire qu'elle avait voulu protéger la maison. Ici aussi il n'y avait plus d'électricité. Alexandre se dirigea vers la salle de bains, il alluma le gros Telefunken à piles, lui seul marchait, comme si de rien n'était.

C'est par la radio qu'il apprit que la tempête de cette nuit avait été bien pire que celle de la veille, partout dans le pays des centaines de pylônes de lignes à haute tension étaient sectionnés, démantibulés, comme si des dizaines de milliers de petits attentats avaient tous réussi leur coup, si bien que des millions de Français resteraient sans électricité pendant plusieurs jours ou semaines, ce qui voulait dire qu'ici, aux Bertranges, ce serait sûrement le dernier endroit où elle serait rétablie. Alexandre d'avance vit la scène, les parents, les sœurs, les neveux et nièces, toute la famille qui revenait là, à la ferme, réfugiée dans cette vieille campagne, parce que ici au moins il y avait des cheminées, des bougies et des bûches, toute la famille qui passerait le jour de l'an comme au temps d'avant, en se chauffant au bois et en s'éclairant à la lampe à pétrole, il n'y avait pas d'autre solution parce qu'il savait bien qu'EDF se concentrerait d'abord sur Paris et les grandes villes, puis sur les banlieues pavillonnaires, mais les maisons isolées dans des trous perdus de campagne ils les répareraient en dernier...

Il n'arrivait plus à penser. Par contre il était sûr d'une chose, c'est que Constanze appellerait. Elle téléphonerait comme elle l'avait fait le lendemain de Tchernobyl, elle téléphonerait pour savoir si tout allait bien, si la ferme était toujours debout et s'il y avait bien toujours des fleurs de menthe sauvage. Si ça se trouve, elle avait fait comme Véronique, elle s'était déjà séparée du père de son enfant. Pas de doute qu'elle aussi en était passée par là, alors tant pis, cette fois il lui dirait carrément, il lui demanderait d'arrêter de courir le monde et de venir se poser là, cette fois il lui dirait frontalement les choses, il lui dirait qu'il fallait arrêter de courir le monde, arrêter de fuir et se poser, quitte à la surprendre, quitte à la faire douter, il lui dirait qu'il était prêt à ne plus récolter que des fleurs de menthe, de la mélisse et des fleurs d'aubépine, qu'il était prêt à ne plus cultiver que des fruits à coque, des tubercules et du safran, d'ailleurs ils feraient ce qu'elle voudrait de la terre, ils lui en demanderaient peu et le feraient proprement, le plus naturellement du monde.

Par précaution il décrocha le téléphone pour voir s'il y avait la tonalité, mais comme il le redoutait il n'entendit rien, pas un son, pas un bip, rien. Alors il fonça dans la grange pour sortir sa boîte à outils, jamais il ne toucherait à un fil électrique tombé à terre, mais un câble de téléphone coupé il saurait le relever, le dénuder et raccommoder les fils avec des connecteurs, ce paquet de connecteurs Scotchlok dont Xabi s'était servi pour raccorder les fils du détonateur électrique, il en avait laissé toute une poignée en disant qu'il ne voulait pas se balader avec ça sur lui, qu'on ne savait jamais, avec son passé.

Le fil de téléphone, Alexandre le trouva tout au bout du chemin, à terre, le long des prés du père Crayssac, tous les poteaux étaient tombés aussi, et le fil traînait au sol, sectionné en un endroit. Alexandre se baissa pour saisir ce lien, pauvre petit animal blessé qui ne demandait qu'à revivre, un fil qui dans quelques heures de cela, il le savait, lui ouvrira le monde dans un ultime appel d'air. Constanze appellera, et Crayssac ne sera jamais assez remercié de n'avoir pas tiré sur les gendarmes, d'avoir finalement permis qu'un jour, et pour toujours, passent ces longs fils de caoutchouc noir devant ses prés. Elle va appeler, et il faudra qu'il lui dise qu'elle est une histoire que le temps n'efface pas, et que même quand elle est loin, qu'elle ne donne pas le moindre signe de vie, le cortège des jours aux Bertranges ne souffle rien d'autre qu'un parfum de patchouli.